崇文馆 家庭典藏

崇文国学经典普及文库

杜甫诗

苏小露◎注评

长江出版传媒
崇文书局

杜甫诗

图书在版编目（CIP）数据

杜甫诗 / 苏小露注评 .
—武汉 ：崇文书局，2017.1
（崇文国学经典普及文库）
ISBN 978-7-5403-4247-0
Ⅰ . ①杜…
Ⅱ . ①苏…
Ⅲ . ①杜诗－诗集
Ⅳ . ① I222.742
中国版本图书馆 CIP 数据核字（2016）第 261873 号

出 品 人　潘启胜

统　　筹　陈中琼
责任编辑　陈中琼　谭　琳

出版发行　长江出版传媒 | 崇文书局
地　　址　武汉市雄楚大街 268 号 C 座 11 层
电　　话　(027)87293001　邮政编码　430070

印　　刷　湖北恒泰印务有限公司
开　　本　889×1194　　1/32
印　　张　10.25
字　　数　236 千字
版　　次　2017 年 1 月第 1 版
印　　次　2017 年 1 月第 1 次印刷
定　　价　32.80 元
（如发现印装质量问题，影响阅读，请与承印厂调换）

总序

现代意义的“国学”概念，是在19世纪西学东渐的背景下，为了保存和弘扬中国优秀传统文化而提出来的。1935年，王缁尘在世界书局出版了《国学讲话》一书，第3页有这样一段说明：“庚子义和团一役以后，西洋势力益膨胀于中国，士人之研究西学者日益众，翻译西书者亦日益多，而哲学、伦理、政治诸说，皆异于旧有之学术。于是概称此种书籍曰‘新学’，而称固有之学术曰‘旧学’矣。另一方面，不屑以旧学之名称我固有之学术，于是有发行杂志，名之曰《国粹学报》，以与西来之学术相抗。‘国粹’之名随之而起。继则有识之士，以为中国固有之学术，未必尽为精粹也，于是将‘保存国粹’之称，改为‘整理国故’，研究此项学术者称为‘国故学’……”从“旧学”到“国故学”，再到“国学”，名称的改变意味着褒贬的不同，反映出身处内忧外患之中的近代诸多有识之士对中国优秀传统文化失落的忧思和希望民族振兴的宏大志愿。

从学术的角度看，国学的文献载体是经、史、子、集。崇文书局的这一套国学经典普及文库，就是从传统的经、史、子、集中精选出来的。属于经部的，如《诗经》《论语》《孟子》《周易》《大学》《中庸》《左传》；属于史部的，如《战国策》《史记》《三国志》《贞观政要》《资治通鉴》；属于子部的，如《道德经》《庄子》《孙子兵法》《鬼谷子》《世说新语》《颜氏家训》《容斋随笔》《本草纲目》《阅微草堂笔记》；属于集部的，如《楚辞》《唐诗三百首》《豪放词》《婉约词》《宋词三百首》《千家诗》《元曲三百首》《随园诗话》。这套书内容丰富，而分量适中。一个希望对中国优秀传统文化有所了解的人，读了这些书，一般说来，犯常识性错误的可能性就很小了。

崇文书局之所以出版这套国学经典普及文库，不只是为了普及国学常识，更重要的目的是，希望有助于国民素质的提高。在国学教育中，有一种倾向需要警惕，即把中国优秀的传统文化“博物馆化”。“博物馆化”是20世纪中叶美国学者列文森在《儒教中国及其现代命运》中提出的一个术语。列文森认为，中国传统文化在很多方面已经被博物馆化了。虽然中国传统的经典依然有人阅读，但这已不属于他们了。“不属于他们”的意思是说，这些东西没有生命力，在社会上没有起到提升我们生活品格的作用。很多人阅读古代经典，就像参观埃及文物一样。考古发掘出来的珍贵文物，和我们的生命没有多大的关系，和我们的生活没有多大关系，这就叫作博物馆化。“博物馆化”的国学经典是没有现实生命力的。要让国学经典恢复生命力，有效的方法是使之成为生活的一部分。崇文书局之所以强调普及，深意在此，期待读者在阅读这些经典时，努力用经典来指导自己的内外生活，努力做一个有高尚的人格境界的人。

国学经典的普及，既是当下国民教育的需要，也是中华民族健康发展的需要。章太炎曾指出，了解本民族文化的过程就是一个接受爱国主义教育的过程："仆以为民族主义如稼穑然，要以史籍所载人物制度、地理风俗之类为之灌溉，则蔚然以兴矣。不然，徒知主义之可贵，而不知民族之可爱，吾恐其渐就萎黄也。"(《答铁铮》)优秀的传统文化中，那些与维护民族的生存、发展和社会进步密切相关的思想、感情，构成了一个民族的核心价值观。我们经常表彰"中国的脊梁"，一个毋庸置疑的事实是，近代以前，"中国的脊梁"都是在传统的国学经典的熏陶下成长起来的。所以，读崇文书局的这一套国学经典普及读本，虽然不必正襟危坐，也不必总是花大块的时间，更不必像备考那样一字一句锱铢必较，但保持一种敬重的心态是完全必要的。

期待读者诸君喜欢这套书，期待读者诸君与这套书成为形影相随的朋友。

陈文新

（教育部长江学者特聘教授，武汉大学杰出教授）

前言

杜甫，字子美，唐玄宗先天元年(712)出生于河南巩县(今河南省巩义市)，祖籍京兆杜陵(今陕西省西安市)。他在长安时曾在杜陵东南的少陵附近居住过，所以自称“杜陵野客”、“杜陵布衣”或“少陵野老”。唐肃宗至德二载(757)，杜甫被授予左拾遗一职，友人严武又曾奏表杜甫为检校工部员外郎，因此后人又称他为“杜拾遗”或“杜工部”。

杜甫被后人尊为“诗圣”，他生活的唐玄宗、唐肃宗和唐代宗三朝恰是唐朝动乱频仍之时，其诗歌正是他毕生经历和内心情感的真实反映，这也是他的诗歌被誉为“诗史”的原因。我们要了解他的诗歌，就必须先了解他所处的时代背景和生平事迹。

杜甫的十三世祖，是晋代大将军杜预，他博学善思，著有《春秋左氏经传集解》。祖父杜审言也是唐初著名诗人。杜甫在《进雕赋表》中说：“自先君恕、预以降，奉儒守官，未坠素业矣。”可见家族世代承袭的儒家传统对他影响颇深。杜甫青少年时期，可以从他的《壮游》“七龄思即壮，开口咏凤凰。九龄书大字，有作成一囊”“往昔十四五，出游翰墨场。斯文崔魏徒，以我似班扬”等句中看出，他天资聪慧，十四五岁便开始出入文坛。

二十岁以后，杜甫的生平大致可以划分为四个时期。从开元十九年（731）至天宝四载（745），是杜甫的“壮游时期”，他过着“裘马清狂”的快意生活，先远游吴越，然后回洛阳参加进士考试，没有中第，随即又出游齐赵，期间与李白相识并结为挚友。这一时期，杜甫现存二十多首诗，以《望岳》为代表。

天宝五载（746）至天宝十四载（755），是杜甫的“长安时期”，诗人居住在长安城东繁华秀丽的杜曲，可他却因穷困潦倒而心情压抑。杜甫参加唐玄宗特诏的制举却再次落榜，虽然因献《三大礼赋》得到玄宗赏识，但只被授予集贤院待制，任命为河西尉。后又改为右卫率府兵曹参军，此职是从八品下的小官，但诗人迫于生计，只好就任。仕途的失意和生活的苦难让杜甫认识到了统治阶层的腐败和普通百姓的艰辛，这使得诗人开始忧国忧民。这期间，他先后写下了《兵车行》《丽人行》《自京赴奉先县咏怀五百字》等诗篇。

肃宗至德元载（756）至乾元二年（759），是杜甫的“流亡时期”，安史之乱爆发，长安陷落，唐肃宗在灵武即位，杜甫从奉先投奔行在所而半路被俘，独居长安达半年之久。至德二载，杜甫从贼众手中逃至凤翔，被授予左拾遗一职。但因替宰相房琯求情，几乎被处死。诗人离开凤翔北上鄜州与家人团聚，后又返还长安，继续担任左拾遗。随着房琯被贬，杜甫也出为华州司功，永远离开了长安。稍后从华州至洛阳，再由洛阳回华州，著名的“三吏”、“三别”即作于此时。乾元二年，关辅大饥，杜甫从华州辞官，经秦州、同谷，最终抵达成都。

肃宗上元元年（760）至代宗大历五年（770），是杜甫的“西南漂泊时期”。杜甫到达成都后，在城西浣花溪畔建草堂，前后共住了五年时间，期间因叛乱辗转梓州和阆州。代宗永泰元年（765），杜甫的依靠——严武去世，他便举家离开草堂，先在云安暂住，后迁至夔州。代宗大历三年（768），杜甫从夔州出峡，寓居于湖北江陵、公安等地，年底到岳阳，仍漂泊于岳阳、长沙、衡阳、耒阳几地之间。大历五年（770）冬，杜甫去世，享年 59 岁。杜甫人生最后的十一年是他创作的爆发期，他共写有一千多首诗，其中夔州所作多达四百多首，佳作《茅屋为秋风所破歌》《闻官军收河南河北》《秋兴八首》《登高》等均写于此时。

杜甫现存的一千四百多首诗，是他动荡转徙一生的写照，同时又客观且深刻地反映了唐朝安史之乱前后二十多年的社会政治生活。杜甫众体兼工，并能推陈出新。他的五言古诗，如《自京赴奉先县咏怀五百字》《赠卫八处士》和“三吏”“三别”，融纪事抒怀于一体，浑圆博大；七言古诗，如《茅屋为秋风所破歌》，感情真挚；五言和七言律诗，如《春望》《春夜喜雨》《登岳阳楼》《蜀相》《闻官军收河南河北》《秋兴八首》，形式与内容都展现出极高的功力。特别是《登高》，清人杨伦评为“高浑一气，古今独步，当为杜集七言律诗第一”。他的绝句或即景抒情，或反映时事，或寓议论于其中，别开生面。杜甫还作有许多五言排律和少量的七言排律，使排律得到很大的发展。杜诗涉及国家政治、历史、社会的各方面，诗境开阔，达到思想内容和艺术形式的高度统一，他是唐诗最高成就的代表者之一。

本次整理注释的杜甫诗，以收录在 20 世纪二三十年代商务印书馆所编《万有文库》之《学生国学文库》中傅东华先生选注的《杜甫诗》为底本，在此基础上删减了部分篇目。因本书旨在普及国学读物，培养读者古诗阅读兴趣，所以删去了原书中相对简略且晦涩不易懂的注释，重新添加新的注释，力求做到既详尽通俗又不放过任何一处疑难字句。在注释的同时，又给每首诗附上简短的赏析，希望以此帮助读者更好地领会杜甫诗的特点。注评工作琐碎浩繁，不当之处在所难免，还望读者不吝批评指正。

苏小露

2016 年 10 月于上海

目录

目录

游龙门奉先寺①

已从招提②游，更宿③招提境。
阴壑生虚籁④，月林散清影⑤。
天阙象纬逼⑥，云卧⑦衣裳冷。
欲觉⑧闻晨钟，令人发深省⑨。

【注释】

①龙门奉先寺：龙门即伊阙，俗称龙门山，在今河南省洛阳市洛龙区。自六朝以来，这里就是佛教圣地，寺院众多。奉先寺是龙门石窟中一组规模最大、艺术最精湛的摩崖佛龛，为龙门石窟之首。

②招提：梵语音译为“拓斗提奢”，省写作“拓提”，后来误写为“招提”，意思是“四方”，四方之僧为招提僧，四方之僧的住处为招提房。诗中用“招提”指代寺庙。

③更：又，与上句中的“已”相照应。宿：留宿，住宿。

④阴壑(hè)：阴暗的山谷。壑，深沟。虚籁(lài)：指风声。籁，孔穴里发出的声音。

⑤清影：清朗的光影，这里指月光。

⑥天阙(què)：天上的宫阙，这里指龙门山。阙，皇宫门前两边供瞭望的楼。象纬：指星象像经纬线一样交错，这里泛指星辰。织布时织机上的纵线叫经，横线叫纬。逼：逼近，指龙门山逼近星辰，形容山高。

⑦云卧：卧入云中，形容山高。
⑧觉：睡醒。
⑨深省：很深的感悟。

【赏析】

《游龙门奉先寺》是杜甫在唐玄宗开元二十四年(736)游历洛阳龙门山而夜宿奉先寺时，据其所见、所闻与所感而写下的一首五言律诗。首联交代背景，“宿”字是这两句诗的诗眼，下文即由“宿”字展开。颔联和颈联集中写诗人夜宿寺中亲临的夜景：幽暗的山谷中传来阵阵风声，月光下树林被风吹得轻轻摇动，颔联十个字将景色描摹殆尽；颈联中诗人的目光转向天空，写星云，衬托龙门山高耸直上，营造出一个高冷寒危的环境，让人在佛寺中忘却世俗的纷扰和喧嚣。最后两句，诗人在将要睡醒时，听到清晨的钟声，内心产生了深刻的感悟，若有所得。成语“发人深省”即来源于此诗的尾联。这首诗是杜甫二十五岁时的作品，从中可以看出诗人早年对自然的敏锐感受力和对佛教的初步认识。

望　岳[①]

岱宗[②]夫如何，齐鲁青未了[③]。
造化钟神秀[④]，阴阳割昏晓[⑤]。
荡胸生曾[⑥]云，决眦[⑦]入归鸟。
会当凌绝顶[⑧]，一览众山小。

【注释】

①望:远望,远眺。岳:东岳泰山,位于山东泰安境内,是五岳之首。

②岱宗:也指泰山。泰山也称作岱山,古人奉泰山为五岳之首,被其他诸山所宗,所以又称“岱宗”。

③齐鲁:春秋时的两个国家名。齐国在泰山之北,鲁国在泰山之南。未了:未尽。

④造化:创造和演化,指自然界自身发展繁衍的能力,这里指自然。钟:聚结,集中。神秀:神奇和秀丽,这里指泰山的景致。

⑤阴阳:阴,山的北边背阴处;阳,山的南边向阳处。割:分割。昏晓:黄昏和清晨。

⑥荡胸:荡涤着心胸。曾:通“层”。

⑦决眦(zì):形容张目极视的样子。决,决裂,裂开。眦,眼角。

⑧会当:一定会。凌:登上。绝顶:山的最高峰。

【赏析】

《望岳》大约作于唐玄宗开元二十四年以后,杜甫第一次游览齐赵之时。此前杜甫在洛阳考进士落榜,但杜甫在这首诗中描绘了泰山的雄伟气象,表现了他有信心登上事业顶峰的凌云壮志。全诗都是依照标题中的“望”展开,诗人不是在攀登途中,也不是在山顶俯视时写泰山,而是在远处遥望,将泰山壮美的景色作为一个整体尽收眼底。首联用散文句式自问自答,整个齐鲁大地都望不尽它的青色,侧面暗示泰山的高大。领联说大自然把神奇秀丽的景致都聚集到泰山之上,泰山竟能分割它南北两面的阳光,写出了风景的优美和山体的高耸。颈联写诗人远望层云,心胸激荡;目送归鸟几乎眼角裂开,夸张的手法体现了望的专注和鸟的高远。尾联写出了诗人相信自己会登上山顶,表达了他的万丈豪情以及对前途的乐观。

赠 李 白

秋来相顾尚飘蓬①,未就丹砂愧葛洪②。
痛饮狂歌空度日③,飞扬跋扈为谁雄④?

【注释】

①飘蓬:飘飞的蓬草,常用来比喻人的漂泊无定。

②未就:没有成功。丹砂:朱砂。道教炼砂成药,认为吃了可以延年益寿,长生不老。葛洪(284—364):东晋道士,字稚川,自号抱朴子。他曾受封为关内侯,后来隐居罗浮山修炼仙丹。李白向往神仙,曾经自己炼丹,又在齐州从道士高如贵受"道箓"。杜甫也渡黄河登王屋山访道士华盖君,后来因为华盖君已死,惆怅而归。诗人与李白两人在学道方面都没有成就,所以是"愧葛洪"。

③空度日:白白地虚度时日、年华。

④飞扬跋扈(bá hù):现在大多形容骄横放肆,目中无人。本意是指不守常规,狂放不羁。这里用作本意。为谁雄:逞雄是为了谁?

【赏析】

这首诗作于唐玄宗天宝四载(745),即杜甫与李白再次相遇之时,是杜甫诗歌中现存最早的一首绝句。诗人通过赠别,表达了自己失意飘零的落寞,同时也写出了李白狂放飞扬的个性特征。"秋来"点明时间,"相顾"说明二人相会,而"飘蓬"二字,通过比喻,写李白和杜甫行迹飘忽不定而又官场失意的处境。李白喜欢神仙道术，曾经炼过丹药；而杜甫也曾渡黄河上王屋山访问过道士，但二人在道学方面均无所成就，所以诗中说他们“未就丹砂愧葛洪”。“痛饮狂歌”和“飞扬跋扈”是杜甫对李白的高度概括，生动而准确，将李白桀骜不驯、风流倜傥的酒中仙形象刻画得非常逼真。而“空度日”和“为谁雄”则在客观描述之后，加入了诗人的主观评价。既有对李白不被赏识的感慨，又有对李白言行的规劝之意。全诗四句都没有主语，使得文本解读具有更广泛的意义，在赠李白的同时，诗人似乎也是在暗指自己。首句中的“相顾”有杜甫用诗同时劝勉他们两个人之意。

陪李北海宴历下亭①

东藩驻皂盖②，北渚凌清河③。
海右此亭古④，济南名士多⑤。
云山已发兴⑥，玉佩仍⑦当歌。
修竹不受暑⑧，交流空涌波⑨。
蕴真惬⑩所欲，落日将如何！
贵贱俱物役⑪，从公难重过⑫。

【注释】

①李北海：即李邕，唐玄宗天宝初年（742）任汲郡北海太守。北海即青州，在唐代属河南道，治所在今山东省潍坊市昌乐县东南。历下亭：在今山东省历城县境内，因历山而得名。

②东藩(fān):唐代的北海郡在京城东边,所以称为"东藩"。藩,指分封的国土,也指边防重镇。驻:驻扎。皂(zào)盖:黑色车盖,汉代太守的车都用皂盖。

③北渚(zhǔ):历下亭北边水中的小块陆地。凌:历,经。清河:即大清河,又名济水,原来在齐州(济南)的北边,后来被黄河夺其河路。这句诗是说杜甫从北渚乘船经清河来到历下亭。

④海右:古人以南方为正,所以以西方为右,以东方为左。齐地在大海的西边,所以称为"海右"。此亭古:历下亭建于北魏之前,杜甫至此地游玩时已有二三百年的历史,所以是"此亭古"。

⑤济南:历城在济水之南,故称"济南"。名士多:杜甫在这句诗下自注:"时,邑人蹇处士等在座。"自汉代以来,伏生等儒学经师都是济南人,所以是"名士多"。

⑥云山:指远处的云影山色。发兴:催发写诗的兴致。

⑦玉佩:古人衣带上佩戴的玉饰,这里指代歌伎。仍:复,又。

⑧修竹:修长的竹子。不受暑:感受不到夏天的炎热。

⑨交流:历水和泺水两条河流交汇。空涌波:水波是可以解暑的,但因为历下亭已经有竹子乘凉,所以是"空涌波"。空,白白地,徒然。

⑩蕴(yùn)真:蕴藏真趣。惬(qiè):满足。

⑪贵:指李邕。贱:指杜甫自己。俱:都。物役:被事物所役使。

⑫从:随从。公:对李邕的尊称。难重过:难以重新来过。

【赏析】

这首诗是唐玄宗天宝四载,即杜甫第二次游览齐赵时在济南所作。北海郡守李邕设宴款待杜甫,于是杜甫即席赋诗,赞美了济南的风流名士和壮丽景致。前四句讲明地点:东藩、北渚、历下亭,范围一步步缩小。亭子古老而名士又多，济南的人物名胜用一句话便概括。中间四句写历下亭中的宴乐场景：云影山色，助长雅兴；玉佩作响，成为歌声的伴奏。四周修竹环绕，不觉得炎热；亭边河水交汇，无尽地奔流。这四句都用虚词连接，让诗歌更加顿挫起伏。最后四句写诗人的感想，亭中宴乐蕴含真正的乐趣，人生无论贵贱都被外物所驱使，是诗人在欢乐之余对人生发出的感慨。“落日将如何”，表达了杜甫对盛宴的不舍：“从公难重过”，表达了杜甫对不知何时再与李邕等前辈同乐的惋惜和向往。本诗在杜甫诗集中虽不算名作，但“海右此亭古，济南名士多”二句却作为济南的名片，传诵千古。

赠李白

二年客东都①，所历厌机巧②。
野人对膻腥③，蔬食常不饱。
岂无青精饭④，使我颜色好？
苦乏大药⑤资，山林迹如扫⑥。
李侯金闺彦⑦，脱身事幽讨⑧。
亦有梁宋⑨游，方期拾瑶草⑩。

【注释】

①客：客居异乡。东都：指洛阳，相对于唐朝的都城长安而言。

②历：经历。厌：厌恶。机巧：机关巧诈。

③野人：诗人自称。膻腥（shān xīng）：这里指鱼肉。膻，羊肉的气

味；腥，鱼的气味。

④岂无：难道没有？青精饭：用古代道家的秘方所做的饭，呈青碧色，所以叫“青精饭”。相传吃了可以延年益寿。

⑤苦乏：苦于缺乏。大药：指道家的金丹。

⑥迹如扫：足迹好像被扫尽，即绝迹，指无法隐居山林。

⑦李侯：对李白的尊称。金闺（guī）：金马门。汉代东方朔等人曾待诏金马门，而李白曾待诏翰林。闺，上圆下方的小门。彦（yàn）：有才学的人。

⑧幽讨：寻幽访道，这里指求仙。

⑨梁宋：梁，指汴州，在今河南省开封一带；宋，指宋州，在今河南省商丘一带。

⑩方期：正好期望。瑶草：仙草。

【赏析】

唐玄宗天宝三载（744），李白受到高力士的诬陷，被唐玄宗赐金放还东都洛阳。杜甫恰好此时也在洛阳，与年长自己十一岁的李白第一次相识，于是写下这首诗相赠。这也是杜甫《赠李白》中最早的一首诗。诗的前四句先写杜甫自己，诗人客居东都洛阳两年了，已经厌倦了官场的狡诈。“野人”以下六句全部在讨论饮食，诗人厌倦了大鱼大肉，宁愿每天吃粗茶淡饭，哪怕经常吃不饱。他更渴望的还是道家的青精饭，能让他脸色好。但是他又没有道家的金丹，也无法去山林中隐居炼药。这几句多次转折，使得诗句沉郁顿挫，富有起伏和张力。最后四句才转向李白，他曾经待诏翰林，是朝廷中的美士，如今也从中脱身并转而寻幽访道。于是杜甫和李白约定，他也将去游览梁宋之地，相约一起采仙草。诗中含有浓厚的道家意味，李杜二人痴迷于道家的丹药饮食和仙术，既是当时社会风气的反映，也表达了杜甫对官场趋炎附势的鄙夷和对山林自然的向往。

高都护骢马行①

安西都护胡青骢，声价歘然来向东②。
此马临阵③久无敌，与人一心成大功。
功成惠养④随所致，飘飘远自流沙⑤至。
雄姿未受伏枥⑥恩，猛气犹思战场利。
腕促蹄高如踣⑦铁，交河几蹴⑧曾冰裂。
五花⑨散作云满身，万里方看汗流血⑩。
长安壮儿不敢骑，走过掣电倾城⑪知。
青丝络头⑫为君老，何由却出横门⑬道？

【注释】

①高都护：指高仙芝（？—756），唐朝中期名将，高句丽人。他容貌俊美，擅长骑马和射箭，骁勇善战。幼时跟随他的父亲高舍鸡入唐。二十岁担任将军，后官至安西副都护、四镇都知兵马使，封密云郡公。骢（cōng）马：青白色相杂的马。行：古典诗歌的一种体裁，又称作“歌行”或“歌”。音节、格律比较自由，形式采用五言、七言、杂言的古体，多变化。

②声价：名誉和身价。歘（xū）然：忽然。这句诗的意思是，骢马随着主人东至长安，名誉与身份也随之骤增。

③临阵:亲临战场。
④惠养:恩惠地抚养。
⑤流沙:沙漠,这里指西北沙漠地带。
⑥伏枥(lì):马伏在槽上,指养育。枥,马槽。
⑦腕促蹄高:腕节粗短,马蹄高厚。踣(bó):踏破。
⑧交河:唐郡名,在新疆吐鲁番西二十里。蹴(cù):踢踏。
⑨五花:指马毛颜色斑驳。
⑩汗流血:相传汉代西域大宛国的千里马,奔跑时流出的汗水红如鲜血。
⑪掣(chè)电:闪电。倾城:全城。
⑫青丝:马的缰绳。络头:马笼头。
⑬横门:汉代长安城西北的第一座门称为"横门",是通向西域的大道。

【赏析】

这首诗是杜甫在唐玄宗天宝八载(749)困于长安时所作,全诗歌咏了都护高仙芝的青骢马。前六句写青骢马的来历,它本是安西都护高仙芝的战马,因临阵无敌,功成惠养,于是从遥远的西北沙漠来到东方长安。接下来的两句写青骢马的志向,虽然主人让它老骥伏枥,但它却不甘愿休息,反而猛气犹存,仍然想去战场建立功绩。再接下来四句回顾青骢马过去辉煌的战绩:它腕促蹄高能踏破钢铁,曾在交河踩裂层冰;奔跑起来,五花的毛发犹如云彩覆身,飞驰万里之后,流出血色的汗水。杜甫用雄健而豪迈的笔调写出了青骢马的遒劲有力和英姿飒爽。最后四句回到现实,写长安的壮士都不敢骑它,而它风驰电掣令全长安城的人都知道了它。可是青骢马不想青丝络头老死马槽,反而想着何时才能奔出横门,重回疆场。此诗着重刻画了青骢马的赫赫战功和不肯服老的不屈心志,杜甫以马自喻,表达了他自己不甘平庸、渴望建功立业的志向。

饮中八仙歌

知章骑马似乘船[①],眼花落井水底眠。
汝阳三斗始朝天[②],道逢麴车口流涎[③],
恨不移封向酒泉[④]。左相[⑤]日兴费万钱,
饮如长鲸吸百川[⑥],衔杯乐圣称世贤[⑦]。
宗之[⑧]潇洒美少年,举觞白眼[⑨]望青天,
皎如玉树临风[⑩]前。苏晋长斋绣佛[⑪]前,
醉中往往爱逃禅[⑫]。李白一斗诗百篇[⑬],
长安市上酒家眠[⑭]。天子呼来不上船[⑮],
自称臣是酒中仙。张旭三杯草圣传[⑯],
脱帽露顶[⑰]王公前,挥毫落纸如云烟[⑱]。
焦遂[⑲]五斗方卓然,高谈雄辩惊四筵[⑳]。

【注释】

①知章:即贺知章(约659—744),字季真,号四明狂客,越州永兴(今浙江省萧山区)人,盛唐著名诗人。骑马似乘船:贺知章醉酒后骑马晃晃悠悠,就像乘船一样。

②汝阳:即汝阳王李琎,唐玄宗的侄子。三斗:饮三斗酒。十升为一斗,十斗为一石。朝天:朝见天子。

③麴(qū)车:指酒车。麴,同"曲"。涎(xián):口水。

④移封:改换封地。酒泉:郡县名,在今甘肃省酒泉市。相传地下有

泉水，味道像酒，所以名为“酒泉”。

⑤左相：即左丞相李适之（694—747），唐玄宗天宝元年八月任左丞相，天宝五载（746）四月，被李林甫排挤而罢相，七月，又贬为宜春太守。天宝六载（747），服药自尽。

⑥长鲸吸百川：古人认为鲸鱼能吸百川中的水，这里用来形容李适之饮酒像鲸鱼喝百川之水。

⑦衔杯乐圣称世贤：李适之罢相后，写有诗：“避贤初罢相，乐圣且衔杯。为问门前客，今朝几个来？”衔，用嘴含着。

⑧宗之：即崔成辅，字宗之，吏部尚书崔日用之子，袭父封为齐国公，官至侍御史。

⑨觞（shāng）：古代的酒杯。白眼：典出《晋书·阮籍传》：“籍又能为青白眼。见礼俗之士，以白眼对之。常言‘礼岂为我设耶？’时有丧母，嵇喜来吊，阮作白眼，喜不怿而去；喜弟康闻之，乃备酒挟琴造焉，阮大悦，遂见青眼。”这里用“白眼”形容崔宗之醉后的孤傲。

⑩皎：洁白、明亮。玉树：珍宝做的树。临风：迎着风。

⑪苏晋（676—734）：唐代诗人，他从小便能写文章，曾作《八卦论》。吏部侍郎房颖叔、秘书少监王绍见他后感叹说：“后来之王粲也。”长斋：长期斋戒。绣佛：画的佛像。

⑫逃禅：不守佛门戒律。佛教戒饮酒，苏晋长斋信佛，却喜欢喝酒，所以称之为“逃禅”。

⑬一斗诗百篇：饮一斗酒后能写出上百篇诗歌。

⑭长安市上酒家眠：据《新唐书·李白传》记载，唐玄宗在沉香亭召他为新配的音乐作诗，他却在长安的酒铺里与人喝醉。

⑮天子呼来不上船：据范传正所作的《李白新墓碑》记载，唐玄宗在白莲池游船，召他来写文章，可是李白在翰林院喝得大醉，唐玄宗便

命高力士扶他上船。

⑯张旭(675—约750):字伯高,一字季明,唐代吴县(今江苏省苏州)人,曾任常熟县尉,金吾长史。以草书著名,与李白的诗歌,裴旻的剑舞,号称为“三绝”。喜欢饮酒,每次喝醉后,呼号狂走,索笔挥洒,时人称之为“张颠”。草圣传:“草书之圣”的美名流传。

⑰露顶:露出头顶。

⑱挥毫:古人的毛笔多用羊或狼身上的毫毛制成,挥毫指用毛笔写字。如云烟:这里形容张旭的草书恣意纵横,如同天上的云烟。

⑲焦遂:唐代的平民,生平事迹不详。

⑳四筵(yán):古人席地而坐,所以引申为酒宴。又因为分坐四面,故又称“四筵”。筵,本意指竹席。

【赏析】

《饮中八仙歌》大约创作于唐玄宗天宝五载,诗人选取当时流传的“饮中八仙”中重要的贺知章、李琎和崔宗之三人,增加开元以来出名且风格相似的李适之、苏晋、李白、张旭和焦遂五位嗜酒之徒,组成新的八仙,用浪漫的笔调,描写他们饮酒的精神面貌。杜甫抓住八仙各自的身份、性格和喜好特征,刻画他们不同的醉态。贺知章是经常乘船的吴越人,所以把他醉后骑马摇晃的样子比作乘船;李琎是汝阳郡王,所以写他上朝前饮酒,上朝路上馋酒,恨不改封到酒泉,配合他的特殊身份和地位;李适之是宰相,喜欢招待宾客,罢相后有“避贤初罢相,乐圣且衔杯”诗,所以杜甫引之入诗;崔宗之年少潇洒,所以写他酒后玉树临风的面貌;苏晋信佛吃斋,本应禁酒的他却偏偏经常醉酒;李白斗酒诗百篇,杜甫取唐玄宗两次召他作文时,他都醉得不省人事的两件事,来表现他是清高的酒中仙;草圣张旭喜欢酒后写字，变化无穷，杜甫在描写他挥毫的同时，也表现他在王公面前不拘礼节的放达；焦遂是平民，却偏偏写他卓然独立，高谈阔论，语惊四座。杜甫视此八人为酒仙，用诗歌刻画他们酣醉之后放浪形骸、不拘礼节的形态和性格，同时诗歌也体现了盛唐时代个体旷达和自由的时代精神。

今　夕①　行

今夕何夕岁云徂②，更长③烛明不可孤。
咸阳客舍一事无，相与博塞④为欢娱。
冯陵⑤大叫呼五白⑥，袒跣不肯成枭卢⑦。
英雄有时亦如此，邂逅岂即非良图⑧。
君莫笑，刘毅从来布衣愿，家无儋石输百万⑨。

【注释】

①夕：日落的时候，泛指夜晚。

②今夕何夕：今夜是哪一天夜里。这里是感叹时光飞逝。岁云徂（cú）：这一年将要逝去，说明今天晚上是除夕。徂，逝去。

③更长：更换更长的蜡烛。

④相与：互相。博塞：古代的一种赌博游戏。

⑤冯（píng）陵：意气风发的样子。

⑥五白：古代赌博的器具名称，类似于今天的骰子。

⑦袒跣（tǎn xiǎn）：袒，脱去上衣，露出身体的一部分；跣，不穿鞋袜光

着脚。不肯成：不能成。枭(xiāo)卢：骰子有枭、卢、雉、犊、塞五种点数，枭和卢都是赌博中的好点数。

⑧邂逅(xiè hòu)：不期而遇。良图：很好的缘分。

⑨刘毅从来布衣愿，家无儋石(dàn shí)输百万：刘毅(216—285)，东晋时人，字仲雄，曾经与刘裕等一起讨伐桓玄。事成之后，被任命为豫州刺史，官至开府仪同三司。据《南史》载："刘毅家无儋石之储，樗蒱一掷百万。"儋石，儋本指石头做的用来盛水贮粮的容器，因为正好可以装一石，所以"儋石"合用。

【赏析】

这首诗作于唐玄宗天宝五载，杜甫从齐赵回长安时所作。全诗写诗人晚上在咸阳旅馆里闲来无事，与人们一起赌博游戏，输钱后又宽慰自己。诗的前四句讲明时间、地点和事件。"今夕何夕岁云徂"写时光飞逝，于是在晚上点上更长的蜡烛，不辜负难得的夜晚，与古人所谓"何不秉烛游"的意境相同。既然客舍无事，于是大家相与博塞以为乐。五、六两句写博塞的场面，意气风发地大叫，露出胳膊光着脚，足见他们的专注和兴奋。而"呼五白"和"成枭庐"写出了他们对胜负输赢的重视。最后四句由叙事转入抒怀，为自己参与赌博游戏而解释，英雄有时也会在失意之时寻乐以自遣；并认为这种邂逅，说不定会成为将来大展宏图的良缘。这表达了诗人困顿不得志的处境和仍想有一番作为的决心。最后又引用南朝宋刘毅的典故，诗人引刘毅以自喻，写出了他不在意得失的豪放与洒脱。

奉赠韦左丞丈二十二韵[①]

纨绔[②]不饿死，儒冠多误身。
丈人[③]试静听，贱子[④]请具陈[⑤]。
甫昔少年日，早充观国宾[⑥]。
读书破万卷，下笔如有神。
赋料扬雄[⑦]敌，诗看子建[⑧]亲。
李邕求识面[⑨]，王翰愿卜邻[⑩]。
自谓颇挺出[⑪]，立登要路津[⑫]。
致君尧舜上[⑬]，再使风俗淳。
此意竟萧条[⑭]，行歌非隐沦[⑮]。
骑驴三十载[⑯]，旅食京华[⑰]春。
朝扣富儿[⑱]门，暮随肥马尘[⑲]。
残杯与冷炙[⑳]，到处潜悲辛[㉑]。
主上顷见征[㉒]，欻然欲求伸[㉓]。
青冥却垂翅[㉔]，蹭蹬无纵鳞[㉕]。
甚愧丈人厚，甚知丈人真。
每于百僚[㉖]上，猥诵佳句新[㉗]。
窃效贡公喜[㉘]，难甘原宪[㉙]贫。
焉能心怏怏[㉚]，只是走踆踆[㉛]。
今欲东入海，即将西去秦[㉜]。
尚怜终南山[㉝]，回首清渭滨[㉞]。

常拟报一饭[35],况怀[36]辞大臣。
白鸥没浩荡[37],万里谁能驯?

【注释】

①韦济:生卒年不详,唐代大臣和诗人,郑州阳武(今河南省原阳县)人。开元初任鄄城令,又历任户部侍郎、河南尹、尚书左丞、冯翊太守等职。二十二韵:律诗偶句押韵,二十二韵,即四十四句诗。

②纨绔(wán kù):泛指富家子弟。纨,细的丝织品。绔,同"裤"。

③丈人:对老年男子的尊称,这里指韦济。

④贱子:杜甫自称。

⑤具陈:详细具体地陈述。

⑥早充观国宾:指杜甫唐玄宗开元二十三年(735)以乡贡的身份在洛阳参加进士考试。充,充当。那时诗人二十四岁,所以是"早充"。观国宾,借指受君王器重的人。

⑦赋料扬雄敌:赋,辞赋。料,料想、预计。扬雄(前53—18),字子云,西汉蜀郡成都(今四川省成都市郫县)人,少年好学,博览群书,长于辞赋。这句诗的意思是,自己写赋,料想可以与扬雄匹敌。

⑧诗看子建亲:子建,曹植(192—232)的字,三国时沛国谯(今安徽省亳州市)人,曹操与武宣卞皇后所生第三子,生前被封为陈王,死后谥号"思",所以又称为陈思王。建安文学的代表人物之一,在两晋南北朝时期,他的文章被推尊为典范。代表作有《洛神赋》、《白马篇》、《七哀诗》等。这句诗的意思是,自己写的诗与曹植相类。

⑨李邕求识面:李邕(678—747),唐代书法家和文学家,字泰和,鄂州江夏(今湖北省武汉市)人。他的父亲李善,为《文选》作注。李邕少年成名,后来被召为左拾遗,曾任户部员外郎、括州刺史、北海太

守等职，所以也被称李括州、李北海。杜甫少年时在洛阳，李邕曾主动结识他，所以是“求识面”。

⑩王翰愿卜邻：王翰，生卒年不详，字子羽，并州晋阳（今山西省太原市）人，唐代著名边塞诗人，代表作有《凉州词》。愿卜邻，古人占卜选择地方安家，这里是说王翰想做杜甫的邻居。

⑪自谓：自己认为。颇（pō）：很，非常。挺出：突出，出众。

⑫立：立即。要路津：指重要的官职。要路，重要的道路。津，渡口。

⑬致君尧舜（yáo shùn）上：致，使……达到。尧舜：即唐尧和虞舜，传说中上古的两个圣贤君主。这句诗的意思是，要辅佐皇上，使他的政绩超过尧和舜。

⑭萧条：落空。

⑮行歌非隐沦：行歌，创作诗歌。隐沦，隐居。这句诗的意思是，自己写诗歌，但不是为了当隐士。

⑯骑驴三十载：有人认为“三十”应该写成“十三”。从唐玄宗开元二十三年诗人考进士，到唐玄宗天宝六载，正好十三年。

⑰旅食：客居，寄食。京华：京师，即长安。

⑱扣：敲。富儿：富贵人家。

⑲暮随肥马尘：晚上跟随着肥马之后的灰尘。形容自己追随权贵的屈辱。

⑳炙（zhì）：烤肉。

㉑潜悲辛：潜藏着悲伤与艰辛。

㉒顷：不久以前。见征：被征召。

㉓欲求伸：想要伸展自己的才能。

㉔青冥：青天。垂翅：垂翼，比喻失意。

㉕蹭蹬（cèng dèng）：路途险阻难行。纵鳞：纵情游于水中之鱼，比喻

仕途得意。

㉖百僚：朝廷上的百官。

㉗猥：谦辞，相当于“辱”。佳句新：新作的诗句。

㉘窃效贡公喜：窃，私下。效，效仿。贡公，指西汉贡禹，据《汉书·王吉传》载：“吉与贡禹为友，世称‘王阳在位，贡禹弹冠。’”这里杜甫是以贡禹自比，希望韦济能像王吉推荐贡禹一样推荐他。

㉙难甘：难以甘心忍受。原宪：字子思，孔子弟子，日常生活非常清苦。

㉚焉能：怎么能够。怏怏(yàng)：闷闷不乐的样子。

㉛踆踆(qūn)：谦虚退让的样子。

㉜秦：这里指长安。

㉝怜：爱怜。终南山：在长安南五十里，秦岭主峰之一，是渭河和汉江的分水岭。

㉞渭：即渭水，黄河最大的支流，发源于今甘肃省定西市渭源县鸟鼠山，主要流经今甘肃省天水、陕西省关中平原的宝鸡、咸阳、西安、渭南等地，至渭南市潼关县汇入黄河。渭水清澈而泾水混浊，所以称为“清渭”。滨：水边。

㉟拟：想要，打算。报一饭：报答一饭之恩。

㊱况：何况。怀：这里指怀着辞别韦济的心情。

㊲白鸥：水鸟名，羽毛大多是白色，嘴巴扁平，前趾有蹼，翅膀长而尖。没浩荡：淹没于浩荡的烟波之中。

【赏析】

唐玄宗天宝七载(748)，杜甫写过两首诗给当时的尚书左丞韦济，希望得到他的赏识，但没有实际性效果，于是杜甫又写了这首诗，表达自己如果再找不到出路，便要离开长安，向东隐居的意愿。这首诗的前两句开门见山，将纨绔子弟与儒生对比，总领全篇。三、四句点题，杜甫向韦济具体陈述。接下来的十二句，诗人通过回忆，铺叙自己的才华和抱负。再接下来十二句回到惨淡的现实，与前一部分形成鲜明的对比。诗人文笔出众、理想远大，但多年受到冷落，不被重用。从“甚愧丈人厚”到最后，先写韦济对他的帮助，再写自己仍然没能施展抱负，于是想归隐不仕。但最后两句，“白鸥没浩荡，万里谁能驯”，格调又突起，表达诗人不会被现实击倒，而是像白鸥一样，在万里高空自由翱翔。这是一首干谒诗，杜甫想请韦济举荐，但他在诗中不卑不亢，丝毫没有阿谀奉承之意，反而将自己的学识、理想和处境表现出来。其中“读书破万卷，下笔如有神”、“致君尧舜上，再使风俗淳”等都成为千古名句。

送孔巢父谢病归游江东兼呈李白[1]

巢父掉头不肯住[2]，东将入海随烟雾。
诗卷长留天地间，钓竿欲拂珊瑚树[3]。
深山大泽龙蛇远[4]，春寒野阴风景暮。
蓬莱织女回云车[5]，指点虚无是征路[6]。
自是君身有仙骨，世人那得知其故[7]？
惜[8]君只欲苦死留[9]，富贵何如草头露[10]？
蔡侯静者意有余[11]，清夜置酒临前除[12]。
罢[13]琴惆怅[14]月照席，几岁[15]寄我空中书[16]？
南寻禹穴[17]见李白，道甫问讯今何如[18]？

【注释】

①孔巢父(? —784):字弱翁,唐代冀州(今河北省冀州区)人。年轻时与李白、韩准、张叔明、陶沔、裴政隐居徂徕山,号称“竹溪六逸”。谢病:因病辞职。江东:长江在安徽省南部境内往东北方向斜流,因此以这段为界称东西或左右。江东所指区域为长江下游,江南一带,此处的“江东”应该具体指浙江东道。兼呈:兼带呈递,同时呈给他看。因为李白此时也在浙东,本诗最后两句又写到李白,所以用“兼呈李白”。

②掉头:摇头。住:停止。

③拂:轻轻擦过。珊瑚树:即珊瑚,由海中腔肠动物的骨骼相连,因为形状像树,所以称为“珊瑚树”。

④虵(shé):同“蛇”。远:遥远,这里指有龙蛇的深山大泽离此遥远。

⑤蓬莱:也叫蓬莱山、蓬壶、蓬丘,先秦神话传说中东海外的三座仙岛之一。织女:星名,古代神话传说中天帝的孙女。回:转动。云车:以云为车,所以称之为“云车”。

⑥征路:征途,行程。

⑦故:缘由。

⑧惜:珍惜,不舍。

⑨苦死留:苦苦拼命地挽留。

⑩何如:比…怎么样。草头露:草头上的露水。这句诗的意思是,富贵就如草头上的露水,容易消逝,还要追求它做什么呢?

⑪蔡侯:应该是设宴的主人。静者:恬静之人。意有余:指有很多送行的美意。

⑫除:台阶。

⑬罢:停止。

⑭惆怅(chóu chàng):伤感失意的样子。
⑮几岁:哪一年,即何时。
⑯空中书:指书信。
⑰禹穴:大禹埋葬的洞穴,相传在浙江省会稽。
⑱道:说。甫:即杜甫。问讯:询问。今何如:现在怎么样?

【赏析】

天宝年间,蔡侯设筵饯别孔巢父,杜甫在席间赋此诗送别。又因当时李白也在浙江会稽,而孔巢父又曾与李白同在徂徕隐居,所以杜甫托他问候李白。首四句叙述他将去江东,“掉头”加“不肯住”,写出了他归隐的决绝。“东将入海”既指巢父东游之地濒临海边,又指他追寻海外神仙,想要遁世引年,下文中的“蓬莱织女”和“君身有仙骨”可与此相呼应。后四句是诗人想象东游江东的景致。龙蛇山泽是归隐之地,春寒野阴是离别之时,“深”、“大”、“远”、“寒”、“阴”、“暮”,写出了缥缈深远的意境和幽静凄冷的风景。九至十二句,写世人对巢父的爱惜和苦留,可他们并不理解巢父视富贵如草头露的心志。最后六句收尾,重新回到饯别的主题,蔡侯置酒,诗人惆怅,希望友人通过书信互传消息,表达了不舍之情。同时,仍然不忘嘱咐代诗人问候李白,询问他的近况,照应诗题中的“兼呈李白”。这首诗没有杜甫平日的沉郁顿挫之风,反而豪放飘逸,颇具道家风骨,这与诗中想要表达“送孔巢父谢病归游江东”的内容相一致。

兵　车　行[1]

车辚辚[2]，马萧萧[3]，行人弓箭各在腰。
耶[4]娘妻子走相送，尘埃不见咸阳桥[5]。
牵衣顿足[6]拦道哭，哭声直上干云霄[7]。
道旁过者问行人，行人但云点行频[8]。
或从十五北防河[9]，便至四十西营田[10]。
去时里正与裹头[11]，归来头白还戍边[12]。
边庭[13]流血成海水，武皇开边意未已[14]。
君不闻，汉家山东二百州[15]，千村万落生荆杞[16]。
纵有健妇把[17]锄犁，禾生陇亩无东西[18]。
况复秦兵耐[19]苦战，被驱不异[20]犬与鸡。
长者[21]虽有问，役夫敢伸恨[22]？
且如[23]今年冬，未休关西卒[24]。
县官急索[25]租，租税从何出？
信知生男恶[26]，反是生女好。
生女犹得嫁比邻[27]，生男埋没随百草[28]。
君不见，青海头[29]，古来白骨无人收。
新鬼烦冤[30]旧鬼哭，天阴雨湿声啾啾[31]。

【注释】

①兵车行：杜甫自创的乐府新题。

②辚辚(lín):兵车行走时发出的声音。

③萧萧:马叫的声音。

④耶:同“爷”,对父亲的口语称呼。

⑤咸阳桥:也叫便桥,汉武帝时所建,唐代称为咸阳桥,后来又称作渭桥,在咸阳城西渭水上,是从长安西行必须经过的大桥。

⑥顿足:以脚跺地,形容极其悲伤。

⑦干:冲犯。云霄:泛指天空。霄,指正在下雨雪的云团。

⑧但:只是。云:说。点行:按户籍名册强征点名服役。频:频繁。

⑨或:有的人。从十五:从十五岁开始。北防河:唐玄宗时,吐蕃经常在秋季入侵,唐朝每年征调大量兵力驻扎河西(今甘肃省河西走廊)一带,叫“防秋”或“防河”。因在长安以北,所以称为“北防河”。

⑩至四十:到了四十岁。营田:即屯田,唐代实行屯田制度,军队有战事时服军役,无战事时种田。

⑪里正:唐代每一百户设一名里正,专门负责户口、民事、赋役等事。与裹头:给他包裹头巾。新兵服役时要整理着装,因为他年纪小,还不会裹头巾,所以里正帮忙。

⑫戍(shù)边:防守边疆。

⑬边庭:边疆。

⑭武皇:指汉武帝刘彻,这里用他来借指唐玄宗。开边:用武力开拓边疆。意未已:意图还没有停止。

⑮汉家:汉朝,这里指代唐朝。山东:华山以东的地区。二百州:唐朝华山以东共二百一十七个州,这里是举其整数。

⑯落:村落。荆杞(qǐ):荆棘和杞柳,这里泛指野生灌木。

⑰纵有:即便有。健妇:健壮精干的妇女。把:掌握,拿着。

⑱陇亩:陇同“垄”,田亩。无东西:没有行列。

⑲况复：何况又。秦兵：关中的士兵。耐：禁得起。

⑳不异：相同。

㉑长者：即上文的“道旁过者”。

㉒役夫：服役的人。敢申恨：岂敢诉说自己的怨恨？

㉓且如：即如，就像。

㉔未休：没有休息、停止。关西卒：函谷关以西的士兵。

㉕索：索要。

㉖信知：确实知道。恶(è)：不好。

㉗犹得：尚且能够。比邻：近邻。

㉘埋没随百草：指战死后，尸体掩埋于荒草之中。

㉙青海头：青海边。从汉代以来，中原王朝经常在此与西北少数民族发生战争。

㉚烦冤：烦躁愤恨。

㉛啾啾(jiū)：形容凄惨尖细的声音。

【赏析】

杜甫反映时事的新题乐府中，《兵车行》是第一首，写唐天宝年间由接二连三的边境战争带来的兵役给人民生活带来的灾难。咸阳西郊的渭桥是古人送别之地，诗人将故事放在咸阳桥，已经寓意了离别。车隆马鸣人哭，一幅混乱的场面。“牵衣顿足”、“哭声干云霄”，写出了妻离子散、椎心泣血的悲痛。从结构上讲，杜甫借用汉乐府常见的对话形式，巧妙地将全诗的内容通过道旁过者和行人的问答呈现出来，“君不闻”、“长者虽有问，役夫敢伸恨”和“君不见”都可看出这种问答贯穿全诗；从内容上讲，杜甫采用现实的手法，史诗般地反映了战争的残酷。一是战争的战事辗转（从北防河至西营田）、历时长久(从裹头至头白)、战况惨烈(流血成海水和白骨无人收)和士兵被驱役("被驱不异犬与鸡");二是由战争引起的劳动力减少("千村万落生荆杞")和赋税的加重("县官急索租")。这首叙事诗饱含诗人沉痛激愤的情感,表达了他对统治者穷兵黩武的强烈控诉,和对处于水深火热中的百姓真切的同情。

病后过王倚[1]饮赠歌

麟角凤觜世莫辨[2],煎胶续弦[3]奇自见。
尚看王生[4]抱此怀,在于甫也何由羡[5]?
且遇王生慰畴昔[6],素知贱子甘贫贱[7]。
酷见冻馁[8]不足耻,多病沉年苦无健[9]。
王生怪[10]我颜色恶,答云伏枕艰难遍[11]。
疟疠三秋孰[12]可忍,寒热[13]百日相交战。
头白眼暗坐有胝[14],肉黄皮皱命如线[15]。
惟生哀我未平复[16],为我力致美肴膳[17]。
遣人向市赊香粳[18],唤妇出房亲自馔[19]。
长安冬菹[20]酸且绿,金城土酥净如练[21]。
兼求畜豪且割鲜[22],密沽斗酒谐终宴[23]。
故人情义晚谁似[24],令我手脚轻欲旋[25]。
老马为驹信不虚[26],当时得意况深眷[27]。
但使残年饱吃饭,只愿无事常相见。

【注释】

①过:经过,拜访。王倚:生平事迹不详。

②麟角凤觜(zuǐ):"觜"同"嘴",麒麟的角,凤凰的嘴。比喻稀罕名贵的东西。世莫辨:世人不能分辨。

③煎胶续弦:据《海内十洲记》记载,西海的中央有凤麟洲,上面有很多麒麟和凤凰,仙人将麟角凤嘴合煎制成胶,可以续接断了的弓弦和剑。

④尚:向上,仰慕。王生:即王倚。

⑤在于甫也:对于杜甫自己来说。何由羡:如何能够羡慕得来呢?

⑥慰:欣慰。畴(chóu)昔:往昔,以前。

⑦素知:一向知道。甘贫贱:甘于贫贱。

⑧酷见:残酷地遇到。馁(něi):饥饿。

⑨沉年:终年。苦无健:苦于不健硕。

⑩怪:感到奇怪。

⑪答云:(杜甫)回答道。伏枕:伏卧在枕头上,指生病。遍:全面,到处。

⑫疟疠(nüè lì):疟疾和恶疮。三秋:三个秋天,指三年。孰:谁。

⑬寒热:忽冷忽热。

⑭胝(zhī):手脚掌上的厚皮,俗称茧子。

⑮皮皱:皮肤松弛而生的皱纹。命如线:生命像线一样细,比喻会随时死亡。

⑯生:指王倚。哀:哀痛。平复:康复。

⑰力致:尽力给予。肴膳(yáo shàn):熟的鱼肉和饭食。

⑱遣人:派人。赊(shē):赊欠,欠账。粳(jīng):粳米,水稻的一种,米粒宽而厚,近圆形,黏性强,胀性小。

⑲馔(zhuàn):陈设酒食。

⑳菹(zū):酸菜,腌菜。

㉑金城:唐代的县名,在今甘肃省酒泉市。土酥:土产的奶酪。净如练:干净得像洁白的熟绢。

㉒畜豪:豪猪。割鲜:割新鲜的肉。

㉓密沽:频繁地买。谐终宴:诙谐平易地结束宴饮。

㉔晚谁似:晚年有谁像你这样(对待我)?

㉕令我手脚轻欲旋:让我觉得手脚轻便了许多,甚至想要跳起舞来。

㉖老马为驹(jū):老马又变成少壮的骏马。信不虚:确实不虚假。

㉗当时:此时。况深眷:何况深蒙你眷顾。

【赏析】

这首诗作于唐玄宗天宝十三载(754),写杜甫困居长安多年,患有疟疾,当病稍稍好转后便去拜访自己的朋友王倚。王倚与诗人一番对话后便用美酒佳肴款待"颜色恶"的诗人,表达了诗人对友人的感激之情。前四句称赞王倚,引用《海内十洲记》的典故,麟角凤嘴合煎成胶来粘补断了的弓弦,暗指王倚用美食来治疗诗人的疾病。第五至八句写诗人悲惨境遇,他甘于贫贱,于是饱受冻馁,而且终年多病。九至十四句是诗人和王倚之间的对话,王倚见诗人面色惨淡,便问其故。杜甫回答自己患疟疾三年,以至头白眼昏且屁股上生茧,肉黄皮皱且命悬一线。十五至二十二句,写朋友"为我力致美食",具体表现在派人去集市买香米,让妻子出来亲自烹饪。美味有长安冬天的酸菜、金城的土酥,再加割来的新鲜猪肉和就近买的斗酒。虽然不是山珍海味,但对杜甫而言已经算丰盛无比了,体现了王倚的深情厚谊。最后六句是杜甫酒足饭饱之后的感慨,晚年没有谁像王倚这样对待他了。于是诗人觉得手脚轻便,人也变得年轻。诗人在诗尾发出最后的愿望:希望老年吃饱饭,无事的时候和老友经常相见。全诗语言平实无波澜,表达的感情也质朴真切,诗人的病困交迫和王倚的友情凸显在字里行间。

示从孙济[1]

平明[2]跨驴出,未知适[3]谁门。
权门多噂沓[4],且复寻诸孙[5]。
诸孙贫无事,宅舍如荒村。
堂前自生竹,堂后自生萱[6]。
萱草秋已死,竹枝霜不蕃[7]。
淘米少汲[8]水,汲多井水浑。
刈葵莫放手[9],放手伤葵根。
阿翁[10]懒惰久,觉儿行步奔。
所来为宗族,亦不为盘飧[11]。
小人利口实[12],薄俗难可论[13]。
勿受外嫌猜[14],同姓古所敦[15]。

【注释】

①示:这里指写诗给他看。从孙:兄弟的孙子。济:即杜济,字应物,杜预第十四代孙,当时任东川节度兼京兆尹。

②平明:天刚亮时。

③适:去。

④权门:权贵。噂沓(zǔn tà):议论喧哗的样子。

⑤且复:还是再次。诸孙:本家的孙子辈,这里指杜济。

⑥萱:萱草,草本植物的一种,叶条状披针形,花黄色或红黄色。

⑦蕃(fán):茂盛。

⑧汲(jí):在井中由下往上打水。

⑨刈(yì):割。葵:冬葵,是古代主要的蔬菜,可腌制,也叫作葵菹。放手:指任意胡为。

⑩阿翁:古代对长辈男子的尊称,这里是杜甫自称。

⑪盘飧(sūn):盘中的晚饭,这里泛指饭食。

⑫口实:话柄,谈笑的资料。"小人利口实"是说小人会因为这些话柄获利。

⑬薄俗:轻薄的习俗,坏风气。难可论:难以谈论。

⑭外嫌猜:外人嫌疑而生猜忌之心。

⑮同姓:指杜甫和杜济是同姓亲戚。敦:敦厚。

【赏析】

唐玄宗天宝十三载,杜甫在长安探访自己的堂孙杜济,便作了这首诗对他进行告诫和警示。前四句叙事,交代背景。自己一大早便骑驴出门,但不知道拜访何人。考虑到权贵们喜欢飞短流长,于是决定去找他的堂孙。接下来的六句写杜济住宅的环境,他贫穷无事,宅舍荒芜,堂前有竹子,堂后有萱草。但萱草已经枯死,而竹枝也不茂盛,诗人在暗指他们家族不甚兴盛。后四句借用井水和葵根进一步指代宗族关系,淘米要少用井水,井水用多便会浑浊;割葵菜时不能肆意胡为,否则就会割伤它们的根。水的源头和葵的根,杜甫通过这两种事物比喻他和杜济同宗同族的血缘关系。接着杜甫道明来访意图，所来并不是为了吃喝，而是为了宗族之事。通过最后四句，我们可以猜测，杜甫与其堂孙之间好像有嫌隙，虽然诗人将原因归结于小人的谗言和风俗的浇薄，但我们也能从中看到他对堂孙的责备之意。最后两句，诗人表现出大度的胸怀，勉励杜济，不要相互猜忌，同姓之间要笃厚。全诗语言朴实，逻辑清晰，感情真挚。

乐游园①歌

乐游古园崒森爽②，烟绵碧草萋萋③长。
公子华筵势最高④，秦川对酒平如掌⑤。
长生木瓢示真率⑥，更调鞍马⑦狂欢赏。
青春波浪芙蓉园⑧，白日雷霆夹城仗⑨。
阊阖晴开昳荡荡⑩，曲江翠幕排银牓⑪。
拂水低徊舞袖翻⑫，缘云清切歌声上⑬。
却忆年年人醉时，只今未醉已先悲。
数茎白发那抛得⑭？百罚深杯亦不辞⑮。
圣朝亦知贱士丑⑯，一物自荷皇天慈⑰。
此身饮罢无归处，独立苍茫⑱自咏诗。

【注释】

①乐游园：即乐游原，最初叫乐游苑。汉宣帝时建于长安东南郊，地势最高，四望宽敞，是唐朝的游览胜地。

②崒(cuì):同“萃”,聚集。森爽:萧疏貌,这里指古园里的千年乔木森列参天,疏落肃爽。

③烟绵:烟气延绵笼罩。萋萋(qī):草木茂盛的样子。

④公子:指主人杨长史。华筵:丰盛的筵席。势最高:摆放的地势最高。

⑤秦川:指陕西、秦岭以北的关中平原地带。对酒:相对饮酒。平如掌:指秦川地势平坦如手掌。

⑥长生木瓢:长生木做的瓢。示真率:表现出率真。

⑦更调鞍(ān)马:重新调弄马匹,即骑马。鞍马,泛指马。鞍,套在马背上便于骑坐的用具。

⑧青春波浪:水波青碧。芙蓉园:位于乐游园西南,园中有芙蓉池。

⑨雷霆(tíng):比喻声势浩荡。夹城:唐玄宗开元二十年(732),从大明宫建夹城通往芙蓉园和曲江。仗:仪仗。

⑩阊阖(chāng hé):传说中的天门,这里指宫殿门。昳(dié)荡荡:浩荡阔大的样子。

⑪曲江:也叫曲江池,汉武帝所建,因池水曲折而得名,故址在今陕西省西安市东南。翠幕:翠绿的帐幕。银牓(bǎng):宫殿门上悬挂的银制匾额。

⑫拂水:轻轻擦过水面。低徊(huí):徘徊萦绕。舞袖翻:跳舞的衣衫翻腾。

⑬缘云:指歌声沿着云上升。歌声上:歌声飞入上空。

⑭茎:根。那抛得:哪里肯放过我。

⑮百罚:多次罚酒,这里的数目是虚指。深杯:满杯。辞:推辞。

⑯圣朝:圣明的朝廷,对朝廷的美称。贱士:贫贱的士人。丑:惭愧。这句诗的意思是,身处当今圣明的时代,而我却仍然贫贱,所以感

到羞愧。

⑰一物：一草一木。荷：承载。慈：慈悲、恩慈。这句话是说，大自然的一草一木都受到了皇天的恩惠。

⑱苍茫：指暮色苍茫。

【赏析】

这首诗题目下有杜甫自注："晦日贺兰杨长史筵醉中作。"从注文可以知本诗是唐玄宗天宝十载(751)正月的最后一天，人们登上长安东南郊的乐游原祓禊，杨长史请杜甫参加宴饮，他乘着醉意写下了这首诗。前十二句写乐游园筵席和内外的景物。先写乐游园的树木参天、碧草萋萋，再写杨长史的筵席设在最高处，对酒之间可以望见秦川地平如手掌，这两句巧妙地将写景语融入叙事当中。后面接着写木瓢、骑马。但诗人笔锋马上一转，写唐玄宗出游的豪华场景。仪仗队在夹城里前进，奏乐声响如白日雷霆。在曲江搭起幕帐，挂上银牓，袖舞高歌。不禁让人联想起杜甫的另一首诗《丽人行》中对杨贵妃三个姐姐和杨国忠的骄奢淫逸的讽刺。最后八句写诗人自己借酒感时伤怀。诗人未醉先悲，感叹自己已经白发数茎，所以只有继续饮酒消愁。但饮罢又无归处，只能独自立在苍茫的暮色中咏诗。杜甫由乐游园上的盛筵转入借酒遣怀，感慨自己的潦倒际遇，抒发仕途不得志的悲伤心情。

曲江三章章五句（其一）

曲江萧条秋气高[1]，菱荷[2]枯折随波涛。
游子空嗟垂二毛[3]。白石素沙亦相荡[4]，
哀鸿独叫求其曹[5]。

【注释】

①萧条：因草木凋零而寂寥冷落的样子。秋气高：指秋天晴空万里，天清气爽。

②菱（líng）荷：菱叶与荷叶。

③游子：杜甫自称。空嗟（jiē）：空自嗟叹。二毛：年老后头发有黑白两种颜色，故称为“二毛”。

④素沙：白沙。相荡：在水中相互激荡。

⑤哀鸿：悲鸣的鸿雁。曹：同类。

【赏析】

唐玄宗在开元年间凿通曲江作为赏玩之地，当时中举的士子都会宴集曲江亭庆贺。唐玄宗天宝十载，杜甫在长安两次应试都没中第，又向朝廷进献《三大礼赋》，希望能被赏识，却只得到集贤院待制候用的空名。第二年诗人游览曲江，写下三首组诗，以抒发自己仕途失意的抑郁之情。此为组诗的第一章。本章前两句写景，秋天的曲江萧条，江面的菱荷枯萎残败而随着秋风和江波飘荡，给全诗定下了一个悲凉的基调。第三句叙事兼抒怀，杜甫客居长安，又郁郁不得志，故以“游子”自居，“垂二毛”说明他头发已经花白，他年老羁旅在外，只能空自嗟叹了，简短的七个字写尽了诗人当时的处境与心情。最后两句重回景物描写，曲江中的白石和白沙在水中相互激荡，落单的鸿雁独自哀叫，寻求它的伙伴。这两句并非单纯的写景，诗人以“哀鸿独叫”比喻自己，表达了他孤苦落魄，渴望得到理解和赏识的悲伤心情。

曲江三章章五句（其二）

即事非今亦非古①，长歌激越捎林莽②。
比屋豪华固③难数，吾人甘作心似灰④。
弟侄何伤泪如雨？

【注释】

①即事：面对眼前事物。这里指就眼前所见的事物而作诗。今：今体诗。古：古体诗。

②长歌：连章叠韵的诗歌。激越：歌声高亢清越。捎（shāo）：摧折。林莽（mǎng）：草木茂盛。

③比屋：屋与屋相接连。固：确实。

④吾人：我们这辈人，这里指杜甫自己。甘作心似灰：甘愿做心如死灰的人，指不慕名利。语出《庄子·齐物论》：“形固可使如槁木，而心固可使如死灰乎？”

【赏析】

此为组诗的第二章。本章一改前一章落寞和忧伤的基调，诗人“长歌激越”，变得旷达洒脱起来。“即事非今亦非古”，是对这组诗体裁的总结，他根据眼前的景物和时下的心情即兴吟咏而成此三章。每章五句，像是古体诗，但每句七言又似近体诗，这种诗体是杜甫大胆的创新，所以说是“非今亦非古”。“长歌”就是这里的即事而歌，也是指这三章组诗。杜甫引吭高歌，竟能拂动草木，可以感受歌声强大的感染力。第三句写曲江周围的豪宅鳞次栉比，难以胜数，平淡的叙述之中，似乎能感受到诗人的气愤不平之意。但他马上写自己甘心身若槁木之枝，心若死灰，反而劝弟侄们不必为他伤心流泪。诗人的“甘心”其实正说明他不“甘心”，劝弟侄们不要为他伤心，正说明他自己悲愤哀痛。可见这一章由最开始的激越豪迈，还是转为最后的感伤愤懑。

曲江三章章五句（其三）

自断此生休问①天，杜曲幸有桑麻田②，
故将移往南山③边。短衣匹马随李广④，
看射猛虎终残年。

【注释】

①自断：自己断定。休问：不用问。

②杜曲：地名，亦称为下杜，在长安城南，是杜甫的祖籍。杜甫旅居长

安时，曾经安家于此。幸有：幸好还有。桑麻田：种桑树和麻的田，这里泛指农田。

③南山：即终南山。

④李广(? —前 119)：陇西成纪(今甘肃省天水市秦安县)人，西汉著名将领。匈奴畏惧他，称他为“飞将军”。他擅长骑射，狩猎时见草中有石头，怀疑是老虎而用箭射之，竟将箭头射入石头。

【赏析】

此为组诗的第三章。本章写杜甫仕途失意，想归隐老家。“自断此生休问天”，诗人已自己断定此生将不被重用，无法建功立业，不用去问苍天就知道结果，表现出他的极度无奈。杜曲在长安城南边，终南山的北麓，杜氏世居于此，杜曲有桑麻田，“幸”字不是写幸运，也不是杜甫深感安慰，还有一个解甲归田的最终去处，我们从中读出的还是他的无奈与悲哀。杜甫想最终移居终南山边，但最后两句引用西汉李广的典故，他要身着短衣，驾着马追随李广，看他射虎以终残年。可见他并非心甘情愿地做隐士，终老于杜曲，仍然想有一番作为。这三章诗，第一章写诗人如哀鸿独叫，第二章写诗人心如死灰，第三章写诗人想归隐终南山，整组诗内部有其逻辑次序，且风格和情感统一，刻画了杜甫忧伤不得志的悲愤心情。

白丝[①]行

缫丝[②]须长不须白，越罗蜀锦金粟尺[③]。
象床玉手乱殷红[④]，万草千花动凝碧[⑤]。
已悲素质[⑥]随时染，裂下鸣机色相射[⑦]。
美人细意熨贴[⑧]平，裁缝灭尽针线迹[⑨]。
春天衣着为君舞，蛱蝶飞来黄鹂[⑩]语。
落絮游丝[⑪]亦有情，随风照日宜轻举[⑫]。
香汗轻尘污颜色[⑬]，开新合故置何许[⑭]。
君不见才士汲引[⑮]难，恐惧弃捐忍羁旅[⑯]。

【注释】

①白丝：白色的蚕丝。

②缫(sāo)丝：将蚕茧煮后抽丝。

③越罗：越地产的丝织品，以轻柔精致著称。蜀锦：蜀地生产的丝织提花织锦。金粟(sù)尺：尺上的星点是用黄金做的粟米嵌成。

④象床：象牙装饰的织丝机床。玉手：洁白如玉的手。乱：指织布的经线和纬线交错。殷(yān)红：发黑的红色，即深红。

⑤动：闪动。凝(níng)碧：浓绿。

⑥素质：朴素洁白的质地。

⑦裂下鸣机：从鸣动的织机上裁裂下来。色相射：颜色相互映射。

⑧细意：细心。熨贴(yùn tiē)：也写作“熨帖”，把衣物烫平。

⑨裁缝灭尽针线迹：剪裁缝合之后，做成看不见针脚的衣服。

⑩蛱(jiá)蝶：蝴蝶。黄鹂：即黄莺，也称为黄鸟，身体黄色，从眼睛到头后面是黑色，嘴淡红色，叫声悦耳动听。

⑪落絮(xù)游丝：飞落的柳絮和飘动着的柳丝。

⑫随风照日：指衣服在太阳的照射下随风飘动。宜：适合，正好。轻举：轻轻地起舞。

⑬香汗轻尘污颜色：美人的香汗和轻飘的灰尘玷污了衣服的颜色。

⑭开新合故：打开新的衣服，合起旧的衣服。置：放置。何许：何处。

⑮才士：有才德的士人。汲引：指提拔或举荐人才。

⑯弃捐：抛弃。忍：甘心忍受。羁(jī)旅：寄居他乡。

【赏析】

这首诗大概作于唐玄宗天宝十一载(752)至十二载(753)之间，主要写白色的蚕丝被染成各种颜色，然后制成华丽的衣服，被主人珍视，但等到破旧污染之后便被遗弃的命运，表达了诗人对君王始乱终弃的批判和自己保存高洁心性的品质。诗的前八句写白丝由最初的蚕茧一步步变为华丽衣服，身价逐渐攀升的过程。最开始不在意它有多白，而只希望它尽量长，被织成越地的罗缎和蜀地的锦布后，便极其珍贵。“乱般红”、“动凝碧”、“色相射”写出了白丝被染成各种美丽鲜艳的颜色，但是“已悲”二字，表明诗人更钟爱它们原来朴实无华的本质。它们被进一步熨平、裁剪、缝合，终于制成衣服。第九至第十二句，写白丝成为衣服后被宠爱的情形，为君王舞蹈，招引来蝴蝶和黄鹂；柳丝和柳絮也和它一起在太阳下随风飘动。可是盛极而悲，衣服被汗渍和灰尘玷污了颜色，于是被装起来不知丢弃到哪里去了。以上全是记叙。最后诗人用两句议论做结，回到他自身当下的处境。

他因为害怕像白丝一样最后被遗弃，而甘心忍受羁旅生活的艰辛。这反映了杜甫渴望被重用又害怕被抛弃的矛盾心情，同时也表达了他想保持白丝的素质，不愿被染成各种颜色的高尚节操。

贫　交[①]　行

翻手作云覆手雨，纷纷轻薄何须数[②]？
君不见管鲍贫时交[③]，此道今人弃如土[④]。

【注释】

①贫交：贫贱之交。

②轻薄：言行不庄重、不尊重。何须数：哪里还用去细数？

③管鲍贫时交：管鲍，指春秋时期管仲和鲍叔牙。管仲早年与鲍叔牙交好，管仲贫困，并欺骗鲍叔牙，但鲍叔牙始终善待管仲。现在常用“管鲍之交”来比喻真正的朋友。

④弃如土：抛弃这种道义就如同抛弃粪土一般。

【赏析】

这首诗大概作于唐玄宗天宝十一载，杜甫二次考进士不中，又献《三大礼赋》后，寓居长安时所做，表达了对士人交往的看法。第一句“翻手作云覆手雨”来比喻人们互相之间交情的反复无常，在诗人眼中，这是一种建立在权势基础上的友情，得意时相合，失落时离散。语言形象生动而又富有气势，后世成语“翻云覆雨”就是由这句诗而来。这种轻薄的交情，世上纷纷然不可胜数，“何须数”寥寥数字，有力地表达了对假善丑恶的轻蔑和憎恨。诗的后两句转折，用春秋时期鲍叔牙和管仲的典故以古准今。管鲍之交，今人却弃之如粪土，诗人应该是在饱受世态炎凉和人情冷暖后才愤然写下这首诗。这首诗虽然是歌行体，但只有短短的四句，然而“语短而恨长”，通过时下和古人的鲜明而强烈的对比，表达了杜甫对当时风俗的鄙夷和自己不随波逐流的心志。

前出塞①九首（其一）

戚戚去故里②，悠悠赴③交河。
公家有程期④，亡命婴祸罗⑤。
君已富土境⑥，开边一何⑦多。
弃绝父母恩，吞声行负戈⑧。

【注释】

①前出塞：杜甫还写有《后出塞五首》，所以加“前”和“后”以示区别。
②戚戚（qī）：忧伤的样子。故里：家乡。
③悠悠：遥远的样子。赴：前往。
④公家：官家，政府。程期：行程的期限。
⑤亡命：逃跑，逃命。婴（yīng）：缠绕，遭受。祸罗：灾祸的网罗。
⑥富土境：富有边境的土地。
⑦一何：多么，何其。

⑧吞声:不出声,指声音哽咽。行:行走,出发。负:背着。戈(gē):古代的曲头兵器,横刃,用青铜或铁做成,装有长柄。

【赏析】

在《前出塞九首》组诗中,杜甫以一个征夫的口吻,用第一人称叙述他在边塞的战争经历。九首诗内部没有必然的联系,书写的内容和表达的情感各有不同。组诗主要以反映征程艰难、思念亲人和渴望建立军功为多。此为组诗的第一首。本首主要写离家远赴交河服兵役。“戚戚”写不舍,“悠悠”写路途遥远。官府规定了程期,迟到或逃亡都会难免一死,既体现了刑法的严酷,又表达了征程的艰辛。让人想起秦朝陈胜、吴广被征戍渔阳,因害怕失期被斩而揭竿而起的历史。“君已富土境,开边一何多”,则是对统治者直露的讽刺,反映了士卒对开边战争的厌恶。但他没有办法,只有弃绝父母的养育之恩,忍气吞声,扛着武器奋力前行。前四句叙事,后四句抒怀,一个离家远行,被逼上路的征夫形象,呼之欲出。

前出塞九首(其二)

出门日已远,不受徒旅①欺。
骨肉恩岂②断?男儿死无时③。
走马脱辔头④,手中挑青丝⑤。
捷下万仞冈⑥,俯身试搴⑦旗。

【注释】

①徒旅：旅客，这里指同行的士兵。

②岂：如何。

③死无时：随时都可能死亡。

④走马：跑马。辔（pèi）头：驾驭牲口的嚼子和缰绳。

⑤挑：拿着。青丝：指马的缰绳。

⑥捷下：矫捷地飞驰而下。万仞（rèn）冈：指很高的山冈。仞，古代的计量单位。

⑦搴（qiān）：取。

【赏析】

此为组诗的第二首。本首写征夫上路一段时日之后，已渐渐适应军旅生活。因为离家越来越远，见多识广后，不再受同行的欺凌。言外之意，最初他作为新兵，经常受到打压。“出门日已远”又照应第三句“骨肉恩岂断”，形成一个往复回旋的结构，距家千万里，仍然不能割断思乡之情。虽然骨肉情连，但男子汉在外征战，出生入死，随时都可能丧命。所以还不如抛开顾虑，奋勇杀敌，建功立业。诗的后半部分，即是对这种心态的践行。摘掉马的辔头，将缰绳提在手中，从万仞高冈飞驰而下，俯身拔取军旗，第一首中“吞声行负戈”的怨夫，经过战事磨炼，俨然成了矫健英勇的战士。

前出塞九首（其三）

磨刀呜咽[①]水，水赤刃[②]伤手。
欲轻[③]肠断声，心绪乱已久。
丈夫誓许国[④]，愤惋复何有[⑤]！
功名图骐骥[⑥]，战骨当速朽[⑦]。

【注释】

①呜咽(wū yè)：水和风等凄切的声音。

②赤：红色，比朱色稍微暗一点的颜色。刃：刀刃。

③欲轻：想要轻视，即忽略，装作没听见。

④誓许国：誓言将生命奉献给国家。

⑤愤惋：愤恨和惋惜。复何有：哪里还会有。

⑥图骐骥：甘露三年(前51)西汉宣帝将霍光、苏武等十八位功臣像画于麒麟阁上。骐骥，即麒麟，这里指麒麟阁。

⑦战骨：战死的尸骨。速朽：迅速腐朽。

【赏析】

此为组诗的第三首。本首写征夫在水边磨刀，因心神不宁而割伤手指。“磨刀呜咽水”和“欲轻断肠声”，是将俗歌“陇头流水，鸣声呜咽。遥望秦川，肝肠断绝”剪裁入诗，用呜咽的流水衬托肝肠断绝的心情。磨刀不小心，将手划破，血滴入河流中将水染红，这才是正常的逻辑顺序。但诗人将"水赤"置于"刃伤手"前,说明征夫先看到流水变红,才意识到手伤,他无心磨刀,手伤不知,全都为了烘托他"心绪乱已久"。诗的后半部分,一扫原来柔肠情绪,征夫将生死置之度外,立誓以身许国,决心建立丰功伟绩,渴望死后自己的画像能悬挂在麒麟阁,受后代瞻仰。诗的情感基调突然转折,由怨入愤,慷慨顿挫,丈夫的志向战胜了儿女私情和求生畏死的怯弱。

前出塞九首(其四)

送徒既有长①,远戍亦有身②。
生死向前去,不劳吏怒嗔③。
路逢相识人,附书与六亲④。
哀哉两决绝⑤,不复同苦辛⑥。

【注释】

①送徒:押送士兵的人。长:长官,首领。

②远戍:指远行服役的人。身:生命。

③怒嗔(chēn):发怒和责怪。

④附书:寄书信。六亲:指父、母、兄、弟、妻和子,这里泛指亲人。

⑤哀哉(zāi):感叹词,表示悲伤或痛惜的心情。两决绝:自己和亲人两方永别。

⑥不复同苦辛:不会再感受相同的愁苦和艰辛了。

【赏析】

此为组诗的第四首。本首是一篇叙事诗，主要写征战途中，记叙了押送征夫的长官的驱赶和压迫，以及表现了征夫思亲不可见的悲痛心情。本诗结构简单，语言平实，“既有”、“亦有”、“向前去”、“不劳”都是口语化的叙述。首二句隐射官吏高高在上、作威作福，不体恤士卒现状。“吏怒嗔”则直接写官吏呵斥他们时的样貌。诗的重点在后半部分，终于在路上碰见一个相识的人，可以代征夫捎封书信回家。这足见他离家在外无时无刻不记挂自己的亲人。“哀哉两决绝，不复同苦辛”，应该是书信的内容，前一句写自己与亲人两地隔绝，相见无期。后一句寓意深刻，不写同苦乐，休戚与共，而是“同苦辛”，表明在外的行者和处家的居者，都有各自苦难。这种苦难，两不相闻，可谓苦之又苦。全诗中蕴含的悲痛与控诉，通过这五个字传达出来。

前出塞九首（其五）

迢迢①万里余，领我赴三军②。
军中异苦乐③，主将宁尽闻④？
隔河见胡骑⑤，倏忽⑥数百群。
我始为奴仆⑦，几时树功勋⑧？

【注释】

①迢迢(tiáo)：遥远的样子。

②三军：指中军、上军、下军或中军、左军、右军。这里泛指军队。

③异苦乐：苦和乐不均衡。

④宁尽闻：哪里能够全部听到（我们的心声）？

⑤胡骑：胡人的骑兵。

⑥倏（shū）忽：很快，突然。

⑦始为：才开始做。奴仆：奴隶和仆人，这里指职位低贱。

⑧树功勋（xūn）：建立功业。

【赏析】

此为组诗的第五首。本首写征夫千里迢迢，艰苦跋涉，饱受征夫长的压迫终于来到军营中。但是他的处境并未因来到前线而改善。军中苦乐悬殊，而且将帅薄情寡恩，不能与士卒同甘共苦，甚至他的诉求无人理会。诗中主人公自称“奴仆”，而不是军士，诗人连这一细节都不放过，着力刻画军中之苦。征夫纵使有建立功勋的豪情壮志，但敌方力量强大，胡骑数以百群，他只是一个小奴仆，故而发出“几时树功勋”的感叹，表现出他的无奈和失落之情。

前出塞九首（其六）

挽①弓当挽强，用箭当用长。
射人先射马，擒贼先擒王②。
杀人亦有限，列国自有疆③。
苟能制侵陵④，岂在⑤多杀伤？

【注释】

①挽(wǎn):拉。

②擒(qín):捉拿。王:首领。

③列国自有疆:每个国家有各自的边疆和领土。

④苟能:如果能。制:抵制。侵陵:也写作“欺凌”,侵犯和欺凌。

⑤岂在:哪里在于?

【赏析】

此为组诗的第六首。本首写杜甫对战争战术和战争目的的看法。诗歌的上半部分,具有浓厚的北朝乐府风味。拉弓应当拉强弓,用箭应当用长箭,射人要先射他骑的马,这三句是谣谚式的比兴,引出“擒贼先擒王”这句格言似的警句,向我们揭示了战争中最有效的战术。下半部分,诗人的观念和境界更加高明。通过战争杀人,用野蛮的武力征服,效果是极其有限的,何况民族、国家之间应该有各自的边境。杜甫这种尊重各国领土和疆界的民族观在当时看来,具有超前的进步意义。“苟能制侵陵,岂在多杀伤”,诗人的战争意识进一步提升:防止敌人的侵略和凌辱手段,不是将他们视为仇人,赶尽杀绝。杜甫奉行的是传统儒家仁政的理念,主张“仁者无敌于天下”。这首诗不仅仅提出了擒贼要先擒王的战斗方法,也不限于反对当时统治者的穷兵黩武,更重要的是他提出了战争和杀戮无法解决问题的正确思想。

前出塞九首（其七）

驱马天雨雪[①]，军行入高山。
径危抱寒石[②]，指落曾冰[③]间。
已去汉月[④]远，何时筑城还？
浮云暮南征[⑤]，可望不可攀[⑥]。

【注释】

①驱马：策马奔驰。雨雪："雨"作为动词，指下雪。

②径危：危险的小路。抱寒石：手中抱着冰冷的石头（去筑城）。

③指落：手指冻落。曾冰：即"层冰"，厚冰。

④汉月：汉家或汉时的明月，这里指故乡。

⑤浮云：飘浮的云朵。暮：晚上。南征：向南方移动。

⑥攀：攀爬。

【赏析】

此为组诗的第七首。本首写寒冷的冬天征夫在边疆的高山运石头筑城的悲苦生活。全诗以叙事为主，中间夹有写景。首二句"驱马天雨雪，军行入高山"，交代背景：雨雪天气，驱马行军，进入一座高山。在如此恶劣的自然环境下，征夫还要沿着危险的山径抱运冰冷的石头，以至手指冻掉，落在厚厚的冰凌间。"危径"、"寒石"、"指落"、"层冰"，诗人选取严冬时节北方边境高山上最具代表的意象来表达征夫的艰辛，颇具感染力。战士们已经离汉地越来越远，于是想问“何时筑城还”，杜甫在诗中没有直接回答，而是借用傍晚浮云南去，战士们可望不可攀来传达回家“遥遥无期”的答案。征夫们有家不能回的苦闷，被委婉而含蓄地表达出来，那种言说不尽的思愁，使得全诗意蕴更加悠长。

前出塞九首（其八）

单于寇我垒①，百里风尘昏②。
雄剑四五动③，彼军为我奔④。
掳其名王⑤归，系颈授辕门⑥。
潜身备行列⑦，一胜何足论。

【注释】

①单（chán）于：汉代匈奴人对其君主的称呼。寇：侵略。垒：堡垒。

②百里风尘昏：上百里的风沙和灰尘使得天色昏暗。

③雄剑：春秋时期吴国的干将铸造了雌雄两把剑，这里泛指宝剑。四五动：只挥动了四五次，是说没费多少力气。

④彼军：对方的军队，指敌军。奔：奔逃。

⑤掳（lǔ）：俘获。名王：有大名的王侯。据《汉书·宣帝纪》载：“匈奴单于遣名王奉献。”唐颜师古注：“名王者，谓有大名，以别诸小王也。”

⑥系颈：用绳子系住脖子。授：交给。辕（yuán）门：军营的大门。

⑦潜身备行列：悄悄地回到队伍之中，不大肆炫耀自己的功劳。

【赏析】

此为组诗的第八首。本首描写了一场规模巨大、惊心动魄的战争场面。首二句，记述单于前来攻打我方城垒。“百里风尘昏”，既指风沙百里，日色昏暗的自然环境，也指单于的部队从远处望去，像黑云一般，人数众多。诗的开篇就营造出大军压境、千钧一发、激烈紧张的氛围。我方挥动宝剑几次出击，表明战事拉锯，互有胜负。但他们终于把敌军打得东逃西散，取得最后的胜利，将他们的首领活捉，交给主帅。征夫虽然立下大功，但他只是悄悄回到自己的队伍里，不矜功伐能。“一胜何足论”，可谓神来之笔，一次大的胜利，在他眼中不值一提，说明他还有更高的志向，渴望建立更大的功绩，表现了征夫自信满满和跃跃欲试的雄心。

前出塞九首（其九）

从军十年余，能无分寸[①]功？
众人贵苟得[②]，欲语羞雷同[③]。
中原有斗争，况在狄与戎[④]。
丈夫四方志，安可辞固穷[⑤]？

【注释】

①能无：岂能没有？分寸：十分等于一寸，这里指微小。

②贵苟得：以不正当的手段得到为贵。

③欲语：想要说出自己的功劳。羞雷同：耻于与他们相同。雷同，雷一发声，万物同时响应，泛指事物或人之间相同。

④况：何况。狄与戎：北狄和西戎，是古代中原华夏民族对西北地区的少数民族的统称。

⑤安可：怎么可以？辞固穷：因穷困而推辞责任。固穷，语出《论语·卫灵公》：“君子固穷，小人穷斯滥矣。”本意是指安于穷困，这里指穷困。

【赏析】

此为组诗的最后一首。本首揭露军士中有人营私舞弊、冒功邀赏，赞扬了征夫实事求是，以天下为己任的高尚情操。前两句，用反问句引起，他从军十多年，岂能不立下半点战功？人们心中马上就发出“既然有战功，为什么名册上没有你的名字”的疑问。诗人给出的答案是，因为他耻于同那些冒功求赏的混同。通过问答，全诗结构紧凑又具有张力，而且可读性增强。“羞雷同”，表明他洁身自好，不与众人同流合污。诗的后半部分，诗人将这种不良风气上升到民族国家治乱安危的高度。我们中原内部尚且不奉公守法，冒功苟得，又怎么能行军千里来征服狄戎呢？诗人独具慧眼，看到了唐王朝的内部矛盾，并发出了真切的忧思。“丈夫四方志，安可辞固穷”，是征夫最后的宣言——丈夫要以平定四方为志向，并非只顾一己私利，所以我不会因个人的困穷而与他们同流合污。

叹庭前甘菊花[①]

庭前甘菊移时晚[②],青蕊重阳不堪[③]摘。
明日萧条醉尽醒[④],残花烂漫开何益[⑤]?
篱边野外多众芳[⑥],采撷细琐升中堂[⑦]。
念兹空长[⑧]大枝叶,结根失所缠风霜[⑨]。

【注释】

①庭前:庭院的前面。甘菊花:植物名,与"苦菊"相对,可用来泡茶、入药。

②移时晚:移栽得太迟。

③青蕊:花蕊还是青色,指花还没有开放。重阳:农历九月初九。堪(kān):能。

④明日:重阳节的第二天。醉尽醒:喝醉的人全部已经醒来。

⑤残花:将要凋谢的花。烂漫:光彩四射的样子。益:好处,用处。

⑥众芳:指甘菊之外其他的众多花朵。

⑦撷(xié):采摘。细琐:细小琐碎。中堂:厅堂之中。

⑧念:想到。兹:这,此。这里指甘菊。空长:白白地生长。

⑨结根:扎根。失所:失去正确的处所。缠风霜:被风霜所缠绕。

【赏析】

这首诗作于唐玄宗天宝十三载,诗人借咏叹因移栽时间晚而没能在重阳佳节盛开的甘菊，来感慨自己不受重用的命运。庭前的菊花，在重阳之日仍然还是青蕊，不值得被摘来供人们欣赏。等到之后才烂漫开放又有什么用呢？到时已经是秋风萧条，人们已经从醉酒中醒来了。杜甫写甘菊生不逢时，错过了被观赏的最佳时机，它的遭遇与诗人何其相似。杜甫参加科举而没有中第，又参加唐玄宗特诏的制举也落榜，之后因献《三大礼赋》而授予集贤院待制，但还是没有实职。接着诗人将甘菊与篱笆旁边的众芳相比，它们细琐却能升中堂，甘菊长大的枝叶却只能埋没于风霜之中。细碎的野花入中堂指代趋炎附势的小人得志高升；枝叶长大的甘菊埋没风霜指代诗人饱读圣贤之书却没有一官半职。通过对比，诗歌充分表现了杜甫抑郁不得志的苦闷心情。另外，甘菊与风霜斗争，在秋天傲然生长，也反映了诗人孤高自傲的品质。

醉时歌

诸公衮衮登台省[①]，广文先生官独冷[②]。
甲第纷纷厌粱肉[③]，广文先生饭不足。
先生有道出羲皇[④]，先生有才过屈宋[⑤]。
德尊一代[⑥]常坎坷，名垂万古知何用[⑦]？
杜陵野客人更嗤[⑧]，被褐短窄鬓如丝[⑨]。
日籴太仓[⑩]五升米，时赴郑老同襟期[⑪]。
得钱即相觅[⑫]，沽酒不复疑[⑬]。
忘形到尔汝[⑭]，痛饮真吾师[⑮]。

清夜沉沉动春酌[16]，灯前细雨檐花[17]落。
但觉高歌有鬼神[18]，焉知饿死填沟壑[19]？
相如逸才亲涤器[20]，子云识字终投阁[21]。
先生早赋《归去来》[22]，石田茅屋荒苍苔[23]。
儒术于我何有哉[24]？孔丘盗跖俱尘埃[25]。
不须闻此意惨怆[26]，生前相遇且衔杯[27]。

【注释】

①诸公：诸位王公大臣。衮衮(gǔn)：相继不绝的样子。台省：御史台和中书省、尚书省和门下省等中央机构。

②广文先生：即郑虔(691—759)，字趋庭，又字若齐、弱齐、若斋。河南省荥阳人，是盛唐著名文学家、诗人和书画家，曾任广文馆博士，与杜甫交好。冷：冷落、冷清。

③甲第：汉朝的王公大臣的住宅分有甲乙次序，这里的“甲第”指豪门贵族的宅第。厌：厌恶。粱肉：黄粱米和肉，泛指美食。

④有道：具备道德。出：超出，超过。羲(xī)皇：即伏羲氏，又写作宓羲、庖牺、包牺、伏戏，亦称牺皇、皇羲、太昊，是我国上古传说中的理想化的圣君。

⑤过：超过。屈宋：指屈原和宋玉，都是战国时代的著名辞赋家。

⑥德尊一代：德行被一代人所敬仰。

⑦知何用：谁知道会有什么用？

⑧杜陵野客：诗人自称。杜甫祖籍长安杜陵，他在长安时曾在杜陵东南的少陵附近居住过，所以自称“杜陵野客”，又称“少陵野老”。更：更加。嗤(chī)：讥笑。

⑨被：同“披”，穿着。褐(hè)：粗布做的衣服。鬓(bìn)：脸两旁靠近

耳朵的头发。如丝:像丝一样白。

⑩日:每日。籴(dí):买进粮食,与“粜”(tiào)相对。太仓:京师建立的皇家粮仓。

⑪时赴:时常前往。同襟期:相同的襟怀和志趣。

⑫相觅(mì):相互寻找。

⑬沽(gū):买。不复疑:不再考虑其他事情。

⑭忘形到尔汝:忘掉形骸到了直接称你我(称名道姓)的地步。

⑮痛饮:痛快淋漓地饮酒。真吾师:真可以做我的老师。

⑯动春酌(zhuó):触动了春天饮酒的兴致。酌,倒酒。

⑰檐花(yán):檐上落下的雨水在灯光映射下闪烁如花。檐,屋檐。

⑱但觉:只是觉得。有鬼神:有鬼神相助。

⑲填沟壑:意思是说贫困而死,后来指被弃尸沟壑之中。

⑳相如:即司马相如(? 前179—前118),字长卿,西汉著名辞赋家,代表作有《子虚赋》。逸才:出众的才华。亲涤(dí)器:亲自洗涤器具。司马相如和妻子卓文君在成都开酒店为生,卓文君当垆沽酒,司马相如亲自洗涤食器。涤,洗。

㉑子云:即扬雄。识字:扬雄博学,认识很多古文奇字。投阁:王莽当权时,扬雄在天禄阁校书,因受别人牵连而获罪。官吏来收捕他时,他仓皇跳楼自杀,幸而没有摔死。

㉒先生早赋《归去来》:这句话是杜甫劝郑虔趁早归隐。《归去来》,东晋陶渊明曾作《归去来兮辞》,阐发他的隐逸思想。

㉓石田:有沙石的土地,这里指田地贫瘠。苍苔:青色苔藓。

㉔儒术:儒家的道义。于我何有哉:对我有什么用处呢?

㉕孔丘:即孔子(前551—479),字仲尼,儒家学派的创始人。盗跖(zhí):指春秋时的柳下跖,以盗为生,故称为“盗跖”。俱尘埃:都

化成了尘埃，指都已经死了。

㉖不须：不需要。意：心意，心情。惨怆(chuàng)：凄楚忧伤。

㉗衔杯：指饮酒。

【赏析】

这首诗作于唐玄宗天宝十三载，此时杜甫已将其家眷由洛阳移至长安南城下的杜城。因长期困于京师，不受重用，于是写下此诗，通过记叙郑虔和自己的不幸遭遇来抒发他怀才不遇的愤慨。诗题下自注："赠广文馆博士郑虔。"诗的前八句，写郑虔不获赏识。通过"登台省"与"官独冷"对比，"厌粱肉"与"饭不足"对比，表现了诗人的愤愤不平。而郑虔道出羲皇，才过屈宋，这就更加让人气愤。接下来的四句，转写诗人自己，郑虔好歹还是广文馆博士，而杜甫却是野客，穿的粗布衣又短又窄，两鬓斑白，更加令人嗤笑。"得钱即相觅"以下四句则将两人联合在一起，因为二人都满腹牢骚，处境相同，所以他们忘形尔汝，有酒同欢、推心置腹。相如涤器和子云投阁两个典故是为了安慰和发泄。全诗的最后，劝郑虔赋《归去来兮辞》，杜甫说"儒术于我何有哉？孔丘盗跖俱尘埃"，表面是想学习陶渊明隐居田园，超然于俗世的功名之外，实际上表达了他们不受重用的无奈与失落。

醉歌行

陆机二十作《文赋》[①]，汝更小年能缀文[②]。

总角[③]草书又神速，世上儿子徒纷纷[④]。

骅骝作驹已汗血[5]，鸷鸟举翮连青云[6]。
词源倒流三峡[7]水，笔阵[8]独扫千人军。
只今年才十六七，射策君门期[9]第一。
旧穿杨叶真自知[10]，暂蹶霜蹄未为失[11]。
偶然擢秀非难取[12]，会是排风有毛质[13]。
汝身已见唾成珠[14]，汝伯何由发如漆[15]？
春光淡沲秦东亭[16]，渚蒲芽白水荇[17]青。
风吹客衣日杲杲[18]，树搅离思花冥冥[19]。
酒尽沙头双玉瓶[20]，众宾皆醉我独醒。
乃知[21]贫贱别更苦，吞声踯躅涕泪零[22]。

【注释】

①陆机(261—303)：字士衡，吴郡吴县(今江苏省苏州市)人，西晋著名文学家、书法家。与他的弟弟陆云合称为“二陆”。《文赋》：是陆机二十岁时用赋体写成的有关文学理论的文章。

②汝：你，这里指杜勤。缀(zhuì)文：写文章。缀，连接，引申为组合字句篇章。

③总角：指童年。古代未成年人束发为两结，形状如角，所以称为“总角”。

④徒纷纷：徒然纷乱于世上。

⑤骅骝(huá liú)作驹已汗血：骅骝还是小马驹时已经显示出汗血宝马的本性。骅骝，赤红色的骏马。驹，少壮的骏马。汗血，相传汉代西域大宛国的千里马，奔跑时流出的汗水红如鲜血。

⑥鸷(zhì)鸟：凶猛的鸟。翮(hé)：羽毛中间的空心硬管，这里指翅膀。青云：天空。

⑦词源：文辞像水一样，源源不断。倒流三峡水：可以使三峡的水倒流。三峡，由瞿塘峡、巫峡、西陵峡组成，位于重庆、恩施、宜昌境内的长江干流上，西起重庆市奉节县的白帝城，东至湖北省宜昌市的南津关，全长近二百公里。

⑧笔阵：书法运笔有如军阵。

⑨射策：汉代的一种考试方法。主试者提出问题，写在简策上，翻转过来置于案头，应试人选取其中的一个，根据简策上的题目作答。这里泛指考试。君门：官门。期：预期。

⑩旧：过去。穿杨叶：据《战国策》载："楚有养由基者，善射。去柳叶者百步而射之，百发百中。"这里指射箭的技艺精湛。真自知：自己是真的知道的。

⑪暂：暂时。蹶（jué）：跌倒。霜蹄：马蹄，语出《庄子·马蹄》："马蹄可以践霜雪。"未为失：不一定是失败。

⑫擢（zhuó）：拔，抽。秀：指优秀的人才。非难取：并非很难取得成功。

⑬会是：肯定会。排风：迎风，顶风。毛质：鸟类的毛羽。

⑭汝身：指杜勤。唾（tuò）成珠：嘴里吐出来便成珍珠，比喻文章珍贵。

⑮汝伯：指杜甫。何由：即"由何"，有什么办法。发如漆：头发重新变回黑色。

⑯淡沲（duò）：风光明净的样子。秦东亭：在长安门外，唐人多在这里送行。

⑰蒲：即香蒲，多年生的水草植物，根和茎长在泥中，可以食用。水荇（xìng）：荇菜，多年生的水草植物，浮在水面，嫩的时候可以食用。

⑱杲杲（gǎo）：日出明亮的样子。

⑲搅：扰动。冥冥：不明亮的样子。

⑳沙头：沙滩边上。玉瓶：瓷瓶的美称，这里泛指酒瓶。
㉑乃知：才知道。
㉒踯躅(zhí zhú)：徘徊不前的样子。涕泪：鼻涕和眼泪。零：液体降落。

【赏析】

这首诗作于唐玄宗天宝十四载(755)，诗题下杜甫自注："别从侄勤落第归。"由此可知杜甫写这首诗是为了称赞侄子杜勤的文章和书法，宽慰他落榜，并为他送行。前八句写杜勤的才华，他很小时就能写文章和书法，"词源倒流三峡水，笔阵独扫千人军"，写出了杜勤文势的浩瀚和草字的纵横，极尽夸张之能事。中间六句写杜勤应试成竹在胸，但却意外落榜，杜甫安慰他只是暂时失利，日后定会乘风破浪。"汝身已见唾成珠"至终篇，写送别。先写侄子已经成才，自己老迈，然后写送别之地的景物和宴饮。在春日的秦东亭，渚上的蒲苇刚长出白芽，水中的荇菜呈现出一片青绿色，加之阳光下微风吹动衣襟，树上的鲜花搅动离思，诗人触景生情。众人都醉倒，而只有诗人独自清醒着，一方面说明杜甫不忍分别，另一方面又体现出他卓尔不群的节操。别离本来就很痛苦，而离别之人和送行之人都贫贱无依，则显得更加悲凉，只有"吞声踯躅涕泪零"了。

丽　人[①]　行

三月三日[②]天气新，长安水边[③]多丽人。
态浓意远淑且真[④]，肌理细腻骨肉匀[⑤]。

绣罗衣裳照暮春[6],蹙金孔雀银麒麟[7]。
头上何所有?翠微盍叶垂鬓唇[8]。
背后何所见?珠压腰衱稳称身[9]。
就中云幕椒房亲[10],赐名大国虢与秦[11]。
紫驼之峰出翠釜[12],水精之盘行素鳞[13]。
犀筯厌饫久未下[14],鸾刀缕切空纷纶[15]。
黄门飞鞚不动尘[16],御厨络绎送八珍[17]。
箫鼓哀吟感鬼神[18],宾从杂遝实要津[19]。
后来鞍马何逡巡[20],当轩下马入锦茵[21]。
杨花雪落覆白蘋[22],青鸟飞去衔红巾[23]。
炙手可热势绝伦[24],慎莫近前丞相嗔[25]。

【注释】

①丽人:美貌的女子,这里指贵妇人。

②三月三日:农历三月三日是上巳节,根据古代的习俗,人们这一天会去水边修禊,以洗除不祥。后来演变成一个春游宴饮的节日。

③长安水边:这里指曲江池。

④态浓意远:姿态浓艳,神情高远。淑且真:美善并且真实。

⑤肌理:肌肤的纹理。骨肉:这里指身材的胖瘦。匀:匀称。

⑥绣罗:有刺绣的丝绸。照暮春:与晚春的景色相照应。

⑦蹙(cù):一种刺绣方法,用线绣花而皱缩线纹,使其紧密而匀贴。金孔雀银麒麟:指刺绣的针线和图案。

⑧翠微:薄薄的翡翠片。盍(è)叶:妇女头上的花叶形状的首饰。鬓唇:指鬓边。

⑨珠压:指宝珠压在上面,避免风吹起来。腰衱(jié):裙带。稳称身:

安稳又贴合身体。

⑩就中：其中。云幕：云雾般的帷幕。椒房亲：汉代皇后宫室的墙壁用椒末和泥涂抹，所以用椒房指代皇后，椒房亲即皇后的亲属，这里专指杨氏姐妹。

⑪赐名大国虢（guó）与秦：唐玄宗天宝七载赐封杨贵妃的大姐为韩国夫人，三姐为虢国夫人，八姐为秦国夫人。

⑫紫驼之峰：即驼峰，是一种珍贵的食物。翠釜（fǔ）：指用玉装饰的锅。釜，是古代的一种锅。

⑬水精之盘：即水晶做的盘。行：传送佳肴，将煮好的菜传达到席前，依次取用。素鳞：白色的鱼。素，白色。

⑭犀箸（zhù）：犀牛角作的筷子。箸，同"箸"，筷子。厌饫（yù）：吃腻了。厌，吃饱，满足。饫，吃饱。久未下：指长久地不下筷子。

⑮鸾（luán）刀：系有铃铛的刀。鸾，同"銮"，一种铃铛。缕（lǚ）切：细切。缕，线。空纷纶：指厨师们白白忙活。

⑯黄门：汉代设有黄门令、小黄门、中黄门等，专门侍奉皇帝及其家族，因为都由宦官担任，所以后世将黄门指代宦官。飞鞚（kòng）：飞马。鞚，带嚼子的马笼头。不动尘：不扬起灰尘，形容骑马技术精湛。

⑰御厨：皇上的厨房。络绎：连接不断。八珍：形容珍贵的食品众多。

⑱箫鼓：箫和鼓，这里泛指音乐。哀吟：悲哀的吟咏。感鬼神：感动鬼神。

⑲宾从：宾客和随从。杂遝（tà）：众多杂乱的样子。实要津：填满了重要的渡口，这里指杨国忠兄妹窃据高位。

⑳后来：指杨国忠最后出现。逡（qūn）巡：因为有所顾虑而徘徊不前或退却。这里形容杨国忠顾盼自得的样子。

㉑当：对着。轩：有窗的走廊。锦茵（yīn）：锦绣的地毯。茵，铺垫的

东西，垫子、褥子、毯子等的通称。

㉒杨花雪落：杨花如同下雪一样飘落。覆：覆盖。白蘋(píng)：也写作“白苹”，多年生的水中浮草。这里诗人用杨花覆白蘋隐射杨氏兄妹的暧昧关系。

㉓青鸟：神话中鸟名，西王母的使者。后用来指代信使。红巾：妇女身上的饰物。这里诗人暗喻杨氏兄妹传递私情。

㉔炙(zhì)手可热：手摸上去感到热得烫人，比喻权势大，气焰盛，使人不敢接近。炙，烤。势：势力。绝伦：无人能比。伦，辈，类。

㉕慎(shèn)莫：千万不要。丞相：指杨国忠。嗔(chēn)：怒，生气。

【赏析】

这首《丽人行》作于唐玄宗天宝十二载，诗人借三月三日上巳节，女子在水边祓除不祥的习俗，讽刺杨贵妃三个姐姐和杨国忠的骄奢淫逸。结构上采用步步推进，层层聚焦的手法。首二句交代全诗背景，接下来的八句写水边众多丽人丰神、体貌和服饰之美。通过问答形式着笔描绘头上和背后的服饰，背面描写别出心裁，符合观赏者隔水远看的视觉位置，也给人留下想象空间。然后诗人视角聚焦到虢国、秦国和韩国三位外戚夫人身上，通过刻画她们食物的精美、不肯下箸和络绎送八珍等一连串的事件，展现了筵席的排场和三姐妹的奢华。诗人最后才将视角进一步缩小汇集到杨国忠身上，采用“杨花”和“青鸟”的典故，暗讽杨国忠和虢国夫人淫乱私通。而且杜甫先不指明迟来的人是谁，埋下伏笔，直至最后“慎莫近前丞相嗔”，才让读者恍然大悟，诗刚到高潮又戛然而止，令人回味无穷。虽是讽刺外戚，但全诗都是在描摹，没有讥讽指摘的语句，却将讥讽暗藏在字里行间，通过场面的铺排和情节的开展，自然流露出来。

陪李金吾[1]花下饮

胜地初相引[2],徐行得自娱[3]。
见轻吹鸟毳[4],随意数花须[5]。
细草偏称坐[6],香醪[7]懒再沽。
醉归应犯夜[8],可怕李金吾。

【注释】

①李金吾:即李嗣业,时任右金吾大将军。金吾,职官名,掌管宫中和京城昼夜的巡视和警戒。

②胜地:名胜之地。初:最初,第一次。相引:加以招引,引领。

③徐行:缓慢行走。自娱:自我欢娱。

④见:看见。轻:指鸟的羽毛轻盈。毳(cuì):鸟兽身上的细毛。

⑤随意:随心所欲,任意。花须:花心的细须,即花蕊。

⑥偏:到处。称坐:适合坐下。

⑦香醪(láo):美酒。醪,浊酒。

⑧犯夜:唐代实行宵禁,晚上禁止通行。在关闭城门的鼓声之后、开门的鼓声之前,在街上行走的人称为"犯夜"。

【赏析】

这首诗大概是杜甫于唐玄宗天宝十四载,在长安陪李嗣业宴饮时所作,表现了饮酒愉快而轻松的心情。前四句写在花下漫游,后四句写在花下醉饮。最开始有李嗣业陪同，所以是“相引”，后来自己一个人，所以是“自娱”，而且是“徐行”，诗人自娱自乐的神态真实逼真。“见轻吹鸟毳，随意数花须”两句历来被人所称道，鸟毳既可实指鸟的细毛，又可看成是细花瓣的比喻，它们轻盈细小，吹口气便飘起来。花瓣被吹落后，便只剩下花蕊，于是随意数着花蕊的数量，诗人闲适自得的心态跃然纸上。小草细软，正适合人们席地而坐，酒过三巡，也懒得再去斟，将人们似醉非醉的状态刻画得淋漓尽致。而最后两句，杜甫将唐朝的宵禁制度与李嗣业的官职、他们夜晚酣醉联系起来，诙谐而风趣。从“徐行”、“随意”、“懒”等字词都可看出诗人欢快愉悦而又自在的状态。

陪郑广文游何将军①山林十首（其一）

不识南塘②路，今知第五桥③。
名园依④绿水，野竹上青霄⑤。
谷口旧相得⑥，濠梁同见招⑦。
平生为幽兴⑧，未惜⑨马蹄遥。

【注释】

①郑广文：即郑虔。何将军：生平事迹不详。

②南塘：地名，应该在杜城附近。

③第五桥：桥梁名，在韦曲西面。

④名园：指何将军的山林。依：依靠。

⑤青霄：青天，蓝天。

⑥谷口：典出西汉扬雄《法言》："谷口郑子真，耕于岩石之下，名著京师。"这里把郑虔比作郑子真。旧相得：旧相识，老朋友。

⑦濠梁：典出《庄子》："庄子与惠子游于濠梁之上。庄子曰：'儵鱼出游从容，是鱼之乐也。'惠子曰：'子非鱼，安知鱼之乐？'庄子曰：'子非我，安知我不知鱼之乐？'惠子曰：'我非子，固不知子矣；子固非鱼也，子之不知鱼之乐全矣！'庄子曰：'请循其本。子曰汝安知鱼乐云者，既已知吾知之而问我，我知之濠上也。'"后来用"濠梁"指代逍遥闲适的处所。同见招：指杜甫和郑虔一同被招引。

⑧幽兴：幽雅的兴致。

⑨未惜：不惜。

【赏析】

这组诗共十首，是杜甫于唐玄宗天宝十一、十二载在长安时所作，主要写杜甫陪郑虔游览何将军山林。整组诗自成一个整体，就像一篇游记。这是组诗的第一首，从南塘路到第五桥，再到名园绿水，再到园中的野竹，杜甫采用由远及近、由大到小的叙事方法。园林在绿水旁边，中间的野竹直上云霄，让人对何将军山林的胜景有了整体性的印象。"谷口"和"濠梁"分别巧妙地引用扬雄《法言》和《庄子》中的典故，记叙诗人和郑虔为旧相识，而一同被何将军邀请的事实，与诗题《陪郑广文游何将军山林》相照应。最后两句，写自己为游览美景，满足自己寻求幽雅的兴致，不怕路途遥远与劳苦。"幽兴"二字成为整组诗的主题，而这首诗则为十首诗的纲领。

陪郑广文游何将军山林十首（其二）

百顷风潭[①]上，千章夏木清[②]。
卑枝低结子[③]，接叶暗巢莺[④]。
鲜鲫银丝脍[⑤]，香芹碧涧羹[⑥]。
翻疑柂楼[⑦]底，晚饭越中[⑧]行。

【注释】

①百顷：一万亩，形容土地之广。顷，中国市制田地面积单位，一顷等于一百亩。风潭：有凉风吹拂的潭水。潭，水深的地方。

②千章：上千株树木，形容树木之多。章，大树。清：清爽。

③卑枝：低小的树枝。结子：结出果实种子。

④接叶：树叶相连接。巢莺：筑巢而居的黄莺。

⑤鲜鲫（jì）：新鲜的鲫鱼。银丝：指鲫鱼被切成银白色的丝条。脍（kuài）：细切的肉。

⑥香芹：芹菜的美称。碧涧（jiàn）：有绿水流淌的山涧。涧，山间流水的沟。羹（gēng）：用蒸、煮等方法做成的糊状、冻状食物。

⑦翻疑：突然怀疑、觉得。柂（duò）楼：大船后舱的楼，泛指大船。柂，同“舵”，船舵。

⑧越中：即唐代的越州，今浙江省绍兴市及杭州市萧山区等地区。杜甫二十岁时，曾南游吴越。

【赏析】

这是组诗的第二首，主要写何将军山林中的潭水和树木。首二句总起，写潭和树，潭有百顷，树有上千棵，写出了潭的面积大和树的数量多。潭上生风和树木在夏天清绿，则点明时令和环境。三、四两句承接第二句写树，因为树上的果实累累所以压低了树枝，而“卑枝低结子”却倒为因果，给人以新奇陌生的感受。“接叶暗巢莺”，既写出树叶茂盛，又写出了叶子和鸟巢之间的位置关系。五、六两句则是承接第一句写潭，新鲜的鲫鱼切成了银白色的细丝，碧涧的香芹与鱼丝一起做成菜羹。美味佳肴，不仅让诗人怀疑当下的情景仿佛自己二十岁时游览吴越时所见的南方大船和美食，最后两句收结自然而又富有新意。全诗结构清晰，简短的语句中包含丰富的内容，却又不露雕琢的痕迹，将山林中的潭与树刻画得令人神往。

陪郑广文游何将军山林十首（其三）

万里戎王子①，何年别月支②？
异花开绝域③，滋蔓匝④清池。
汉使徒空到⑤，神农竟不知⑥。
露翻兼⑦雨打，开坼日离披⑧。

【注释】

①戎王子：一种花草的名称。

②月支：也称为“月氏”、“愚知”，是匈奴崛起以前居住于河西走廊、祁

连山一带的古代游牧民族。
③异花：奇异的花朵。绝域：绝远的地域。
④滋蔓：滋生蔓延。匝(zā)：围绕。
⑤汉使徒空到：指西汉的使者张骞出使西域，却没有带回这种花，所以称为“徒空到”。
⑥神农：传说中的上古帝王，最早教人们使用耒耜发展农业，又亲自品尝百草来为人们治病。竟不知：竟然不知道。相传神农作《本草》，而《本草》中没有记载“戎王子”，所以是“神农竟不知”。
⑦翻：打翻。兼：又，同时。
⑧开坼(chè)：裂开。日：日益。离披：散乱的样子。

【赏析】

这是组诗的第三首，集中描写何将军山林中的戎王子花。杜甫在这首诗中另辟蹊径，不写花的颜色、样貌等特点，而是抓住戎王子远从月支国移植过来的这一特点，极力渲染。诗的前六句都是围绕这一主题，戎王子从万里之外的月支国而来，都不知道始于何时。这种奇异的花本来在极远的地方开放，如今却枝蔓滋生，围绕着清池。五、六两句将汉代张骞和神农的典故反用，张骞出使西域，只带回了安石榴的种子，却没有戎王子；神农的《本草》也没有记载它的名字。杜甫通过张骞和神农，进一步说明这种花的独特、神奇和珍贵，与上文的“万里”、“何年”、“异花”、“绝域”相照应。最后两句才写花本身，本来滋蔓的花朵，因为露翻和雨打，已经“开坼”和“离披”了，在赞美花的同时又流露出一丝怜爱之情。

陪郑广文游何将军山林十首（其四）

旁舍[①]连高竹，疏篱带晚花[②]。
碾涡[③]深没马，藤蔓曲[④]藏蛇。
词赋工无益[⑤]，山林迹未赊[⑥]。
尽捻[⑦]书籍卖，来问尔东家[⑧]。

【注释】

①旁舍：旁边的屋舍。

②疏篱：稀疏的篱笆墙。带：挂着，开着。晚花：晚开的花朵。

③碾涡(niǎn wō)：利用水力带动磨所形成的漩涡。

④藤蔓：藤本植物，根生于土壤中的一种易弯的草本攀缘植物。曲：弯曲。

⑤工：擅长。无益：没有好处。

⑥赊(shē)：远。

⑦捻(niē)：同"捏"，用拇指和其他手指夹住。

⑧来问尔东家：指杜甫想搬来此地，与何将军为邻。东家，指旁舍、邻居。

【赏析】

这是组诗的第四首，先写何将军山林房屋及周边的景致，后表达自己想来此隐居的愿望。屋舍旁边连着竹林，竹子修长；稀疏的篱笆上开着快要凋落的花朵。开头简单的十个字，勾勒出一幅幽静安详的山野图。冲动水磨的水流形成的漩涡可以淹没马匹，而藤蔓弯曲，里面似乎藏着毒蛇。“深没马”和“曲藏蛇”均是诗人的想象，写出了水涡的深和藤蔓的荒芜。诗的后半部分由写景转入叙事，诗人的个人形象也第一次在组诗中显现。杜甫感慨自己擅长词赋并没有什么益处，山林的景色触发了他归隐田园的想法，所以他说山林的形迹离他并不遥远了。他想将所有的书籍全部卖掉，来做何将军的邻居。诗人有着“致君尧舜上”的远大抱负，内心肯定是不想早早隐居不仕的。这里流露出的归隐意愿，实际上是为了表达对何将军山林环境的由衷赞美。

陪郑广文游何将军山林十首（其五）

剩水沧江破①，残山碣石②开。
绿垂风折笋③，红绽雨肥梅④。
银甲弹筝用⑤，金鱼⑥换酒来。
兴移无洒扫⑦，随意坐莓苔⑧。

【注释】

①剩水：指江水的支流。沧江：呈暗绿色的江水。沧，暗绿色（多指水）。破：支流的水从主干道上分流出去，杜甫形象地称为“破”。

②残山：指大山的支脉。碣（jié）石：本来指碣石山，这里泛指山。

③绿垂风折笋：绿色倒垂的是被风吹折的竹笋。

④红绽(zhàn)雨肥梅：红色饱满的是被雨水滋润成熟的梅子。绽，指花果因饱满而开裂。

⑤银甲弹筝(zhēng)用：银做的指甲用来弹古筝。筝，弦乐器，木制长形。古代为十三或十六根弦，现为二十五根弦。

⑥金鱼：根据唐代的官制，三品以上官员穿紫色衣服，佩戴刻成鲤鱼形状的金符，称之为"金鱼"。

⑦兴移：乘兴移于酒席上。无洒扫：不需要洒扫。

⑧随意坐莓苔(méi tái)：随心所欲地坐在青苔上。莓苔，青苔。

【赏析】

这是组诗的第五首，继续写何将军山林的风景以及何将军招待客人的情形。前两句是眺望山林的景色，这里的水流是大江的支流，所以是"剩水"；山是碣石山的支脉，所以是残山。而"破"和"开"字将无生命的事物写出活力，后世成语"残山剩水"即由这两句诗化来。三、四句写近景，这两句的特色是语序倒装，正常的语序应该是"风折笋绿垂，雨肥梅红绽"。但是杜甫将最重要也是最富感染力的"绿垂"和"红绽"放在句首，给人以最直观的感受，在现实中映入诗人眼帘的应该也是这两种颜色。诗的后半部分由写景转入叙事，将军用铠甲上的银制甲片来弹古筝，又用佩戴的金鱼来换酒，既符合何将军的身份，又体现了他热情好客。最后两句，他们兴致来了便随意坐在莓苔上，无须洒扫，表现了诗人和朋友们的洒脱与愉悦的心情。

陪郑广文游何将军山林十首（其六）

风磴吹阴雪①，云门吼瀑泉②。
酒醒思卧簟③，衣冷欲装绵④。
野老来看客⑤，河鱼不取钱⑥。
只疑⑦淳朴处，自有一山川。

【注释】

①风磴：刮着风的石阶。磴，石头台阶。阴雪：阴冷的雪花。
②云门：山门。吼瀑泉：瀑布冲下来的泉水发出动物吼叫般的声响。
③思卧簟(diàn)：想要睡在竹席之上。簟，竹席。
④衣冷欲装绵：衣服单薄寒冷，想要往里面添装棉花。
⑤野老：山中的老农。来看客：前来看望客人。
⑥河鱼：河中打捞的鱼。不取钱：不收钱。
⑦疑：奇怪。

【赏析】

这是组诗的第六首，主要写何将军山林中的瀑布、高寒的天气和淳朴的民风。首二句写多风的石阶上来竟然吹来了雪花——但根据这组诗中的描述，此时应该是夏季，可见山中气候的寒冷。闸门水涌如云，"吼"字又突出响声震天，让诗句显得气势恢宏。三、四句写诗人酒醒后想要睡在竹凉席上休息，但衣服单薄，身上冰冷，所以想在衣服里面装些棉花御寒。诗句既写出了杜甫醉卧山林醒酒后的感受，同时又写出了山中气候的寒冷。村民野老来看望杜甫这一群客人，送给他们河鱼而不收钱，于是诗人感叹这里民风淳朴。末句“自有一山川”是对这里的概括性评价，此处的山水、风景、人物已形成一个“世外桃源”般的世界，令杜甫钦慕不已。

陪郑广文游何将军山林十首（其七）

棘树寒云色①，茵蔯春藕香。②
脆添生菜美③，阴益食单凉④。
野鹤清晨出，山精⑤白日藏。
石林蟠水府⑥，百里独苍苍⑦。

【注释】

①棘树寒云色：棘树呈现出寒云一般的颜色。棘树，即酸枣树，落叶乔木，有刺。果实比枣小，有酸味。种子、果皮、根都可以入药。寒云，寒冷的云朵。

②茵蔯(chén)春藕香：茵蔯散发出像春天莲藕一般的香气。茵蔯，也叫“茵蔯蒿”，一种蒿草，外形像松树，可入药。

③脆添生菜美：茵蔯的香脆增加了新鲜蔬菜的美味。生菜，新鲜的蔬菜。

④阴益食单凉：棘树的阴凉增加了布单的凉爽。益，增益，增加。食单，铺在地上用来摆放食物的布单。

⑤山精：指山中有生命的动物。

⑥石林：如森林一般耸立的山石。蟠(pán)：屈曲，环绕。水府：水的深处。

⑦苍苍：无边无际、空阔辽远的样子。

【赏析】

这是组诗的第七首，主要写何将军山林中的植物、动物和石林等景观。前两句运用比喻，将棘树的颜色比喻成寒云，在表现色彩的同时，还写出了棘树连成一大片，像寒云密布；将茵蔯的气味比喻成春藕的香气，为下一句做铺垫。三、四两句紧承上两句，茵蔯除了有春藕的香气之外，还因为其香脆而增添了新鲜蔬菜的美味；而棘树的浓阴增加了地上铺放食品的布单的清凉。从这一句可以得知，诗人和友人是在棘树下，席地宴饮。后四句继续写景，野鹤在清晨飞出山林，而山中的动物却在白天隐藏于山林中，一写其超然旷达，一写其幽然深邃。而丛石如森林一般，环绕在水的周围，方圆百里之内，只看得见石林青苍的颜色。石头成林，写其多；百里独见，写其高。整首诗基本以写景为主，透过“食单”二字，可以想象诗人们的活动。

陪郑广文游何将军山林十首（其八）

忆过杨柳渚[①]，走马定昆池[②]。
醉把青荷叶[③]，狂遗白接䍠[④]。
刺船思郢客[⑤]，解水乞吴儿[⑥]。
坐对秦山晚[⑦]，江湖兴颇随[⑧]。

【注释】

①忆：回忆。过：经过，走过。杨柳渚：地名，应该在韦曲附近。

②走马：骑马疾走。定昆池：水池名，位于长安西南十五里。

③把：手里拿着。青荷叶：青绿的荷叶。

④遗：遗失，丢失。白接䍦(lí)：一种白色的头巾。

⑤刺船：撑船。思：思念。郢(yǐng)客：楚地的客人。楚人善于划船。郢，古代楚国的都城，在今湖北省江陵县附近。

⑥解水：了解水性。乞(qǐ)：乞求。吴儿：吴地的人。吴人善于游泳。

⑦坐对秦山晚：晚上坐在终南山对面。秦山，秦地的山，这里指终南山。

⑧江湖：泛指江河湖海，多喻指与朝廷相对的隐居世界。兴颇随：兴致非常高。随，伴随，指拥有。

【赏析】

这是组诗的第八首，主要写诗人回顾自己在何将军山林的游览。诗中的"忆过"不是指对过去往事的回忆，而是最近几天赏玩的经过。杜甫在何将军处停留并非一日，这可以从他整组诗中描绘的众多景物，时间有早有晚也可看出。他回忆自己坐船经过杨柳渚和定昆池，喝醉酒后，手拿着荷叶，颠狂得将头巾都遗落。"白接䍦"引用晋代山简的典故，表现杜甫醉后放荡不羁的状态。因为诗人行船于水上，于是他思念擅长划船的楚人，渴望懂得水性，喜欢泅水的吴人。最后两句，将写景、叙事和抒情融为一体，面对着夕阳下的终南山席地而坐，归隐江湖的心愿萌生。杜甫在这首诗中流露的心迹与本组第四首"尽捻书籍卖，来问尔东家"相同，都表明诗人对山林的无限眷恋。

陪郑广文游何将军山林十首（其九）

床上书连屋[①]，阶前树拂云[②]。
将军不好武[③]，稚子[④]总能文。
醒酒微风入，听诗静夜分[⑤]。
絺衣挂萝薜[⑥]，凉月白纷纷[⑦]。

【注释】

①书连屋：书堆得高达房梁，形容书籍很多。

②树拂云：树拂拭云朵，形容树木很高。

③将军：指何将军，山林的主人。不好武：不喜好武力。

④稚(zhì)子：幼儿，小孩。

⑤听诗：听到有人诵读诗歌。静夜分：安静的半夜。夜分，夜中分，即半夜。

⑥絺(chī)衣：细葛布做的衣服。萝薜(bì)：女萝和薜荔，两种植物名。女萝，即松萝，大多附生在松树上，成丝状下垂。薜荔，一种常绿灌木。

⑦凉月白纷纷：清冷的月光照在衣服上，显出一片散乱的样子。

【赏析】

这是组诗的第九首，与前面几首写山林的景致不同，这首诗将笔墨放在何将军身上。前六句写何将军并非一介武夫，而是爱好诗书、重视家教的儒雅之士。他书床上的书堆至屋顶，平时不崇尚武力，幼子们都能写文章，半夜时分都能听到吟诵诗文的声音。这集中表现了诗人对主人何将军的由衷赞美。五、六句采用倒装句式，正常的语序应该是“微风入醒酒，静夜分听诗”，将醒酒、听诗，这两个表达的核心提前，起到强调和突出的作用，同时又增加了陌生化效果，避免了诗歌过于平实直白。微风吹入，令醉酒的诗人清醒，醒来后听到读诗的声音，生活显得恬淡静好。清冷而皎洁的月光，映照着窗前的女萝、薜荔，再投射到诗人的细葛布衣上。最后两句用景语作结，让本首诗的意蕴更加含蓄而悠长。

陪郑广文游何将军山林十首（其十）

幽意忽不惬①，归期无奈何②。
出门流水住③，回首④白云多。
自笑灯前舞⑤，谁怜醉后歌⑥？
只应与朋好，风雨亦来过⑦。

【注释】

①幽意：幽雅的情趣。惬（qiè）：满足，畅快。

②归期：返回的时间。无奈何：无可奈何。

③出门流水住：走出园林的大门，流水都为之停留。

④回首：回头。

⑤自笑灯前舞：嘲笑自己在灯前起舞。

⑥谁怜醉后歌：谁会怜惜我在醉后唱歌？

⑦只应与朋好，风雨亦来过：只应该与好朋友一起，哪怕刮风下雨也要再来游玩。朋好，朋友。

【赏析】

这是组诗的最后一首，主要写游览结束，将要回家的无奈与不舍。前两句写幽兴忽然变得不惬意，因为归期已到。三、四句写诗人的不舍，走出园门，那流水也仿佛停止流动，回首远望，白云重重，也好像是在挽留客人。这些都是诗人的想象，他将自己的感情寄托于流水与白云，其实是自己流连忘返。五、六句也是想象，假想自己回家后，在灯前起舞只能独自强颜欢笑，而醉后放歌也没有人来怜惜。侧面说明这段时间，诗人与何将军建立的深厚友谊。这种对将来生活的想象其实包含了现在与未来的对比，也体现了杜甫的不舍之情。最后两句写杜甫希望与朋友郑虔一道，即使风雨交加，也要故地重游。从第一首写游何将军山林的缘起，再到接下来具体写山林中的各种景物与人情，第九首赞扬主人何将军文武兼备，再到最后一首离别，整组诗是一个完整而封闭的结构。这十首诗主要表达杜甫对山林景致的赞美和向往。

重过何氏五首（其一）

问讯东桥[①]竹，将军有报书[②]。
倒衣还命驾[③]，高枕乃吾庐[④]。

花妥莺捎蝶[5]，溪喧獭趁鱼[6]。

重来休沐[7]地，真作野人居[8]。

【注释】

①问讯：写信询问。东桥：即《陪郑广文游何将军山林十首（其一）》中的“第五桥”。

②将军：指何将军。报书：回报的书信，即回信。

③倒衣：颠倒衣裳，形容心急。还：立即。命驾：命令置办车马。

④高枕乃吾庐：在山林中高枕无忧，就像在自己家一样。

⑤花妥莺捎蝶：花瓣掉落是因为黄莺抓取蝴蝶。妥，通“堕”，落下，掉下。捎，抓取。

⑥溪喧獭（tǎ）趁鱼：小溪中喧闹是因为水獭趁机捉鱼。喧，喧闹。獭，水獭，哺乳动物，脚短，趾间有蹼，体长七十多厘米。昼伏夜出，擅长游水，以鱼、蛙等为食。毛棕褐色，是珍贵的裘皮。

⑦休沐（mù）：官员休息沐浴，指休假。沐，洗头发。

⑧真作野人居：真正可以作为乡野之人的住处。野人，乡野之人。

【赏析】

这组诗共五首，是第一次陪郑虔游览何将军山林后，于唐玄宗天宝十三载（754）重访时所作。这是组诗的第一首。本首总起，写重访山林的原因。杜甫写信询问东桥边竹林的情况，何将军便有回信，邀他前往。三、四句写诗人准备前往，“倒衣”写出了诗人激动急切的心情，于是旋即命人准备车马。他喜欢那里的生活，在山林中高枕而居，就像在自己家中一样。五、六两句写诗人到达何将军山林后所见的景象：花儿掉落是因为黄莺正追逐着蝴蝶；水獭追赶着游鱼，使得溪水喧腾。两句写景对仗工整，生动活泼而又富有生命力，体现了春天万物生机勃勃的样子，也反映了诗人重游故地的喜悦之情。于是诗人最后感叹，重新来到这休假之地，真正可以作为乡野之人的住所。

重过何氏五首（其二）

山雨樽仍①在，沙沉榻未移②。
犬迎曾宿客③，鸦护落巢儿④。
云薄翠微寺⑤，天清皇子陂⑥。
向来幽兴极⑦，步屧过东篱⑧。

【注释】

①山雨：山中大雨。樽(zūn)：古代盛酒的器具。仍：仍然。

②沙沉：指水涨沙往下沉落。榻(tà)：狭长而较矮的床，也泛指床。未移：并未移动。

③迎：迎接。曾：曾经。宿客：座上之常客。

④鸦护落巢儿：乌鸦守护着从巢中掉落的幼鸟。

⑤云薄：微薄的云彩。翠微寺：寺庙名，在终南山上。

⑥皇子陂(bēi)：因秦朝葬皇子于此，所以称作“皇子陂”。陂，山坡，斜坡。

⑦向来：从来，一直以来。幽兴：幽雅的兴致。极：高，达到顶点。

⑧步屧(xiè)：行走，漫步。篱：用竹、苇、树枝等编成的围墙屏障。屧，木底鞋，泛指鞋。

【赏析】

这是组诗的第二首，上半部分先写上次的旧迹，下半部分写赏玩其他风景。虽然经过山雨一年多的冲洗，原来饮酒的杯子仍然在那里；虽然河水高涨导致河沙下沉，但原来休息的床榻却没有移动。家犬也来迎接曾经来这住过的客人；树上的乌鸦急忙下来保护刚出巢的幼鸟。在诗人眼中，一切都是那么的熟悉和亲切。五、六两句写翠微寺和皇子陂，前者用“云薄”写寺上方的天空有淡薄的云彩；后者用“天清”，写陂上天高气清，一望无垠，正是因为云薄才会天清，足见诗人并非杜撰，而是根据当时的真实情境而写。最后两句用“幽兴”作结，诗人信步走过东边的篱笆，去远处游玩。本组诗与《陪郑广文游何将军山林十首》所表现的主题是一致的，都用“幽兴”二字贯穿整组诗。

重过何氏五首（其三）

落日平台①上，春风啜茗②时。
石栏斜点笔③，桐叶坐题诗④。
翡翠鸣衣桁⑤，蜻蜓立钓丝⑥。
自今幽兴熟，来往亦无期⑦。

【注释】

①平台：地名，应该在何将军山林中。

②啜茗(chuò míng)：喝茶。啜，饮，吃。茗，茶树的嫩芽，也指茶。

③石栏斜点笔：斜倚着石栏，用笔蘸墨。点笔，用毛笔蘸点墨水。

④桐叶坐题诗：坐着在梧桐树叶上题诗。

⑤翡翠：翡翠鸟。衣桁(háng)：衣架。

⑥钓丝：钓鱼的渔线。

⑦来往亦无期：前来和返回也没有固定的期限。

【赏析】

这是组诗的第三首，主要记录日落时分，杜甫和友人在平台上品茗、题诗和垂钓等事。“春风”和“落日”点明时间，是春天的某个傍晚，“平台上”点明地点，“啜茗”点明事件。三、四两句叙事，写杜甫斜倚着石栏用笔蘸墨，拾取地上的梧桐树叶来题写诗章，表现诗人闲适自得的心情。五、六句写景，翡翠鸟在晒衣竿上欢快地鸣叫，蜻蜓悠闲地停歇在钓鱼的丝线上，这些都是山野农家所特有的景色。诗人观察入微，将山林的春景刻画得极其工细。面对眼前的景物，怀着自足的心情，诗人最后抒怀：从今天开始，他的幽兴更加浓厚，希望永远来往于此间。这首诗的“自今幽兴熟”与上一首诗中的“向来幽兴极”所表达的情感相同，这种情感也是整组诗的感情基调。

重过何氏五首（其四）

颇怪朝参①懒，应耽野趣长②。
雨抛金锁甲③，苔卧绿沉枪④。
手自移蒲柳⑤，家才足⑥稻粱。
看君用⑦幽意，白日到羲皇⑧。

【注释】

①怪：感到奇怪。朝参：官员上朝参见皇上。

②应：应该是。耽（dān）：沉溺。野趣长：对田野的兴趣很浓厚。

③雨抛：雨中抛弃。金锁甲：用金线缝成的铁甲。

④苔卧：青苔中躺卧着。绿沉枪：用绿漆涂饰的长枪，因为颜色深沉，所以叫作“绿沉枪”。

⑤手自移：自己亲手移植。蒲柳：即水杨，生长于水边，质性柔弱且又树叶早落。

⑥才足：仅够。

⑦君：指何将军，山林的主人。用：因为。

⑧白日：白天。羲皇：即伏羲氏。

【赏析】

这是组诗的第四首，本诗不再写山林的风景，而转写何将军，刻画他辞官隐逸江湖、自给自足的生活方式。在前两句中杜甫诧异何将军为什么懒于上朝，来到此处才发现是因为山野隐居的趣味悠远深长。这种设问的句法，增添了全诗的波折起伏，避免了表达的直白和平实。三、四两句紧承一、二句，身为将军的他，将金锁甲抛弃在雨中，绿沉枪也躺卧在青苔之上，是其“朝参懒”的具体化；亲手移植蒲柳，家中的稻粱没有多余的，仅够自己吃饱，是其“野趣长”的具体化。“自移”说明他不因自己的娇贵身份而远离劳动，“才足”说明他甘于淡泊，知足常乐。懒于朝堂之事，却沉溺于野趣之中；盔甲长枪弃之不用而转入田园农事，所以杜甫赞美何将军幽闲的情趣，可以与自称羲皇上人的陶渊明神游。

重过何氏五首（其五）

到此应常宿①，相留可判年②。
蹉跎暮容色③，怅望好林泉④。
何日沾微禄⑤，归山买薄田⑥？
斯游恐不遂⑦，把酒意茫然⑧。

【注释】

①常宿：经常留宿。

②判年：半年。判，同“半”。

③蹉跎（cuō tuó）：时间白白地逝去。暮容色：晚年的容颜。

④怅望：怅然相望。怅，失意，不痛快。林泉：山林和泉水。

⑤何日：什么时候？沾：本意是指因接触而附着，这里是指得到。微禄：微薄的俸禄，指做官。

⑥归山：归隐山林。薄田：贫瘠的田地。

⑦斯：这，这次。恐不：恐怕不能。遂（suì）：顺，如意。

⑧把酒：拿着酒杯。意茫然：心意茫然、不知所措的样子。

【赏析】

这是组诗的最后一首，写临别时杜甫的怀念与不舍，上半部分表现诗人羡慕山林的胜景，下半部分写自己希望隐居于此的想法。一、二句中写到的来到这里应该长住，最好是半年，这表明杜甫已经爱上这里自然朴素的生活。三、四句抒怀，诗人感慨岁月蹉跎，他的容颜已经老去，只能怅然地望着眼前即将告别的林泉。五、六句诗人畅想，什么时候能做官领取微薄的俸禄，好归隐山川买几亩农田。这两句既写出了杜甫对山林生活的热爱与不舍，又写出了他当时壮志难酬的悲苦遭遇。最后两句回归到离别的主题上来，临行之际，恐怕再次重游的机会不能实现，只好在心绪茫然的时候举起酒杯，借以消愁。这组诗一共五首，也是一个封闭的结构，从第一首出发，到第二首旧迹仍在，再到第三首游览，第四首歌颂主人，最后到临别作结，内容完整。其主旨与上一组相似，都表达了杜甫对山林景致的赞美和向往。

送高三十五书记[①]

崆峒[②]小麦熟，且愿休王师[③]！
请公问主将[④]，焉用穷荒为[⑤]？
饥鹰未饱肉[⑥]，侧翅随人飞[⑦]。
高生跨鞍马[⑧]，有似幽并儿[⑨]。
脱身簿尉[⑩]中，始与捶楚辞[⑪]。
借问[⑫]今何官？触热向武威[⑬]？
答云[⑭]一书记，所愧国士知[⑮]。
人实不易知，更须慎其仪[⑯]！
十年出幕府[⑰]，自可持旌麾[⑱]。
此行既特达[⑲]，足以慰所思[⑳]。

男儿功名遂[21]，亦在老大时[22]。
常恨结欢浅[23]，各在天一涯[24]；
又如参与商[25]，惨惨中肠[26]悲。
惊风吹鸿鹄[27]，不得相追随，
黄尘翳[28]沙漠，念子何当归[29]。
边城有余力[30]，早寄从军诗[31]！

【注释】

①高三十五书记：指高适。唐人以称呼排行表示尊敬和亲切。当时高适任河西节度使哥舒翰的掌书记。书记，职官名，唐代的元帅府及节度使的属官中有掌书记，主要负责撰写文字，简称书记。

②崆峒(kōng tóng)：山名，在今甘肃省内岷县。

③且：发语词，用在句首，与“夫”相似。休：休整，停战。王师：指唐王朝的军队。

④公：指高适。主将：指哥舒翰。

⑤焉用：哪里用得着。穷荒：贫瘠边远的地方。为：作为，这里指打仗。

⑥饥鹰：饥饿的老鹰，这里指代高适。未饱肉：没有吃饱肉。

⑦侧翅：倾斜着翅膀。随人飞：指跟随着哥舒翰。

⑧高生：指高适。跨鞍马：指骑着马。

⑨有似：类似，如同。幽并儿：幽州和并州的健儿。幽州和并州，指今河北省与山西省，古代是燕赵之地，民俗以慷慨悲歌、崇尚侠气为名，所以有很多擅长骑射的健儿。

⑩脱身：摆脱、抽身。簿尉：主簿和县尉，泛指地方官府佐理官员。这里指封丘尉，高适最初担任的官职。

⑪捶(chuí)楚：杖击和鞭打。辞：辞别，摆脱。

⑫借问：敬辞，请问，用于向别人询问事情。

⑬触热：冒着炎热。武威：郡名，属于河西道，原来的治所在今甘肃省武威市。

⑭答云：回答说道。

⑮所愧：感到惭愧。国士知：指哥舒翰用国士的身份知遇高适。

⑯更须：更加需要。慎：谨慎。其：代词，你的。仪：仪表言行。

⑰十年出幕府：十年后从幕府出来。幕府，古代的军旅没有固定的住所，于是用帐幕作为办公的署地，所以称之为“幕府”。

⑱自可持旌麾（jīng huī）：自己可以指挥军旗。旌麾，指挥军队的旗帜，即帅旗。

⑲此行：此次出行。既：不久，随即。特达：特别突出。

⑳足以慰所思：足以抚慰你平时的抱负了。

㉑遂（suì）：顺心，如意。

㉒亦在老大时：也有在年纪大了的时候。

㉓常恨：时常遗憾。结欢浅：相与结交的欢乐之日短浅。

㉔天一涯：天的一边。涯，水边，泛指边际。

㉕参（shēn）与商（shāng）：指参星与商星，它们在星空中此出彼没，彼出此没，不会同时出现。比喻亲友隔绝，不能相见。

㉖惨惨：悲伤的样子。中肠：内心。

㉗惊风：急风。鸿鹄（hóng hú）：即天鹅，因飞得很高，所以常用来比喻志向远大的人。

㉘黄尘：黄色的尘土。翳（yì）：遮蔽，障蔽。

㉙念：想到，想念。子：对男子的尊称。何当归：何时归来。

㉚边城：指高适所在的边疆。有余力：有多余的精力。

㉛从军诗：关于军中的诗歌。

【赏析】

这首诗作于唐玄宗天宝十一载，当时高适任河西节度使哥舒翰的掌书记，随之入朝，与杜甫短暂相聚，旋即离去，杜甫写下此诗作别。前四句请高适向主将转达不要穷兵黩武，而应该趁着小麦成熟借机休整人民和军队的意愿。赠予高适的诗，先以他的主将为开端，表现出杜甫对边境政事的关切。接下来六句写高适远行，诗人将高适比作没有吃饱肉的雄鹰，侧身跟随着人飞翔，暗指他在哥舒翰麾下，渴望建功立业。“跨鞍马”和“幽并儿”又写出了他善于骑射。接下来的十二句，通过诗人与高适的对话，记录了他的官职以及杜甫对他前途的劝勉和期待。“更须慎其仪”是劝诫，“自可持旌麾”和“此行既特达”是期待。最后十句表达送别之意，表达了对高适远行的不舍，刚欢聚便分离，结欢之日短浅；别后再难重逢，于是有参商之悲。诗人希望他早日归来，并经常写信以慰相思。本诗先写国事，再论高适，最后写离别，感情真挚，表现了二人深厚的友谊。

城西陂泛舟①

青蛾皓齿在楼船②，横笛短箫悲远天③。
春风自信牙樯④动，迟日徐看锦缆牵⑤。
鱼吹细浪摇歌扇⑥，燕蹴飞花落舞筵⑦。
不有小舟能荡桨⑧，百壶那送酒如泉⑨？

【注释】

①西陂(bēi)：即渼陂，古代湖名，在今陕西户县西，汇聚终南山各处

的谷水，向西北流入涝水。一说因为水味美得名，一说因为所产鱼味美得名。泛舟：本义指船漂浮在水上，后多指划船。泛，浮。

②青蛾（é）皓（hào）齿：青黛画的眉毛和洁白的牙齿，泛指美人。楼船：高大有楼的船只。

③悲远天：悲痛的声音传入高远的天空之中。

④自信：自任，指任由春风吹动。牙樯：用象牙装饰的帆柱。

⑤迟日：指春天，语出《诗经·豳风·七月》："春日迟迟，采蘩祁祁。"因为春天白天时间慢慢变长，所以称为"迟日"。徐看：慢慢地看。锦缆：用锦做的船缆。牵：缆绳牵动船只。

⑥鱼吹细浪：细浪好像由鱼儿吹出。歌扇：歌伎用扇子遮挡面部。

⑦舞筵：跳舞时铺在地上的席子或地毯。筵，竹席。

⑧不有：如果不是有。荡桨：划动双桨。

⑨百壶那送酒如泉：哪里会有上百壶如泉的好酒送到楼船上来？

【赏析】

这首诗作于唐玄宗天宝十三载，杜甫居于长安杜城之时，主要记叙泛舟渼陂的情形。首二句，用"青蛾"和"皓齿"，女子体貌中最突出的部分来指代歌妓，她们在船上吹奏笛箫，声音悲切传至天边。三、四句承接楼船写景，春风习习，象牙装饰的帆樯在风中任意飘动；春日迟迟，看着锦布做的缆绳缓缓牵引着船只。透过这两句景语，可以想象天气晴朗，微风徐来，船上的人们闲适快乐的心情。五、六句承接歌妓歌舞叙事，鱼儿吹起细浪飘荡，与歌扇的摇摆正好合拍，而燕子踏落的花瓣坠落到筵席之上。杜甫巧妙地将歌妓的筵舞和鱼、燕等动物结合起来，更显得热闹非凡。最后两句使用反问句式，没有荡桨的小船，哪里能送来这上百壶如泉的美酒？极言游玩场面的华丽和盛大。这首诗主要写皇家的宴乐，但诗人的描写艳而不淫，丽而有则，真实地刻画出在城西陂泛舟的场景。

渼陂[1]行

岑参兄弟[2]皆好奇，携[3]我远来游渼陂。
天地黤惨忽异色[4]，波涛万顷堆琉璃[5]。
琉璃汗漫泛舟人[6]，事殊兴极忧思集[7]。
鼍作鲸吞不复知[8]，恶风白浪何嗟及[9]。
主人锦帆相为开[10]，舟子喜甚无氛埃[11]。
凫鹭散乱棹讴[12]发，丝管啁啾空翠来[13]。
沉竿续缦深莫测[14]，菱叶荷花净如拭[15]。
宛在中流渤澥[16]清，下归无极终南黑[17]。
半陂以南纯浸[18]山，动影袅窕冲融[19]间。
船舷暝戛云际寺[20]，水面月出蓝田关[21]。
此时骊龙亦吐珠[22]，冯夷击鼓群龙趋[23]。
湘妃汉女[24]出歌舞，金支翠旗光有无[25]。
咫尺[26]但愁雷雨至，苍茫不晓[27]神灵意。
少壮几时奈老何[28]，向来哀乐何其多[29]！

【注释】

①渼(měi)陂：即西陂。

②岑参(cén shēn)兄弟：岑参两兄弟。岑参(约715—770)，唐代著名

边塞诗人，原籍南阳(今属河南省新野)，后迁居江陵(今湖北省江陵)。唐玄宗天宝三载中进士，最初为率府兵曹参军。后两次从军边塞，先在安西节度使高仙芝幕府任掌书记。天宝末年，封常清为安西北庭节度使时，岑参任其幕府判官。唐代宗时，曾官嘉州刺史，故世人又称他为“岑嘉州”。

③携(xié)：带。

④黯(àn)惨：昏暗惨淡。忽异色：忽然改变颜色。

⑤万顷：一万顷，形容面积广阔。堆琉璃：指波浪像堆集在一起的琉璃。

⑥汗漫(hàn màn)：广大而漫无边际的样子。泛舟入：划船进入。

⑦殊：特殊，不同。兴极：兴致已尽。忧思集：忧虑会集。

⑧鼍(tuó)：也叫作扬子鳄、鼍龙、猪婆龙，一种爬行动物，短嘴，身长两米多，背部和尾部都有鳞甲，居住在江河岸边的洞穴中，皮可以做鼓面。作：发作，发怒。鲸吞：被鲸鱼吞食。不复知：不再知道(其他事情)。

⑨恶风白浪：恶劣的狂风和白色的波浪。何嗟(jiē)及：感叹都来不及。嗟，叹词，表忧伤。

⑩锦帆：锦做的船帆。相为开：更相打开。

⑪舟子：划船的人。甚：很，非常。氛埃：雾气和尘埃。

⑫凫鹥(yī)：野鸭和鸥鸟，泛指水鸟。棹讴(zhào ōu)：摇桨行船所唱的歌。棹，长的船桨。讴，歌唱。

⑬丝管：弦乐和管乐，这里泛指音乐。啁啾(zhōu jiū)：鸟叫声或奏乐声。空翠来：从空中绿色的草木中传来。

⑭沉竿：下沉竹竿。续缦(màn)：续上缦线。缦，没有彩色花纹的丝织品。深莫测：深不可测。

⑮菱叶：菱角的叶子。菱，一年生水生草本植物，果实有硬壳，有角，称菱或菱角，可食。净如拭：干净得就像擦拭过一样。

⑯宛：宛如，好像。渤澥(bó xiè)：古代指东海的一部分，即渤海。

⑰无极：无边无际。终南黑：终南山在渼陂中的黑色倒影。

⑱半陂：指渼陂的一半。纯：完全。浸：浸泡，渗透。

⑲动影：终南山的倒影在水中摇动。袅窕(tiǎo)：动摇不停的样子。冲融：水波荡漾的样子。

⑳船舷(xián)：船边。舷，船两侧的边沿。暝(míng)：黄昏，天黑。戛(jiá)：拟声词，指船舷和桨摩擦的声音。云际寺：寺庙名，即鄠县云际山上的大定寺。

㉑蓝田关：即渼陂东南方的秦峣关，位于陕西省蓝田县。

㉒骊(lí)龙亦吐珠：典出《庄子·列御寇》："夫千金之珠，必在九重之渊而骊龙颔下，子能得珠者，必遭其睡也。"这里指船上的灯火。骊龙，黑龙。

㉓冯夷(féng yí)：古代神话中的黄河水神。趋：飞快地行走。

㉔湘妃：相传是帝尧的两个女儿，名叫娥皇和女英，嫁给帝舜当妃子。帝舜死于苍梧后，她们也死于湘水之中，后成为湘水的水神。汉女：汉水的水神。

㉕金支：即"金枝"，用黄金做的树枝。翠旗：翠绿羽毛装饰的旗帜。光有无：月光若有若无、忽明忽暗。

㉖咫(zhǐ)尺：周代的制度，八寸为咫，十寸为尺，形容距离非常近。这里指时间短。

㉗苍茫：空旷辽远的样子。不晓：不知道，不清楚。

㉘少壮几时：少年强壮还能有多久。奈老何：能够拿衰老怎么办呢？

㉙向来：一直以来。哀乐：哀痛和欢乐。何其多：多么的多啊！

【赏析】

这首诗是唐玄宗天宝十三载，杜甫与岑参兄弟一同游览渼陂时所作的记游诗，先写天气恶劣，他们冒险游玩；后写天气好转，直到夜晚兴尽才归。首二句开门见山，写岑参兄弟携诗人远游渼陂。三至八句，写渼陂天气剧变，波涛万顷，但岑参兄弟兴致高涨，仍坚持泛舟而入，令人忧思不已。船有被鼍龙侵吞的危险，凶恶的波浪都让人来不及嗟叹，诗人用浪漫和夸张的手法极力渲染水面环境的恶劣与凶险。但随后天气好转，船主打开锦帆，船夫欢喜于风平浪静。然后诗人细致地描写了渼陂的景物，行船的歌声、丝管的乐声与野鸭、水鸥叫声齐发，加上满眼翠绿的草木，显得有声有色，赏心悦目。将竹竿续上帷幔都无法测出水的深度，水面的菱叶和荷花像刚擦拭过一样。船到中游之后宛若在清澈的大海，水下终南山黑色的倒影占满了半个渼陂，而倒影又随着波浪一起摇动，写出近处湖面山色的宁静美好。“此时骊龙亦吐珠”以下四句描写得尤其精彩，月影和灯光映射在水中，如骊龙吐珠；船只竞发，像群龙游走，虚实结合，想象奇特而又富有浪漫的情怀。最后四句抒发天有不测风云和韶华易逝的感慨，反映了杜甫长期困居长安的苦闷情绪。

九日[①]寄岑参

出门复[②]入门，雨脚但仍旧[③]。
所向泥活活[④]，思君令人瘦[⑤]。
沉吟坐西轩[⑥]，饭食错昏昼[⑦]。

寸步曲江头[8],难为一相就[9]。
吁嗟乎苍生[10],稼穑[11]不可救!
安得诛云师[12]?畴能补天漏[13]?
大明韬日月[14],旷野号禽兽[15]。
君子强逶迤[16],小人困驰骤[17]。
维南有崇山[18],恐与川浸溜[19]。
是节东篱菊[20],纷披为谁秀[21]?
岑生多新语[22],性亦嗜醇酎[23]。
采采黄金花[24],何由[25]满衣袖?

【注释】

①九日:即农历九月九重阳节。

②复:又。

③雨脚:随云飘行,长垂及地的雨点。但:还是。仍旧:动作、行为继续不变,这里指雨下个不停。

④所向:通往岑参家的道路。泥活活(guǒ):指在泥泞中行走所发出的声音。

⑤思君令人瘦:杜甫因为思念岑参而面貌消瘦。

⑥沉吟:深思的样子。轩:窗。

⑦错昏昼(zhòu):将夜晚和白天搞错,即不分晚上和白天。昼,白天。

⑧寸步:极小的步子,比喻极短的距离。曲江头:指岑参的住所。

⑨难为:难以做到。相就:相访,拜访。

⑩吁嗟(yù jiē):感叹词,表示忧伤的情绪。乎:作为"吁嗟"的后缀,构成音节,无意义。苍生:指百姓。

⑪稼穑(jià sè):春耕为稼,秋收为穑,即播种与收获,泛指各种农业

劳动。

⑫安得：哪里才能做到？诛(zhū)：把罪人杀死。云师：即云神，专门掌管四季和天气变化的神。

⑬畴(chóu)能：谁能。补天漏：经常下雨，就如同天破了个洞一样，要补好这个洞。

⑭大明：指日月。韬(tāo)：隐藏，隐蔽。日月：这里指日月的光辉。

⑮旷野：空旷的原野。号：号叫。禽兽：鸟类和兽类的统称，这里泛指动物。

⑯君子：这里指朝廷的达官贵人。强：勉强。逶迤(wēi yí)：同"委蛇"，蜿蜒曲折，比喻从容自得的样子。

⑰小人：这里指平民百姓。困驰骤：无法快速行走。困，被困于。驰骤，驰骋、疾奔。

⑱维：句首语气助词，无意义。崇(chóng)山：高山，这里指长安南边的终南山。

⑲恐与川浸溜：恐怕与河水一起淹没漂走。浸溜，浸透和漂走。

⑳是节：这个节日，即重阳节。东篱菊：指菊花。语出东晋陶渊明《饮酒二十首(其五)》："采菊东篱下，悠然见南山。"

㉑纷披：杂乱而散落的样子，这里指花盛开。为谁秀：为谁开得这么秀丽？意思是说无人观赏。

㉒岑生：指岑参。生，对男子的尊称。新语：新创作的诗歌。

㉓性：生性。亦：也。嗜：喜欢、爱好。醇酎(chún zhòu)：味厚的美酒。

㉔采采：茂盛，众多的样子。黄金花：指菊花，因为是金黄色，所以称为"黄金花"。

㉕何由：怎么能够？

【赏析】

这首诗作于唐玄宗天宝十三载。诗人因为被阴雨所阻，而不能访问岑参，所以写了这首诗，相当于一封书信来寄赠给岑参。诗歌内容可以分为三个部分，前八句记录不能造访岑参的缘由，刚出门又进门，雨水依然不停，因此无法成行。想念岑参到了令人消瘦和分辨不清黄昏还是白天的地步，强烈地表达了杜甫的思念之情。中间八句为第二部分，由大雨联想到给百姓和农作物带来的灾害，表达了杜甫悲天悯人的爱物情结。“安得诛云师？畴能补天漏”二句，运用神话，想象奇特，体现了渴望雨停的心情。最后八句是第三部分，写崇山的景物，正值重阳佳节，菊花盛开，可惜岑参无法采摘。全诗既表达重阳佳节无法与好友共赏秋菊、饮酒和诗的惋惜与遗憾，又有因大雨给苍生带来的灾难所引发的同情和关怀，不同于一般寄赠诗歌的空洞与应酬。

秋雨叹三首（其一）

雨中百草秋烂死，阶下决明①颜色鲜。
著叶满枝翠羽盖②，开花无数黄金钱③。
凉风萧萧吹汝④急，恐汝后时⑤难独立。
堂上书生空白头⑥，临风三嗅馨香泣⑦。

【注释】

①决明：即决明草，一种豆科植物。初夏长出禾苗，七月开出黄白色

的花。可以作药材，能够清肝明目，所以叫“决明”。

②著叶：鲜明的树叶。翠羽盖：像翠绿羽毛做的伞盖。

③黄金钱：花像金黄色的铜钱。

④萧萧(xiāo)：风吹的声音。汝：你，这里指决明草。

⑤后时：以后的时间。

⑥堂上书生：杜甫自称。空白头：一事无成地白了头发。

⑦临风：对着秋风。嗅(xiù)：用鼻子闻。馨(xīn)香：芳香。泣：小声哭泣。

【赏析】

这组诗一共三首，作于唐玄宗天宝十三载。当时杜甫居住在长安下的杜城，秋季连续下雨多达六十多日，庄稼受到损害，诗人于是有感而作。这是组诗的第一首。本诗写阴雨连绵中的决明草长势喜人，但诗人还是担心它不能长久，为它感到担忧，借机抒发自己年老无成的悲伤。首联写秋雨中的百草都烂死，唯有台阶下的决明草仍旧颜色鲜艳。颔联承接“颜色鲜”三字，又刻画决明草枝叶繁盛，像翠绿羽毛做的伞盖；数不尽的黄色花朵像金钱一般。但颈联马上开始转折，虽然决明草经受住了雨水，但又有凉风萧萧急迫地吹打，杜甫害怕它们日后难以自立。尾联抒怀，作为一介书生，杜甫坐在屋堂之上，为自己头发花白而空自嗟叹。用“临风三嗅馨香泣”作结，风中传来决明草的馨香，诗人却哭泣，这既是为决明草“难独立”而泣，也是为自己前途堪忧而泣。

秋雨叹三首（其二）

阑风长雨秋纷纷①，四海八荒同一云②。
去马来牛不复辨③，浊泾清渭何当分④？
禾头生耳黍穗黑⑤，农夫田妇无消息⑥。
城中斗米换衾裯⑦，相许宁论两相直⑧？

【注释】

①阑(lán)风：阑珊的风，凄凉、消沉的风。阑，残，尽。长雨：长时间的雨。纷纷：多而杂乱的样子。

②四海八荒：指非常广阔边远的地方。四海指东海、西海、南海和北海。八荒指东、西、南、北、东南、东北、西南和西北八面方向的地区。同一云：被同一片云所笼罩。

③不复辨：不能够再分辨。

④浊泾清渭：泾水浑浊而渭水清澈。何当分：应当如何区别？指长时间的阴雨，已经无法分辨泾水和渭水的清浊。

⑤禾头生耳：谷物的顶上发出新芽。禾，古代指粟谷。耳，指新芽蜷曲的形状像耳朵一样。黍穗(suì)黑：黍的穗子发黑。黍，一年生草本植物，叶子是线条形，种子淡黄色，去皮后就是黄米，比小米稍大，煮熟后有黏性。穗，禾本植物聚生在茎顶端的花和果实。

⑥无消息：指没有人向上报告灾情。

⑦斗米：一斗米。衾裯(qīn chóu)：被子。衾，被子。裯，被单。

⑧相许：相互答应。宁论：哪里还谈论。两相直：两者之间价值相等。直，价值相当。

【赏析】

这是组诗的第二首。本诗主要写连日大雨倾盆后所见的景象以及对农作物所产生的巨大影响。诗的前四句写雨大，阑珊之风和沉伏之雨在秋日纷至沓来，所见之处全是雨水，给人四海八荒都被同一片云所覆盖的感觉。来去的牛马因为下雨已经分辨不清楚，而雨水泛滥，原来泾渭两河的水清浊分明现在却已经混合。诗人通过对马牛和泾渭的无法分辨来从侧面刻画雨水之大，形象而又真实。诗的后四句写雨对作物的损害，谷穗长出了新芽，黍穗也霉烂变黑。而农夫田妇的灾情却无法上达朝廷。据历史记载，杨国忠拿着好禾苗呈示唐玄宗被相信，而据实汇报的房琯却被问罪，所以"农夫田妇无消息"一句，还有批评时下政治的用意。最后写长期阴雨，导致粮食紧缺，到了城中一斗米都可以换一床被褥的程度。杜甫不单纯写雨水，而是关心人民疾苦，使得这首诗具有了强烈的现实意义。

秋雨叹三首（其三）

长安布衣谁比数①？反锁衡门守环堵②。
老夫不出长蓬蒿③，稚子无忧走风雨④。
雨声飕飕催早寒⑤，胡雁⑥翅湿高飞难。
秋来未曾见白日，泥污后土⑦何时干？

【注释】

①长安布衣：杜甫自称。布衣，古代老百姓只能穿麻布衣服，后用布衣比喻没有做官的平民百姓。比数：相提并论。

②衡门：横木为门，多指简陋的房屋。环堵：环绕着四堵墙，形容狭小、简陋的居室。

③老夫：杜甫自称。蓬蒿：蓬草和蒿草，泛指草丛。

④无忧走风雨：无忧无虑地在风雨中奔走。

⑤飕飕(sōu)：风吹动的声音。催早寒：催促着寒冷的冬天早点到来。

⑥胡雁：来自北方胡地的大雁。

⑦后土：大地。

【赏析】

这是组诗的最后一首。与上一首写四海八荒和天下黎民百姓不同，本诗将视角聚焦于杜甫自身和家庭之内。诗人作为一介布衣久困长安，没有人愿意来与他相提并论，只好反锁着柴门穷守着墙壁，写出了杜甫家徒四壁的贫寒无依。三、四句写老人与小孩面对绵绵阴雨的态度，杜甫是闭门不出，而院内都长出蓬蒿来；稚子却无忧无虑在风雨中奔跑、玩耍和戏闹。五、六两句进一步写雨水给人们和动物带来的影响，飕飕的雨声，似乎催促着寒冬早日到来；来自北方胡地的大雁，因为翅膀被雨水打湿而难以展翅高翔。进入秋季以来就没见过太阳，诗人不禁担心泥污的土地何时能晒干。面对阴雨，以及阴雨所产生的影响，我们从字里行间能读出诗人对其隐隐的忧虑。组诗题为“秋雨叹”，诗中杜甫不仅仅写秋雨连绵，还借秋雨来表达自己“空白头”和“谁比数”，年已渐老而前途未卜，生活贫寒的郁闷心情。更为难得的是，诗中还有对百姓生活的关心和现实政治的讽刺。

戏简郑广文虔兼呈苏司业源明①

广文到官舍②，系马堂阶③下。
醉则骑马归，颇④遭官长骂。
才名三十年⑤，坐客寒无毡⑥。
赖⑦有苏司业，时时乞⑧酒钱。

【注释】

①戏：开玩笑，戏弄。简：竹简，这里指写信。郑广文虔：即郑虔。苏司业源明：即苏源明，字弱夫，京兆武功人，进士。最初供职于集贤院，后迁为太子谕德，又出任东平太守。唐玄宗天宝十二载(753)，召为国子监司业。

②官舍：官署，官员办公的地方。

③堂阶：厅堂的台阶下。

④颇(pō)：很，非常。

⑤才名三十年：郑虔三十年来，有很高的才华名声。

⑥坐客：座上的客人。寒无毡(zhān)：寒冷却没有毛毡。毡，用兽毛做成的垫子，可以用来防寒。

⑦赖(lài)：倚靠，仗恃。

⑧时时：经常。乞(qǐ)：乞求，讨要。

【赏析】

这首诗作于唐玄宗天宝十四载，主要是对杜甫的好友郑虔的描述。前四句按照时间推进顺序，写郑虔先骑马来到官署任职，然后将马系在堂阶下面。等到喝得醉醺醺才骑着马回家，于是经常遭到长官的责骂。郑虔是广文馆博士，诗、书、画都精通，唐玄宗称赞他为"郑虔三绝"，杜甫这里却集中笔墨刻画他放荡不羁，终日醉酒，敷衍官场的洒脱个性。五、六两句写郑虔独擅才名已长达三十年，但是他家却贫苦至极，家里穷得连一块接待客人的坐毡都没有。这体现了郑虔清高自傲、安于贫贱的性格操守。本诗语言平实直白，如同口语一般，并且语句中略带一种戏谑和调侃的语气，这与诗题中的"戏简"二字相合。最后两句写平时多亏苏源明，经常周济他一些打酒的钱，反映了苏源明的慷慨，更多的是传达了杜、郑、苏三人的深厚友谊。本诗虽然简短质朴，而且略带嬉笑的成分，但诗句中刻画郑虔的性格却是严肃而认真的。

夏日李公见访①

远林暑气薄②，公子过我游③。
贫居类村坞④，僻⑤近城南楼。
旁舍颇淳朴，所须亦易求⑥。
隔屋唤西家⑦，借问⑧有酒否？
墙头过浊醪⑨，展席俯长流⑩。
清风左右至，客意已惊秋⑪。
巢多众鸟喧，叶密鸣蝉稠⑫。
苦遭此物聒⑬，孰谓⑭吾庐幽？

水花晚色净[15]，庶足充淹留[16]。
预恐樽中尽[17]，更起为君谋[18]。

【注释】

①夏日：夏天。李公：即李炎，当时担任太子家令。见访：敬辞，别人来访。

②远林：遥远的山林。暑气：夏天的热气。薄：稀薄，稀少。

③公子：指李炎。过我游：拜访我，并一同游玩。

④类村坞(wù)：与村庄相类似。村坞，指村庄。坞，指四面高中间凹下的地方。

⑤僻：偏僻。

⑥所须亦易求：所需要的东西很容易就求得。

⑦唤：叫唤。西家：指邻居。

⑧借问：敬辞，请问，用于向别人询问事情。

⑨墙头：墙顶。过：递过来。浊醪：浊酒。

⑩展席：展开筵席。俯长流：低头饮酒。

⑪客意已惊秋：客人李炎心中感到奇怪，为什么感觉仿佛到了秋天。

⑫稠(chóu)：众多。

⑬苦遭：苦苦地遭受。此物：指鸟与蝉。聒(guō)：声音吵闹，使人厌烦。

⑭孰谓：谁说。

⑮水花：荷花。晚色净：傍晚颜色洁净。

⑯庶(shù)：但愿，或许。足：足够。充：充当。淹留：长期逗留。

⑰预：预测，预先。樽(zūn)中尽：杯中的酒喝完。

⑱更起为君谋：重新站起来为你去谋取酒。谋，想办法，谋划。

【赏析】

这首诗作于唐玄宗天宝十三载，主要描写杜甫住所夏日的景色、贫穷的状态以及李炎来访宾主相欢的情态。首二句写明时间、地点、人物和事件。杜甫对自己的居处环境有详细的描写：在郊野的林间，像农家房舍，偏僻而靠近城南楼，自然环境突显“远”、“贫”和“僻”；而人文环境则非常淳朴，所缺之物都可以向邻居求助。“隔屋唤西家，借问有酒否”，生动活泼又富有生活气息，写出了邻里之间的随意。九至十二句，写诗人与李炎的情况，墙头送过一壶浊酒，便展开长席，低头开怀畅饮。清风从身体两侧吹来，在炎热的夏日，客人已经惊奇地感受到了秋意，这又与第一句“暑气薄”相照应。接下来的六句，写屋舍旁边的鸟喧、蝉鸣以及池中莲花的清新净丽，诗人表面上是嫌弃动物聒噪，打破了茅庐的清幽，只钟情荷花，实际上他是喜欢这种活力四射、动静结合的景象。最后两句，诗人怕酒不够，连忙起身再去找酒，如神来之笔，写出了杜甫的贫穷但又豪放好客的性格。

去矣①行

君不见鞲②上鹰，一饱即飞掣③！
焉能作堂上燕④，衔泥附炎热⑤？
野人旷荡无靦颜⑥，岂可久在王侯⑦间？
未试囊中餐玉法⑧，明朝且入蓝田山⑨。

【注释】

①去矣：离开。矣，语气助词，用在句末，加强语气。

②鞲(gōu):手臂上的袖套,用来保护手臂。

③飞掣(chè):迅速飞走。掣,迅疾。

④焉能作:哪里能作。堂上燕:堂屋中的燕子。比喻小人。

⑤衔泥:用嘴含泥巴,指筑巢。附炎热:依附炙手可热的权贵。

⑥野人:杜甫自称。旷荡:旷达,大度。靦(miǎn)颜:厚颜。靦,害羞,不自然。

⑦岂可:哪里可以。王侯:国王和诸侯,指达官贵人。

⑧未试囊(náng)中餐玉法:据《魏书》载:"李预居长安,每羡古人餐玉之法,乃采访蓝田,躬往攻掘,得大小百余,预乃椎七十枚为屑,日服食之。"未试,没有尝试过。囊,口袋。餐玉,吃玉石。

⑨明朝:明天,以后。且入:将要进入。蓝田山:山名,在长安东南三十里,山中有玉石。

【赏析】

这首诗是杜甫于唐玄宗天宝十四载刚任右卫率府胄曹参军后作,露出弃官之意。本诗的前半部分,将鹰和燕两种动物进行对比。鞲上的雄鹰,一旦吃饱就展翅高飞;而堂上的燕子,衔泥做巢依附于人。诗人将二者相互比较的时候,也用鹰和燕指代社会上的两类人,一类是清高自傲,不肯委身之人,另一类是趋附炙手可热的大人物。杜甫毫无疑问只愿做自由的雄鹰,希望自己成为山野农夫,旷荡而没有靦颜,而不情愿长久置身于王侯府邸谄媚趋炎。但不做这个小官,领取微薄的俸禄,又不能维持生计,所以想入蓝田山中试试餐玉之法。这当然只是诗人的想象,而现实当中是反映他不愿意担任此官,想辞职归隐的志愿。

官定后戏赠[①]

不作河西尉[②]，凄凉为折腰[③]。
老夫怕趋走[④]，率府且逍遥[⑤]。
耽酒须微禄[⑥]，狂歌托圣朝[⑦]。
故山归兴尽[⑧]，回首向风飙[⑨]。

【注释】

①官定：官职确定，指杜甫被任命为右卫率府胄曹参军。戏：戏谑，开玩笑。赠：自赠，自己写给自己。

②不作河西尉：指杜甫在唐玄宗天宝十四载被任命为河西尉，而他不肯就职。

③凄凉为折腰：因为折腰而感到凄凉。折腰，本意为弯腰，多比喻为屈身事人。典出《晋书·陶潜传》："潜叹曰：'吾不能为五斗米折腰向乡里小儿。'"

④趋走：迅速奔走，这里指热情地侍奉上司。

⑤率府：指右卫率府胄曹参军。且：尚且。逍遥(xiāo yáo)：自由自在、不受拘束的样子。

⑥耽(dān)酒：沉溺于饮酒。须微禄：需要微薄的俸禄。

⑦狂歌：纵情地歌唱。托：依托。圣朝：圣明的朝廷。"狂歌托圣朝"是正话反说，暗藏讥讽。

⑧故山：故乡。归兴尽：归去的兴致已经消尽。

⑨风飙(biāo)：狂风、大风。

【赏析】

这首诗作于唐玄宗天宝十四载，诗题下诗人自注：“时免河西尉，为右卫率府兵曹。”天宝十四载十月，杜甫旅居长安多年，终于被任命为河西县尉，但他没有接受，之后又改任为右卫率府兵曹参军，此职是从八品下的小官，但诗人迫于生计，只好就任。本诗即描写授官后的这种心情。一、二句写杜甫不愿做河西尉，但还是任职于率府，所以将陶渊明“不为五斗米折腰”的典故反用，因为违背自己胸怀大志，渴求建立功业的愿望，所以倍感凄凉。三至六句写他接受任命的原因，率府不必趋走而逍遥自在，加上需要这份微薄的俸禄来买酒自娱。其实在杜甫内心，为了国家政事，当然是不辞辛劳，愿意奔走效力，但现在只有率府一职，便只能用“且逍遥”三字来安慰自己，反映出他的无奈与不得志的心情。如今官职已定，而他归乡的兴致也已经不复存在，只有临风回首而已，表达自己无可奈何而又矛盾的心情。

自京赴奉先县咏怀五百字[1]

杜陵有布衣[2]，老大意转拙[3]。
许身一何愚[4]，窃比稷与契[5]。
居然成濩落[6]，白首甘契阔[7]。
盖棺事则已[8]，此志常觊豁[9]。
穷年忧黎元[10]，叹息肠内热[11]。
取笑同学翁[12]，浩歌弥[13]激烈。

非无江海志[14]，潇洒送日月[15]。
生逢尧舜君[16]，不忍便永诀[17]。
当今廊庙具[18]，构厦岂云缺[19]。
葵藿倾太阳[20]，物性固莫夺[21]。
顾惟蝼蚁辈[22]，但自求其穴[23]。
胡为慕大鲸[24]，辄拟偃溟渤[25]？
以兹悟生理[26]，独耻事干谒[27]。
兀兀遂至今[28]，忍为尘埃没[29]。
终愧巢与由[30]，未能易其节[31]。
沉饮聊自遣[32]，放歌破愁绝[33]。
岁暮百草零[34]，疾风高冈裂[35]。
天衢阴峥嵘[36]，客子中夜发[37]。
霜严衣带断[38]，指直不得结[39]。
凌晨过骊山[40]，御榻在嵽嵲[41]。
蚩尤塞寒空[42]，蹴踏崖谷[43]滑。
瑶池气郁律[44]，羽林相摩戛[45]。
君臣留欢娱[46]，乐动殷樛嶱[47]。
赐浴皆长缨[48]，与宴非短褐[49]。
彤庭所分帛[50]，本自寒女出[51]。
鞭挞其夫家[52]，聚敛贡城阙[53]。
圣人筐篚恩[54]，实欲邦国活[55]。
臣如忽至理[56]，君岂弃此物[57]？
多士盈[58]朝廷，仁者宜战栗[59]。
况闻内金盘[60]，尽在卫霍[61]室。
中堂舞神仙[62]，烟雾散玉质[63]。

暖客貂鼠裘[64],悲管逐清瑟[65]。
劝客驼蹄羹[66],霜橙[67]压香橘。
朱门酒肉臭[68],路有冻死骨[69]。
荣枯咫尺异[70],惆怅难再述[71]。
北辕就泾渭[72],官渡又改辙[73]。
群冰从西下[74],极目高崒兀[75]。
疑是崆峒来[76],恐触天柱折[77]。
河梁幸未坼[78],枝撑声窸窣[79]。
行旅相攀援[80],川广不可越[81]。
老妻寄异县[82],十口隔风雪[83]。
谁能久不顾[84],庶往共饥渴[85]。
入门闻号咷[86],幼子饥已卒[87]。
吾宁舍[88]一哀,里巷亦呜咽[89]。
所愧为人父,无食致夭折[90]。
岂知秋禾登[91],贫窭有仓卒[92]。
生常免租税[93],名不隶征伐[94]。
抚迹犹酸辛[95],平人固骚屑[96]。
默思失业徒[97],因念远戍卒[98]。
忧端齐终南[99],澒洞不可掇[100]。

【注释】

①自:从。京:京城长安。奉先县:在唐代属于京兆府,即今陕西省蒲城。咏怀:用诗歌来抒发情怀,寄托抱负。五百字:这首诗一百句,共五百字。

②布衣:这时候的杜甫虽然担任右卫率府胄曹参军这一八品小官,但

仍然称自己为布衣。

③老大：指年龄大，这时候杜甫四十四岁。意：志向。转：转变。拙(zhuō)：笨拙。这句诗的意思是，年龄越大，越不能屈志随俗。

④许身：自己的期许、期望。一何：多么，何其。愚：愚笨。

⑤窃比：私下暗中自比。稷(jì)与契(xiè)：后稷和契，是传说中舜帝的两位贤能大臣。后稷是周代祖先，教人们种植五谷；契是商代祖先，掌管文化教育。

⑥居然：竟然，表示出乎意料。濩(huò)落：廓落，大而无当，形容落魄失意的样子。

⑦白首：白头，年老。甘：心甘情愿。契阔(qì kuò)：勤劳辛苦。

⑧盖棺：盖上棺材，指人死亡。则已：就停止。

⑨此志：这种志向。觊豁(jì huō)：希望达到。

⑩穷年：终年，一整年。忧：担心，忧虑。黎元：老百姓。

⑪肠内热：心中焦急。

⑫取笑：被人嘲笑。同学翁：指同辈。翁，敬称。

⑬浩歌：放声高歌。弥(mí)：更加。

⑭非无：并非没有，即有。江海志：指隐居江湖的志向。

⑮潇洒：无拘无束。送日月：送走日月，即打发时间。

⑯生逢：生活的时代碰到。尧舜君：像唐尧和虞舜一样圣明的君主。

⑰不忍：不忍心。便：就这样。永诀：永别，指归隐。

⑱当今：如今。廊庙：朝廷，这里指朝廷当中的栋梁。具：具备。

⑲构厦：构建大厦，这里比喻建设国家。岂云缺：哪里会缺什么呢？

⑳葵藿(huò)：向日葵和豆类植物的叶子。倾太阳：倾向太阳，比喻对朝廷的忠心。

㉑物性：事物的本性。固：原本，本来。莫夺：无法改变。

㉒顾惟:回顾、回想。蝼(lóu)蚁辈:蝼蚁之人。蝼蚁,蝼蛄和蚂蚁,比喻为了个人私利积极奔走的人。

㉓但:只会,只知道。自求其穴:自己寻求他们的安身之所。穴,洞穴,这里指安身的地方。

㉔胡为:为什么要。慕:羡慕。大鲸:大的鲸鱼,比喻志向远大的人。

㉕辄:就。拟:想要,打算。偃(yǎn):仰面倒下。溟渤:溟海和渤海,泛指大海。

㉖以:因为。兹:这,指"慕大鲸"。悟:参悟,明白。生理:生计,生活。

㉗独:特别。耻:感到羞耻。事:从事。干谒(yè):为某种目的而求见。

㉘兀兀(wū):穷困的样子。遂:于是,就。至今:到了今天这个地步。

㉙忍:岂忍,不能容忍。为:被。尘埃:飞扬的尘土。没:埋没。

㉚终愧:最终愧对。巢与由:巢父和许由,二人都是唐尧时代的著名隐士。

㉛未能:没有能够。易其节:改易我的节操。这句诗是说杜甫没有归隐。

㉜沉饮:痛饮,畅快地喝酒。聊:赖以。自遣:自我排遣。

㉝放歌:放声歌唱。破愁绝:打破心中的极端的忧愁。

㉞岁暮:岁末。零:凋零。

㉟疾风:迅猛的风。高冈裂:高高的山冈快要裂开。

㊱天衢(qú):天路,指通往京师长安的道路。衢,四通八达的道路。阴:阴沉的乌云。峥嵘(zhēng róng):高峻的山峰,这里指乌云密布的样子。

㊲客子:旅居在外的游子,这里是杜甫的自称。中夜:半夜。发:出发,动身。

㊳霜严:即“严霜”,寒冷的霜。衣带断:衣带都被冻得断裂。

㊴指直:手指冻得发直。不得结:无法系上(衣带)。

㊵凌晨:清晨。骊山:山名,位于今陕西省临潼南,距离长安六十里,上面建有华清宫,里面有温泉。

㊶御榻(tà):皇上用的坐卧具。嵽嵲(dì niè):高峻的山。

㊷蚩尤(chī yóu):上古神话传说中的人物,与黄帝在涿鹿大战,蚩尤战死。他曾经用大雾迷惑敌人。这里的蚩尤指代大雾。塞寒空:塞满、弥漫整个寒冷的天空。

㊸蹴踏:踩踏。崖谷:山崖和山谷。

㊹瑶池:古代神话传说中昆仑山上西王母所居住的美池,这里指骊山上的温泉。郁律:烟雾蒸腾的样子。

㊺羽林:羽林军,是汉代的禁卫,这里指皇帝的卫队。相摩戛(jiá):士兵身上的衣甲和兵器相互摩擦、敲打。戛,轻轻地敲打。

㊻留欢娱(yú):留在那里寻欢作乐。娱,快乐。

㊼乐动:音乐动起来。殷(yīn):众多,盛大。樛嶱(jiū kě):广大的样子。

㊽赐浴:指唐玄宗赏赐在骊山温泉沐浴。长缨:长的帽带,这里指高官贵族。

㊾与宴:参与宴会。短褐(hè):用兽毛或粗麻布做成的短上衣,指平民百姓。

㊿彤(tóng)庭:红色的庭院。因为帝王的宫殿多涂上朱红色,所以这里的“彤庭”指朝廷。彤,红色。所分帛(bó):所分到的锦帛。帛,丝织品的总称。

51本自寒女出:本来都是从贫寒的女子手中织出来的。寒女,贫寒人家的女子。

52鞭挞(biān tà):用鞭子打。挞,用鞭棍等打人。其夫家:她丈夫的全家。

53聚敛(liǎn):用重税来搜刮敛财。贡:贡奉,上贡。城阙:这里指京城、朝廷。

54圣人:指皇上。筐篚(fěi):用来盛物的竹器,方形的叫筐,圆形的叫篚,这里指礼物。恩:恩惠。

55实欲:其实是想。邦国:国家。活:兴盛,充满活力。

56臣:臣子。如忽:如果忽视。至理:至高的道理。

57君:君主,皇帝。岂弃此物:岂不是要抛弃这些东西?

58多士:众多的贤士。盈(yíng):充满。

59仁者:仁义之人。宜:应该。战栗(lì):因恐惧而颤抖。

60况闻:何况听闻。内金盘:皇宫中所用的金盘。

61尽在:全部都在。卫霍:指西汉的卫青和霍去病,他们两人都是汉武帝时的外戚。"况闻内金盘,尽在卫霍室"暗指唐玄宗将金盘等都赏赐给了杨氏兄妹。

62中堂:厅堂。舞神仙:指宫女们如神仙般起舞。

63烟雾:燃香散发出来的烟气,像雾气一般。散:散发。玉质:像玉一样洁美的身体。

64暖客貂(diāo)鼠裘(qiú):用貂鼠皮做的衣服来给客人取暖。貂鼠,即貂,古人将貂归入鼠类,所以合称为"貂鼠"。裘,皮衣。

65悲管:管乐悲伤。逐:追逐,伴随。清瑟:瑟音清幽。管和瑟,指管乐和弦乐,泛指所有的音乐。

66劝客:劝说客人。驼蹄羹:用骆驼蹄煮的肉汤。

67霜橙:被霜打过的橙子。

68朱门:古代王公贵族的住宅大门漆成红色,所以称作朱门,这里指富贵人家。臭(xiù):气味的总称,泛指所有的气味。

⑲路有冻死骨:大路边有被冻死的尸骨。

⑳荣枯:草木茂盛与枯萎,比喻人世的盛衰穷达。异:不同。

⑪难再述:难以再叙述。

⑫北辕:车辕向北,即向北出发。辕,车前驾牲畜的两根直木。就:靠近。泾渭:泾水和渭水两条河流。渭水是黄河最大的支流,发源于甘肃省渭源,经陕西省流入黄河;泾水又是渭河的支流,发源于宁夏。二水在西安市高陵县船张村相汇。

⑬官渡:官方建立的渡口。改辙(zhé):改道。辙,地面上车轮压出的痕迹。

⑭群冰从西下:河中的浮冰从西边上游流下来。

⑮极目:放眼望去。崒兀(zú wù):山险峻高耸的样子。

⑯疑是崆峒来:怀疑从崆峒山流出来的。

⑰触:撞,碰。天柱:支撑天的柱子。据《淮南子·天文训》载:"昔者共工与颛顼争为帝,怒而触不周之山。天柱折,地维绝。天倾西北,故日月星辰移焉,地不满东南,故水潦尘埃归焉。"折:折断。

⑱河梁:河上的桥梁。幸未:幸好没有。坼(chè):裂开。

⑲枝撑:指支撑桥梁的桥墩。窸窣(xī sū):形容轻微细碎之声,这里指桥墩摇晃的声音。

⑳行旅:远行之人。相攀援:相互援引提携。

㉑广:宽广。越:跨越。

㉒老妻:指杜甫年迈的妻子。寄:寄居。异县:其他的郡县,即奉先县。

㉓十口:一家十口人。隔风雪:被风雪所阻隔。

㉔顾:顾及,眷念。

⑧⑤庶(shù):但愿,或许。往:前往,去。共饥渴:共同度过饥渴的日子。

⑧⑥入门:进门。号咷(táo):放声大哭。

⑧⑦卒:死亡。

⑧⑧吾:我。宁舍:哪里会舍不得。

⑧⑨里巷:街巷,胡同,这里指邻居。呜咽:伤心哽泣的声音。

⑨⓪无食:没有食物。致:导致。夭(yāo)折:未成年就死亡。

⑨①岂知:哪里知道。秋禾:秋天的谷物。登:谷物成熟。

⑨②贫窭(jù):贫穷的人。窭,贫穷。仓卒(cāng cù):突发的事变,这里指幼子饿死。

⑨③生:生来,平生。免租税:因为杜甫的祖父杜审言在武则天时任膳部员外郎,杜甫又任右卫率府胄曹参军,所以享受免交租税和免服兵役的特权。

⑨④名:名字。隶:隶属,属于。征伐:讨伐,出兵攻打。

⑨⑤抚迹:追思过去的事情。犹:仍然。酸辛:辛酸,悲伤痛苦。

⑨⑥平人:平民。固:仍然。骚屑(sāo xiè):扰乱。

⑨⑦默思:默默思索。失业徒:失去土地产业的人们。

⑨⑧因念:因而又想到。远戍卒:在远方守卫的士兵。

⑨⑨忧端:忧愁的端绪。齐终南:和终南山一样高。

⑩⓪澒(hòng)洞:绵延弥漫的样子。掇(duō):拾取,摘取。

【赏析】

这首诗作于唐玄宗天宝十四载十一月,安史之乱前夕。杜甫得到右卫率府兵曹参军的官职后,离京回奉先县探望家属。因受到沿途所见景物凋零、经骊山时感到的大乱将至和到家后得知幼子饿死等诸多情绪的激发，写下了这首诗，表达了诗人忧国忧民的情怀和济世之志得不到舒展的苦闷，揭露了官僚的腐化堕落和社会贫富分化的现状。全诗以回家探亲的行程——发京师，过骊山，就泾渭，抵奉先为线索，可分为三个部分。第一部分到“放歌颇愁绝”为止，诗人总起抒发自己的生平抱负；第二部分到“惆怅难再述”为止，议论中夹有叙述，写诗人经过骊山时的所见所感；第三部分，写杜甫继续上行，水路的艰苦和到家后的情感。本诗篇幅宏大，多达一百句，结构完整，思路清晰。全篇以议论为主，杂以叙事，做到了无一字落空，无一处闲笔。它是杜甫困居长安十年中生活与思想阶段性的总结，标志着他忧国忧民、沉郁顿挫的现实主义诗风已经逐步形成。

悲陈陶①

孟冬十郡良家子②，血作陈陶泽中水③。
野旷天清无战声④，四万义军⑤同日死。
群胡归来血洗箭⑥，仍唱胡歌饮都市⑦。
都人回面向北啼⑧，日夜更望⑨官军至。

【注释】

①陈陶：地名，即陈陶斜，又称为陈陶泽，位于今陕西省咸阳市东边。唐肃宗至德元载(756)，唐朝的军队与安史之乱的叛军在陈陶作战，唐军四五万人几乎全军覆没。

②孟冬：冬天的第一个月，即农历十月。古人用孟、仲、季分别指代一

个季节中的三个月份。十郡：泛指西北各郡。良家子：汉代指从军不在七科谪内者或非医、巫、商贾、百工的子女，为良家子，后世泛指出身清白或官宦人家的子女。

③血作陈陶泽中水：良家子战死流出的血都变成了陈陶泽中的流水。

④野旷天清：原野开阔，天气清朗。无战声：没有战斗的声音，指战役结束。

⑤义军：正义的军队。

⑥群胡：指安禄山的军队。血洗箭：箭上沾满血迹，像是用血洗过一般。

⑦饮都市：在都市之中(长安城)饮酒。

⑧都人：都城的人民。回面：回头。向北啼：朝着北方啼哭。

⑨更望：更加盼望。

【赏析】

唐肃宗至德元载，宰相房琯带兵分南、中、北三路讨伐叛军，中、北二路与贼将安守忠战于陈陶，官军大败。身在长安的杜甫听到这个消息，又目睹叛军得胜归来后的嚣张气焰，于是作此诗，怀着沉痛的心情，惋惜讨伐失败。全诗分三层，前四句为第一层，写官军惨败的血腥场面。“十万良家子”、“四万义军”、“同日死”，人数巨大，死亡迅速，强烈的反差体现出战争的残酷。牺牲战士的血将陈陶泽中的水都染成红色，也是在刻画战争的残忍和损失的惨重。五、六两句为第二层，写安禄山的部队胜利归来，“血洗箭”与“血作水”对比，“无战声”与“唱胡歌”对比，一喜一忧，形成张力，突出叛军完胜后的高涨情绪，遂使诗人悲痛之余又多一层愤恨。最后两句为第三层，写长安城的百姓日夜期盼官军前来收复国都，将诗人个人的情绪社会化、普遍化。

月　夜

今夜鄜州[①]月，闺中只独[②]看。
遥怜[③]小儿女，未解忆长安[④]。
香雾云鬟湿[⑤]，清辉玉臂寒[⑥]。
何时倚虚幌[⑦]，双照泪痕干[⑧]。

【注释】

①鄜(fū)州：地名，在今陕西省延安的富县。唐玄宗天宝十五载潼关失守后，杜甫将家人安顿在鄜州城北的羌村，而当时杜甫身在长安。

②闺中：特指女子所住的内室，这里指代杜甫的妻子。闺，上圆下方的小门。只独：只能独自一人。

③遥怜：远远地怜爱。

④未解忆长安：小儿女们还不了解母亲思念长安的心情。

⑤香雾：雾气伴随着涂有膏沐的云鬟中散发出来的香味，便成了香雾。云鬟(huán)：像云一样高耸的环形发髻。湿：指雾气打湿云鬟。

⑥清辉：清光，指月亮的光辉。玉臂：白嫩如玉的手臂。寒：手臂在月光中感到寒冷。

⑦何时：什么时候。倚：倚靠。虚幌(huǎng)：透光的窗帘或帷幔。

⑧双照：月光照着杜甫和妻子两个人，所以称作“双照”，喻指团聚。泪痕干：泪痕蒸发干。

【赏析】

至德元载，唐肃宗在灵武即位，杜甫得知消息后，从鄜州西北的羌村只身前往投奔，不料中途被叛军俘获，被押解至沦陷的长安。诗人忧国思家，月夜难眠，写下这首诗。“今夜鄜州月，闺中只独看”，诗人望着明月，思家心切，但却不从自己处下笔，而是想象家中的妻子也会像自己一样，对月难眠，思念亲人。彼此相互怀念，双方的感情和内心的悲伤都更进一层。三、四句写儿女尚小，不懂离别之苦，真实亲切，抒发了对他们的怜爱之情。五、六两句写妻子的发髻被雾气沾湿，手臂被月光照出了寒意，说明她在月下徘徊良久。杜甫用简单的十个字勾画出一个笼罩在雾气月光下的倩影，她远在鄜州家中，又仿佛近在眼前。最后两句，诗人感叹他们何时才能见面，相倚在细薄的窗纱前。“双照”指明团聚，“泪痕干”则表达相见时悲喜交加的场景，同时“泪痕”也补足前面没有说出来的思乡怀人之泪。

春　望①

国破山河在②，城春草木深③。
感时花溅泪④，恨别鸟惊心⑤。
烽火连三月⑥，家书抵⑦万金。
白头搔更短⑧，浑欲不胜簪⑨。

【注释】

①春望：春天瞭望。

②国:国都长安。破:被攻破。山河在:山河仍旧存在。

③城春:长安城的春天。草木深:草木茂盛。

④感时:感叹时局。花溅泪:对着花流泪。

⑤恨别:怅恨别离。鸟惊心:听到鸟叫而内心震惊。

⑥烽火:古时边防报警的烟火,这里指代战争。连三月:连接三个月,具体指唐肃宗至德二载(757)正月到三月。

⑦家书:家中的来信。抵:相当于,代替。

⑧白头:白头发。搔:挠。更短:越来越稀少。

⑨浑欲:简直要。不胜簪(zān):不能胜任插发簪。簪,用来绾住头发的一种首饰。

【赏析】

《春望》写于唐肃宗至德二载,是杜甫被安禄山的叛军俘获,押回长安的第二年。这首诗写杜甫暮春三月在沦陷的长安城中登高远望时的所见所想。前四句写诗人所望见的风景,都城被陷,皇帝外逃,满目疮痍,国破只剩下山河,城中也唯有草木,写出了长安无物无人的颓败。“山河在”的“在”字恰好写出了万事万物都已不复存在。花和鸟本来是给人带来欢乐的事物,可诗人因感慨时事,见到花反而落泪,看到鸟反而惊心,以美景衬哀情。后四句写思念亲人,即第四句中的“恨别”。自安史之乱已经三个月,自己身陷长安,而自己的妻儿却远在鄜州的羌村,音讯阻隔,所以“家书抵万金”将诗人盼望家中亲人消息的急切心情形象地表达出来。最后两句写诗人的愁苦,因为“感时”和“恨别”,所以不断地搔首踟蹰,稀疏的短发,几乎连发簪都插不上了。国破城败,离家被困之际,又增添一层衰老的悲凉。

哀　江　头[①]

少陵野老吞声哭，春日潜行曲江曲[②]。
江头宫殿锁千门[③]，细柳新蒲[④]为谁绿？
忆昔霓旌下南苑[⑤]，苑中万物生颜色[⑥]。
昭阳殿里第一人[⑦]，同辇随君侍君侧[⑧]。
辇前才人[⑨]带弓箭，白马嚼啮黄金勒[⑩]。
翻身向天仰射云[⑪]，一笑正坠双飞翼[⑫]。
明眸皓齿今何在[⑬]？血污游魂归不得[⑭]。
清渭东流剑阁深[⑮]，去住彼此无消息[⑯]。
人生有情泪沾臆[⑰]，江水江花岂终极[⑱]！
黄昏胡骑尘满城[⑲]，欲往城南望城北。

【注释】

①哀江头：在曲江边上哀伤。江，指曲江，也叫曲江池。

②潜行：偷偷地行走。曲江曲：曲江弯曲隐蔽的地方。

③宫殿锁千门：上千座宫殿的大门已经被锁上了。

④新蒲：新长出来的蒲柳。

⑤忆昔：回忆过去。霓（ní）旌：传说仙人用云霞作为旗帜，这里指绘有云霞的彩旗。南苑：即芙蓉苑，因为在曲江的南边，所以称为南苑。

⑥生颜色：生发出各种色彩。

⑦昭阳殿：宫殿名，汉成帝宠妃赵飞燕住过的寝宫，这里泛指后宫。第一人：最受宠幸的人，指杨贵妃。

⑧同辇(niǎn)：坐同一辆车。辇，古代用人拉着走的车子，后多指天子或王室坐的车子。随君：跟随着君王。侍(shì)君侧：侍奉在君王的两侧。侍，伺候，在旁边陪着。

⑨才人：唐代宫中的女官名。

⑩嚼啮(jiáo niè)：用牙咬。黄金勒(lè)：黄金装饰的马勒。勒，套在牲畜上的笼头。

⑪仰：脸向上。射云：指射高空的鸟。

⑫一笑：指杨贵妃开怀一笑。坠：坠落，落下。双飞翼(yì)：成对飞行的鸟。翼，翅膀。

⑬明眸(móu)皓(hào)齿：明亮的眼睛和洁白的牙齿。眸，眼中的瞳子。皓，洁白。今何在：如今在哪里呢？

⑭血污：被血沾污。游魂：四处游走的魂魄。归不得：无法归来。这句诗指唐玄宗天宝十五载，杨贵妃被缢死于马嵬驿。

⑮清渭：渭水清澈，所以称为“清渭”，与“浊泾”相对。剑阁：指剑阁县，在今四川省。唐玄宗由此地入蜀。深：深远。

⑯去住彼此：指杨贵妃死于此，而唐玄宗离开此地进入蜀地。无消息：彼此不通消息。

⑰臆(yì)：胸。

⑱岂终极：哪里会有穷尽的时候。

⑲胡骑：指安禄山的叛军。尘满城：骑兵马蹄踏起的灰尘，弥漫整个京城。

【赏析】

这首诗写于唐肃宗至德二载，是杜甫被安禄山的叛军俘获，押回长安第二年的春天。诗人行走在长安城东南的曲江，目睹眼前的江水和江花，有感而作，记录了他悲痛欲绝的心情。前四句写曲江的景象，杜甫以少陵野老自称，开篇直抒胸臆，想哭又不敢放声大哭，第二句点明时间、地点和事件。三、四句写景，众多的宫殿门已经锁起来了，昔日的繁盛与今日的没落形成对比。虽然“细柳新蒲”，杜甫却无心欣赏。“忆昔”以下八句，通过“忆昔”二字展开，回顾安史之乱前唐玄宗和杨贵妃游幸曲江的隆重排场。集中写车队中的才人、白马以及仰天射箭，表现当时的富贵与放纵。最后八句，又写回当下，明眸皓齿的杨贵妃已经自缢于马嵬，和唐玄宗阴阳相隔，再无消息。人生有情，但江水、江花等大自然景物永恒无情，更增添杜甫的感伤情绪。最后两句写叛军满城，诗人想回城南却不知南北，他的惶恐无依的状态，表露无遗。诗从现实到回忆，再到现实，用“哀”字贯穿全篇，又通过今昔对比和美景衬悲情的手法，表现了杜甫忧国忧民的悲怆心情。

哀王孙[①]

长安城头头白乌[②]，夜飞延秋门[③]上呼。
又向人家啄大屋[④]，屋底达官走避胡[⑤]。
金鞭断折九马[⑥]死，骨肉不得同驰驱[⑦]。
腰下宝玦[⑧]青珊瑚，可怜王孙泣路隅[⑨]。
问之不肯道[⑩]姓名，但道困苦乞为奴[⑪]。
已经百日窜荆棘[⑫]，身上无有完肌肤[⑬]。
高帝子孙尽隆准[⑭]，龙种自与常人殊[⑮]。

豺狼在邑龙在野[16]，王孙善保千金躯[17]。
不敢长语临交衢[18]，且为王孙立斯须[19]。
昨夜东风吹血腥[20]，东来橐驼满旧都[21]。
朔方健儿[22]好身手，昔何勇锐今何愚[23]。
窃闻天子已传位[24]，圣德北服南单于[25]。
花门剺面请雪耻[26]，慎勿出口他人狙[27]。
哀哉王孙慎勿疏[28]，五陵佳气无时无[29]。

【注释】

①哀：哀痛。王孙：君王的子孙。

②头白乌：白头的乌鸦，被看作不祥之物。

③延秋门：唐朝宫苑的西门，从延秋门西去有桥跨过渭水，通往咸阳。唐玄宗曾经由此出逃。

④啄：鸟用嘴叩击并夹住东西。大屋：高大的房屋。

⑤达官：高官。走避胡：逃走避开胡人。胡，指安禄山的叛军。

⑥金鞭：用黄金装饰的马鞭。断折：折断。九马：九匹骏马，这里指唐玄宗的御马。

⑦骨肉：骨和肉，比喻非常亲近的人，这里指王孙。不得同驰驱：无法一同逃命。驰驱，驾马飞快地跑。

⑧宝玦（jué）：珍贵的玉玦。玦，半环形有缺口的佩玉。

⑨泣路隅（yú）：在路旁哭泣。

⑩道：说。

⑪但：只。乞：乞求，请求。

⑫已经百日：已经经过上百天。窜（cuàn）：逃窜。荆棘（jí）：荆条和酸枣树，这两种植物常丛生为小灌木。

⑬完肌肤：完整的皮肤。

⑭高帝：即汉高祖刘邦，这里是指唐代的皇帝。隆准：高鼻梁。据《史记·高祖本纪》载："高祖为人，隆准而龙颜。"隆，高。准，鼻子。

⑮龙种：龙的后代，指皇帝的后代。自：自然，当然。与常人殊：与一般的人不同。

⑯豺(chái)狼在邑(yì)：指安禄山在洛阳称帝。豺狼，豺和狼，常用来比喻贪婪残忍的人。邑，城市，都城。龙在野：指唐玄宗和唐肃宗逃离京城长安。野，郊野。

⑰善保千金躯：好好保护自己尊贵的身体。

⑱长语：长时间地说话。临：靠近。交衢：交通大路。

⑲且：暂且，暂时。立：站立，等待。斯须：一会儿。

⑳东风吹血腥(xīng)：东风吹来了东边的血腥之味，指安史之乱的叛军四处屠杀。

㉑东来橐(tuó)驼满旧都：从东边来的骆驼挤满了长安。橐驼，骆驼。旧都，指长安。

㉒朔(shuò)方健儿：北方的强壮的士兵，这里指哥舒翰率领的军队。朔方，北方。

㉓昔何勇锐今何愚：过去何等勇敢锐利，而如今又是何等愚蠢。哥舒翰多次与吐蕃交战，屡次胜利，并占领石堡城，所以是"昔何勇锐"。后来又带二十万大军驻守潼关，却被安禄山叛军大败，所以是"今何愚"。

㉔窃闻：私下听说。天子已传位：指唐玄宗天宝十五载，在灵武传位给唐肃宗，改元为至德。

㉕圣德：至高无上的道德，这里指唐肃宗。北服南单于：指唐肃宗至德元载与回纥和亲，册封回纥可汗的女儿为毗伽公主，第二年回纥首领入朝觐见一事。

㉖花门：即花门山堡，位于居延海北三百里，是回纥骑兵驻扎的地方，这里指回纥。剺(lí)面：以刀划面，古代匈奴、回纥等少数民族表示决心的行为。请雪耻：请求洗刷先前的耻辱。

㉗慎勿出口：千万不要把这个消息说出口。他人狙(jū)：别人暗中窥探。狙，窥伺。

㉘慎勿疏：谨慎而不要疏忽。

㉙五陵：指五位帝王的寝陵，唐高祖葬于献陵，太宗葬于昭陵，高宗葬于乾陵，中宗葬于定陵，睿宗葬于桥陵。佳气：好的气象，指国家中兴之气。无时无：无时无刻不存在。

【赏析】

这首诗写于唐玄宗天宝十五载安禄山侵占长安后，主要记录无法和唐玄宗一道逃离长安的落难王孙的悲惨遭遇。前四句借用长安城头的白头乌在延秋门上呼叫和啄人家大屋来起兴，落脚到第四句，屋上屋底，虚实结合，写出达官贵人出逃的惶恐。五至八句写王孙鞭断马死，骨肉不能上车而在路边哭泣的惨状。身上佩戴的青珊瑚宝玦，体现了王孙的身份，但与他们的处境形成强烈反差，其中不乏对唐玄宗的讥讽意味。之后通过诗人与王孙对话的形式，传达了四个方面的内容：不愿暴露身份的王孙流窜荆棘、体无完肤、乞求为奴的落魄；诗人对身为唐高祖子孙的鼓励和劝勉；揭露叛军在长安烧杀抢夺，用骆驼运送财物，给长安百姓所带来的血雨腥风；唐肃宗灵武即位，回纥将要辅助平叛，对国家将平复叛乱的信心。杜甫以落难王孙为切入口，描述了唐玄宗及其宗室出逃的狼狈，同时又表达了对战胜叛军的期盼。

喜达行在所[1]三首（其一）

西忆岐阳信[2]，无人遂却回[3]。
眼穿当落日[4]，心死著寒灰[5]。
雾树行相引[6]，连山望忽开[7]。
所亲[8]惊老瘦，辛苦贼中来[9]。

【注释】

①喜达：因到达而欢喜。行在所：指天子所在的地方，也叫作行在、行所，这里指唐肃宗在凤翔的行宫。

②西忆：向西怀念、盼望。因为当时杜甫身困长安，而凤翔在西边，所以称作“西忆”。岐阳：即凤翔，在岐山的南边，所以叫作“岐阳”。信：音讯，信息。

③遂(suì)：成功，实现。却回：返回。

④眼穿：望眼欲穿。当落日：面对着落日。

⑤心死：内心已死。著寒灰：附着的寒冷的烟灰。

⑥雾树：远处的树呈现出迷蒙的样子。行相引：招引自己前进。

⑦连山：连绵的山脉，这里指太白山和武功山。太白山在今陕西省眉县东南，武功山在今陕西省武功县。望忽开：瞭望中忽然出现通道。

⑧所亲：所亲近的人，指朋友。

⑨辛苦贼中来：杜甫路途中被叛军俘获，带回长安，这次又从长安逃至凤翔，所以是从“贼中来”。

【赏析】

这组诗共三首，诗题下杜甫自注："自京窜至凤翔。"唐肃宗至德二载，杜甫乘隙从被安史叛军占领的长安出逃，投奔远在凤翔的唐肃宗，这组诗即记录他路途的艰辛和到达行宫后的激动心情。这是组诗的第一首。诗人按时间顺序，依次写在长安翘首企盼凤翔的消息，没有回音；自己在家中望眼欲穿、心如死灰；千辛万苦一路跋涉，忽然见到有路铺开；亲友相见，平安到达。诗的前半部分主要写诗人心系君主、关心国家的急切心情。"眼穿"、"心死"写诗人将希望都寄托在凤翔肃宗的身上，表达他渴望为国出力、平定叛乱的伟大志向。诗的后半部分，"雾树行相引"、"辛苦贼中来"写路途的曲折与艰苦；"望忽开"写杜甫激动不已的心情；"惊"字既写亲友们忽逢杜甫的惊喜，又写见到他消瘦的惊讶与心酸。

喜达行在所三首（其二）

愁思胡笳夕①，凄凉汉苑②春。
生还③今日事，间道暂时人④。
司隶章初睹，南阳气已新⑤。
喜心翻倒极⑥，呜咽泪沾巾。

【注释】

①胡笳（jiā）：古代北方民族的管乐器，传说由汉代的张骞从西域带入中原。夕：傍晚。

②汉苑:汉代的林苑,这里指唐代的曲江、南苑等一些地方。
③生还:活着回来。
④间(jiān)道:偏僻的或抄近的小路。暂时人:暂时还是人,比喻凶险的环境。
⑤司隶章初睹,南阳气已新:这两句是把唐肃宗和东汉刘秀相比,歌颂唐肃宗有中兴的新气象。司隶,刘秀曾任司隶校尉。章,规章制度。睹,看见。南阳,刘秀是南阳人,并曾在南阳起兵。
⑥翻倒极:在欢乐的极点处反转,即乐极生悲。

【赏析】

这是组诗的第二首。诗人先回忆长安被困的生活,夜晚听着胡笳声愁闷不已。“汉苑”是用汉朝来指代唐朝,实际是指他春天游赏曲江等地时所见的凄凉异常的景象。然后用今昔对比,虽然如今活着从长安逃出来,但昨天还乘隙在小路奔走,写出了长途跋涉后的惊魂甫定。诗的后半章一扫上篇的凄凉愁苦,转向对未来朝局的憧憬,杜甫借用东汉光武帝刘秀振兴汉家王朝的典故,用来比附当下唐肃宗在凤翔的中兴气象。于是诗人“喜心翻倒极,呜咽泪沾巾”,心情从欢喜之极,反而变成悲伤,呜咽起来。全诗上下两部分,一倒叙一写现实,一悲伤一狂喜,表达了诗人在长安时对国事的深切忧虑和抵达凤翔后对未来的殷切希望,二者均可看出他的赤子之心。

喜达行在所三首（其三）

死去凭谁报[①]？归来始自怜[②]。
犹瞻太白雪[③]，喜遇武功天[④]。
影静千官里[⑤]，心苏七校前[⑥]。
今朝汉社稷[⑦]，新数中兴年[⑧]。

【注释】

①凭：凭借，依靠。谁报：谁来报信。

②自怜：自我怜惜。

③犹：还，仍然。瞻（zhān）：往上或往前看。太白雪：太白山上的积雪。

④喜遇：欢喜地遇到。武功天：武功山上的天空。

⑤影静：身影平静。千官里：置身众多的官员之中。

⑥心苏：内心苏醒。七校（xiào）：汉代设中垒、屯骑、步兵、越骑、长水、射声、虎贲七校尉，这里泛指卫队。

⑦汉社稷：汉朝的社稷，指代唐朝。社稷，土神和谷神，古代君主都祭祀社稷，后来就用社稷代表国家。

⑧新数：开始算得上。中兴：国家由衰败而重新强盛兴旺。

【赏析】

这是组诗的第三首。本诗的内容和主题与第二首大致相同，都是写从长安至凤翔路途的凶险和到达行在的喜悦。开头两句写如果杜甫在途中遭遇不测，都没有人去给家人报个信，简单的五个字写出了他的惨淡与冒死前行的勇气，所以才自我怜惜平安回来，从中可以看出诗人的侥幸与后怕。三、四两句写诗人在凤翔看到太白山上的雪和武功山的天后喜不自胜的心情。五、六两句，杜甫被授予左拾遗的官职，于是就有“影静千官里，心苏七校前”，自己静静地置身于百官之中，心情也在侍卫面前复苏，诗歌写出了自己已经远离了劳顿惊险的生活，同时参与朝政，准备大展宏图。所以诗人用汉代借指唐代，认为国家会进入中兴时期，表达了他欢喜的心情。这三首诗都把“达行在所”之前与之后进行对比，先抑后扬，体现了杜甫心系国家的情怀。

羌村①三首（其一）

峥嵘赤云②西，日脚下平地③。
柴门鸟雀噪④，归客⑤千里至。
妻孥怪我在⑥，惊定还拭⑦泪。
世乱遭飘荡⑧，生还偶然遂⑨！
邻人满墙头⑩，感叹亦歔欷⑪。
夜阑更秉烛⑫，相对如梦寐⑬。

【注释】

①羌村：地名，位于鄜州城北面，今陕西省富县南，当时杜甫安家于此。
②峥嵘（zhēng róng）：高峻的山峰，这里是形容天空中的云层。赤

云：被晚霞映成红色的云彩。

③日脚：古人不知道太阳和地球的相对运动，以为太阳在行走，所以有"日脚"的说法。下平地：太阳下落到地平面以下。

④柴门：用树枝做的门，比喻生活贫苦，这里指杜甫的家。噪：许多鸟叫而声音杂乱。

⑤归客：归来的客人，指杜甫自己。

⑥妻孥（nú）：妻子和儿女。怪我在：惊讶我还活着。

⑦惊定：激动惊奇的心情平定下来。还：又，表示动作的承接。拭：擦拭。

⑧遭：遭受，遇到。飘荡：漂泊流浪。

⑨生还：活着回来。偶然遂（suì）：偶然、侥幸如愿。遂，顺，如意。

⑩邻人满墙头：因为土墙低矮，所以邻居们站在墙外往里看。

⑪歔欷（xū xī）：哀叹抽泣的声音。

⑫夜阑：夜将尽、夜深。更：再，又。秉（bǐng）烛：拿着蜡烛来照明。秉，拿着，持。

⑬如梦寐（mèi）：如在睡梦中一般。寐，睡着。

【赏析】

唐肃宗至德二载，杜甫从长安抵达凤翔，被授予左拾遗，但因上书援救被罢的宰相房琯而触怒唐肃宗，所以被放还鄜州羌村，这三首诗便是他回家探亲时所作。这是组诗的第一首。本诗写杜甫刚到家所见的景色，与妻子、邻居相见的场面和诗人乱世飘荡首次回家的感慨。前四句描写从千里之外归来时所见的绚丽风景，晚霞赤红峥嵘，落日低平，与诗人回家的心情相符。柴门上鸟雀在鸣叫，显得亲切而欢快。后八句叙事抒情，妻子看到我还活着非常诧异，不敢相信，直到"惊定"后才喜极而泣；而邻人竟然也站满了墙头，不胜感叹唏嘘，写出了战乱给亲人带来的离别之痛。“夜阑更秉烛”，写众人散去之后，在烛光下家人团聚的温馨画面，“如梦寐”是说虽然和家人团聚了，但仍然怀疑眼前发生的一切是不是在梦中。我们从中能读出战乱之中一家人的悲喜之情。

羌村三首（其二）

晚岁迫偷生①，还家②少欢趣。
娇儿不离膝③，畏我复却去④。
忆昔好追凉⑤，故绕池边树。
萧萧北风劲⑥，抚事煎百虑⑦。
赖知禾黍收⑧，已觉糟床注⑨。
如今足斟酌⑩，且用慰迟暮⑪。

【注释】

①晚岁：晚年。迫：被迫。偷生：苟且偷生。

②还家：回到家中。

③娇儿：对儿女的爱称。不离膝：不离开杜甫身边。

④畏我：怕我。复：又。却去：转回去，离开。

⑤追凉：乘凉。

⑥劲：强劲。

⑦抚事：追思往事。煎百虑：内心被各种忧虑所煎熬。

⑧赖知：幸亏知道。禾黍：禾与黍，泛指黍稷稻麦等粮食作物。可以

用来酿酒。收：丰收。

⑨已觉：已经察觉。糟(zāo)床：榨酒的器具。注：液体往下滴。

⑩足：足够。斟酌(zhēn zhuó)：往酒杯里倒酒，这里指喝酒。

⑪且：姑且，暂且。用慰：来用安慰。迟暮：晚年。

【赏析】

这是组诗的第二首。本诗主要写杜甫回到家中后郁闷的心情。诗人能够"生还偶然遂"，与家人团聚，却在家少欢趣。这是因为他晚年不愿意苟且偷生，仍想建立一番功业。孩子们不忍心离开他的身边片刻，但又畏惧他而不敢靠近，诗人的惆怅心情连孩子都有所察觉。诗人想到刚将家安置在羌村时，正值炎夏，在池塘边树下散步乘凉，如今已是萧萧的北风劲吹，回忆加上现实的风景给诗带来一种悲凉萧瑟的氛围，与诗人"少欢趣"的情绪相应。从逃避战乱到被叛军捉回长安，再到投奔凤翔，最后又被唐肃宗遣回羌村，真是"抚事煎百虑"。最后四句写秋收，预知禾黍将会丰收，似乎听到了糟床上酒流出来的声音。诗人报国心切，唐肃宗却让他回家探亲，郁郁不得志的他，只好用酒来慰藉自己的残年，体现了他壮志难酬的苦闷。

羌村三首（其三）

群鸡正乱叫，客至鸡斗争①。
驱②鸡上树木，始闻叩柴荆③。
父老四五人，问④我久远行。

手中各有携[5],倾榼浊复清[6]。
莫辞酒味薄[7],黍地[8]无人耕。
兵革既未息[9],儿童尽东征[10]。
请为父老歌[11],艰难愧深情[12]。
歌罢仰天[13]叹,四座泪纵横[14]。

【注释】

①客至:客人来到。鸡斗争:群鸡在打架。

②驱:赶。

③始闻:才听到。叩(kòu):敲。柴荆:指用柴荆做的门。荆,落叶灌木,叶有长柄,掌状分裂,开蓝紫色小花,枝条可编筐篮等。

④问:慰问。

⑤携(xié):带。

⑥倾榼(kē):从榼中倾倒出来。榼,古代盛酒的器具。浊复清:有浊酒,又有清酒。

⑦莫辞:不要推辞。薄:味道淡。

⑧黍地:种黍子的田地。

⑨兵革:兵器和甲胄的总称,这里指战乱。既未息:还没有停息。

⑩尽:全部。东征:被征发去东边打仗。

⑪歌:写诗来歌唱。

⑫艰难:指父老们生活艰难,酒来之不易。愧深情:对父老们的深情厚谊感到惭愧。

⑬罢(bà):停止。仰天:面对着天空。

⑭四座:指四周在座的人。纵横:交错。

【赏析】

这是组诗的第三首。本诗主要写杜甫回羌村后，邻里父老携酒食前来探望，向他倾诉战乱给他们带来的灾祸。前四句描写了一个生动有趣的场景：客人来的时候，家中的群鸡正在打斗乱叫，等将它们驱赶到庭树上，院内安静下来后才听到叩柴门的声音，这是典型的北方生活的真实再现。接下四句写四五个父老各自带着清浊不一的酒来慰问离家远行长久的杜甫，体现了民风的淳朴。“莫辞酒味薄”以下四句，是父老向杜甫的倾诉：兵革至今未息，年轻人都东征打仗，田地也荒芜无人耕种，写出了战乱给人民生活带来的苦难。最后写主人的答词，杜甫对他们的深情表示惭愧，歌罢后仰天长叹，而在座的人都老泪纵横。这使得这组诗从单纯个体的感伤上升至社会的高度，揭露了安史之乱给人们带来的苦难。这三首诗先写回家见亲人，次写家中生活，最后写与邻居的交往，既能独立成篇，内部又相互联系，形成一个统一的整体。

北　征[①]

皇帝二载[②]秋，闰八月初吉[③]。
杜子将[④]北征，苍茫问家室[⑤]。
维时遭艰虞[⑥]，朝野无暇日[⑦]。
顾惭恩私被[⑧]，诏许归蓬荜[⑨]。
拜辞诣阙下[⑩]，怵惕久未出[⑪]。
虽乏谏诤姿[⑫]，恐君有遗失[⑬]。

君诚中兴主[14]，经纬固密勿[15]。
东胡反未已[16]，臣甫愤所切[17]。
挥涕恋行在[18]，道途犹恍惚[19]。
乾坤含疮痍[20]，忧虞何时毕[21]？
靡靡逾阡陌[22]，人烟眇萧瑟[23]。
所遇多被伤[24]，呻吟更[25]流血。
回首[26]凤翔县，旌旗晚明灭[27]。
前登寒山重[28]，屡得饮马窟[29]。
邠郊入地底[30]，泾水中荡潏[31]。
猛虎立我前，苍崖吼时裂[32]。
菊垂[33]今秋花，石戴古车辙[34]。
青云动高兴[35]，幽事亦可悦[36]。
山果多琐细[37]，罗生杂橡栗[38]。
或红如丹砂[39]，或黑如点漆[40]。
雨露之所濡[41]，甘苦齐结实[42]。
缅思桃源[43]内，益叹身世拙[44]。
坡陀望鄜畤[45]，岩谷互出没[46]。
我行已水滨[47]，我仆犹木末[48]。
鸱鸟鸣黄桑[49]，野鼠拱乱穴[50]。
夜深经战场，寒月照白骨。
潼关百万师[51]，往者散何卒[52]。
遂令半秦民[53]，残害为异物[54]。
况我堕胡尘[55]，及归尽华发[56]。
经年至[57]茅屋，妻子衣百结[58]。
恸哭松声回[59]，悲泉共幽咽[60]。

平生所娇儿[61]，颜色白胜雪[62]。
见耶背面啼[63]，垢腻脚不袜[64]。
床前两小女，补绽才过膝[65]。
海图拆波涛，旧绣移曲折。
天吴及紫凤，颠倒在裋褐[66]。
老夫情怀恶[67]，呕泄[68]卧数日。
那无囊中帛[69]，救汝寒凛栗[70]。
粉黛亦解苞[71]，衾裯稍罗列[72]。
瘦妻面复光[73]，痴女头自栉[74]。
学母无不为[75]，晓妆随手抹[76]。
移时施朱铅[77]，狼藉画眉阔[78]。
生还对童稚[79]，似欲[80]忘饥渴。
问事竞挽须[81]，谁能即嗔喝[82]？
翻思在贼愁[83]，甘受杂乱聒[84]。
新归且慰意[85]，生理焉得说[86]？
至尊尚蒙尘[87]，几日休练卒[88]？
仰观天色改[89]，坐觉妖氛豁[90]。
阴风西北来[91]，惨淡随回纥[92]。
其王愿助顺[93]，其俗善驰突[94]。
送兵五千人[95]，驱马[96]一万匹。
此辈少为贵[97]，四方服勇决[98]。
所用皆鹰腾[99]，破敌过箭疾[100]。
圣心颇虚伫[101]，时议气欲夺[102]。
伊洛指掌收[103]，西京不足拔[104]。
官军请深入，蓄锐可俱发[105]。

此举开青徐[106],旋瞻略恒碣[107]。
昊天积[108]霜露,正气有肃杀[109]。
祸转亡胡岁[110],势成擒胡月[111]。
胡命其[112]能久?皇纲未宜绝[113]。
忆昨狼狈[114]初,事与古先别[115]。
奸臣竟菹醢[116],同恶随荡析[117]。
不闻夏殷衰,中自诛褒妲[118]。
周汉获再兴[119],宣光果明哲[120]。
桓桓陈将军[121],仗钺奋忠烈[122]。
微尔人尽非[123],于今国犹活[124]。
凄凉大同殿[125],寂寞白兽闼[126]。
都人望翠华[127],佳气向金阙[128]。
园陵[129]固有神,洒扫数[130]不缺。
煌煌太宗业[131],树立甚宏达[132]!

【注释】

①北征:北行,北上。这首诗写由凤翔回鄜州羌村家途中的见闻,因为羌村在凤翔北边,所以题名为“北征”。
②皇帝二载:即唐肃宗至德二载。
③初吉:初一。
④杜子:杜甫自称。子,是古代对男子的美称。
⑤苍茫:空旷辽远的样子。问:慰问,探望。家室:妻子或配偶,这里指亲人。
⑥维时:这个时候。遭:遭受,碰到。艰虞(yú):艰难忧患。
⑦朝野:朝廷的官员和民间的百姓。暇(xiá)日:空闲的日子。

⑧顾惭：回头看自己，感到惭愧。恩私被：恩情单独加在自己身上。被，施加。

⑨诏许：下诏书允许。蓬荜(bì)：用蓬草和荜柴编成的门，这里指杜甫的家。荜，用荆条、竹子等编成的篱笆或其他遮拦物。

⑩拜辞：辞别。诣(yì)：到。阙下：宫阙之下，指皇帝的宫廷。

⑪怵惕(chù tì)：恐惧警惕。久未出：久久没有退出来。

⑫虽乏：虽然缺乏。谏诤(jiàn zhèng)：下对上的规劝叫谏，直言论事叫诤。姿：风姿。

⑬恐君有遗失：恐怕君主有遗漏和失误的地方。

⑭诚：确实是。中兴主：复兴国家的君主。

⑮经纬：这里指规划国家政事。固：本来。密勿：勤勉努力。

⑯东胡：安禄山是出生于营州柳城(今辽宁省朝阳市)的胡人，所以称作“东胡”。此时安庆绪已经将他的父亲安禄山杀死，盘踞在洛阳称帝。反未已：反叛还没有停止。

⑰臣甫：杜甫自称。愤所切：愤恨得最深切之事。

⑱挥涕(tì)：挥洒鼻涕眼泪。涕，本指鼻涕，也可泛指眼泪。恋：眷恋。行在：皇帝出行所居的处所，也称作行所、行在所。

⑲道途：路途。犹：仍然。恍惚(huǎng hū)：精神不集中、神志不清的样子。

⑳乾坤(qián kūn)：乾指天，坤指地，这里指人世间。含：包含。疮痍(chuāng yí)：创伤，比喻遭受灾祸后凋敝的景象。

㉑忧虞(yú)：忧虑。何时毕：什么时候才能停止。

㉒靡靡(mǐ)：迟缓的样子。逾(yú)：越过。阡陌(qiān mò)：田间小路。南北走向的为阡，东西走向的为陌。

㉓人烟：住户的炊烟，泛指人家、住户。眇(miǎo)：微小。萧瑟：寂寞

凄凉。

㉔所遇:所遇到的。多被伤:大多带着伤。被,蒙受,遭受。

㉕呻吟(shēn yín):病痛时低哼发出的声音。更:又。

㉖回首:回头远望。

㉗旌旗:旗帜。明灭:忽明忽暗。

㉘前登寒山重:向前登上重重寒冷的高山。

㉙屡(lǚ):多次。饮马窟(kū):让马饮水的水洼。窟,洞穴。

㉚邠(bīn)郊入地底:邠县郊原是一块盆地,从山上往下看,仿佛在地底下。邠,即邠县,在今陕西省彬县。郊,郊外,郊原。

㉛泾水:渭河的支流,发源于宁夏,从邠县北边流过。荡潏(jué):水动荡涌出的样子。

㉜苍崖:深青色的崖石。吼:老虎的吼叫。时裂:随时断裂。

㉝菊垂:菊花下垂、弯曲。

㉞石戴:石上印有。辙(zhé):车轮压过后路上留下的痕迹。

㉟动:引动。高兴:高远的兴致。

㊱幽事:幽雅的事物。悦:愉悦。

㊲山果:山中的果树。琐(suǒ)细:繁多而细小。

㊳罗生:罗列丛生。杂:夹杂。橡栗(lì):栎树的果实,可以食用,有苦味。

㊴丹砂:一种矿物,炼汞的主要原料。可作为红色颜料,也可入药。

㊵点漆:乌黑光亮的样子。

㊶濡(rú):沾湿、润泽。

㊷甘苦:甜的和苦的。齐:一齐,都。结实:结出果实。

㊸缅(miǎn)思:遥想。桃源:指与世隔绝的隐居之地。东晋陶渊明作《桃花源记》,描绘了安宁和乐、自由平等的理想世界。

㊹益叹：更加感叹。拙(zhuō)：笨拙，指不擅长处世。

㊺坡陀(tuó)：山冈不平坦、倾斜。鄜畤(zhì)：即鄜州。春秋时期，秦文公在鄜地设祭坛祀神，所以称为“鄜畤”。畤，古代祭祀天地五帝的固定处所。

㊻岩谷互出没：山岩和山谷交相出没。

㊼行已水滨(bīn)：已经走到了水边。滨，水边。

㊽仆：仆人。犹：仍然，还。木末：树梢。末，尖端，梢。这句诗的意思是，仆人还在山上，从山下往上看，好像挂在树梢。

㊾鸱(chī)鸟：指猫头鹰一类的鸟。黄桑：叶子发黄的桑树。

㊿拱乱穴：在纷繁错乱的洞穴前面用后脚站立，像人拱手的样子。

51潼关：位于陕西省渭南市潼关县北，因为西边有潼水而得名。潼关北临黄河，南踞山腰，是洛阳通往长安的重要通道。百万师：指唐肃宗至德元载，哥舒翰率领二十万大军驻守潼关，被叛军打败，全军覆没。

52往者：过去的事。散何卒：溃散得多么仓猝。卒，同“猝”，仓猝。

53遂：于是，就。令：使得。秦民：指长安的人民。长安在春秋战国时期属于秦国，所以称为“秦民”。

54残害：残杀，迫害。异物：指死亡。

55况我堕(duò)胡尘：指杜甫被叛军俘获，押回长安。堕，掉落。胡尘，胡地的尘沙，这里指胡人的军队。

56及归：等到归来。尽：全部，都。华发：斑白的头发。

57经年：一整年。至：到。

58衣百结：衣服打了上百个补丁，形容衣服破烂。

59恸(tòng)哭：放声痛哭。松声：松涛声。回：回转。

60悲泉：因为泉水发出幽咽的声音，所以诗人称作“悲泉”。共幽咽

(yè):泉水与诗人一起幽咽。幽咽,既指微弱的流水声,又可以指低微的哭泣声。

61娇儿:对子女的美称。

62白胜雪:皮肤比雪还白,这是指分别之前的样子。

63耶:同"爷",对父亲的口语称呼。啼:啼哭。

64垢腻(gòu nì):即垢泥、污垢等脏东西。脚不袜:脚上没穿袜子。

65补绽(zhàn):缝补。绽,衣缝脱线裂开。才过膝:衣服才刚超过膝盖,形容衣服短小。

66海图拆波涛,旧绣移曲折。天吴及紫凤,颠倒在裋褐(shù hè):孩子们的衣服,是用原来绣有海景图案的旧衣物改制的,所以原来衣服上的波涛花纹被拆开,过去曲折的形势也被移动了,天吴和紫凤被剪裁到裋褐上了。天吴,神话传说中虎身人面的水神。紫凤,传说中的神鸟。天吴和紫凤都是绣在官服上的花纹图案。裋褐,粗陋的布衣。

67情怀恶:心情恶劣。

68呕泄(ǒu xiè):上吐下泻。

69那无:怎奈没有。囊中帛:行囊当中的布帛。

70汝:你们,指杜甫的子女。凛栗(lǐn lì):冷得发抖。

71粉黛:白粉和黑粉,古代女子用来涂脸和画眉毛的颜料。解苞(bāo):解开包裹。

72衾裯:被褥、床帐等卧具。稍罗列:稍微能罗列一点。这句诗的意思是,多少也有一点衾、裯之类的物品。

73面复光:脸上恢复光彩。

74痴女:傻女儿,这里带有爱怜的语气。头自栉(zhì):自己用梳子梳头。栉,梳子和篦子的总称,这里指梳头。

⑮学母：学习母亲的动作。无不为：无所不为。

⑯晓妆：晨起梳妆。晓，天刚亮。随手抹：用手胡乱涂抹。

⑰移时：长时间。施朱铅：涂胭脂、铅粉。施，涂抹。

⑱狼藉（láng jí）：散乱、零散。阔：宽大。

⑲生还：活着回来。童稚：小孩。

⑳似欲：好像快要。

㉑问事：询问我事情。竞挽（wǎn）须：争相拉扯胡须。竞，互相争胜。挽，拉，牵引。须，胡须。

㉒即：立即，就。嗔喝（chēn hè）：生气地喝止。

㉓翻思：回想起。在贼愁：在长安被叛贼所困时的忧愁。

㉔甘受：心甘情愿地接受。聒：吵闹。

㉕新归：刚回来。且慰意：姑且慰问一下自己心意。

㉖生理：生活，生计。焉得说：哪里还谈得上。

㉗至尊：对帝王的称呼，这里指唐肃宗。蒙尘：指皇帝出逃在外，蒙受风尘之苦。

㉘几日：什么时候。休：休息。练卒：训练士兵。

㉙天色改：比喻政局有好的改变。

㉚坐觉：立马就觉得。妖氛（fēn）豁：指时局有所好转。妖氛，不祥的云气，这里指叛军。豁，开朗，散开。

㉛阴风西北来：指唐肃宗向西北的回纥借兵平乱。

㉜惨淡：光线暗淡，形容回纥的骑兵行走卷起的风沙，遮天蔽日。回纥：又写作“回鹘”，分布于新疆、内蒙古、甘肃以及中亚一些地区的少数民族部落，逐水草而居，采用突厥汗国制度。

㉝其王：指回纥的怀仁可汗。愿助顺：愿意帮助顺应天道的人，指帮助唐肃宗。

㉔驰突：骑射突击。
㉕送兵五千人：指回纥派兵四千多人至凤翔，这里是取整数。
㉖躯马：赶来马匹。
㉗此辈：这帮人。少为贵：以少为贵。
㉘四方：四方之人。服勇决：佩服他们的勇敢和果决。
㉙鹰腾：如老鹰一样飞腾，形容战士骁勇、迅猛。
⑩⓪过箭疾：速度超过飞箭。疾，迅速。
⑩①圣心：圣人的心怀，指唐肃宗。虚伫（zhù）：虚心期待。伫，长时间地站着。
⑩②时议：当时有大臣议论，反对借兵。气欲夺：大臣的气势像被夺走一样，指不敢反对。
⑩③伊洛：流经洛阳的伊水和洛水，用来指代洛阳。指掌收：很容易就收复了。指掌，指着手掌，形容事物很简单。
⑩④西京：长安，与东京洛阳相对。不足拔：不值一攻。拔，夺取军事上的据点。
⑩⑤蓄锐：蓄养锐气。俱发：与回纥一起出击。俱，一起。
⑩⑥此举：在此一举。青徐：青州和徐州，在今山东、苏北一带。
⑩⑦旋瞻：立即就可以看到。旋，不久。瞻，往上或往前看。略：占领。恒碣（héng jié）：恒山和碣石山。恒山在今山西省，碣石山在今河北省。这里指山西、河北一带安史叛军所占据的地区。
⑩⑧昊（hào）天：秋天。积：积累。
⑩⑨正气：严正之气。肃杀：形容秋冬天气寒冷。
⑪⓪祸转：厄运转到叛军头上。亡胡岁：消灭叛军的时候。因为安禄山是胡人，所以用“胡”指代叛军。
⑪①势成：当前的形势。擒（qín）：捉拿。胡月：胡地的月亮，这里指代

叛军。

⑫其:岂,哪里能够。

⑬皇纲:皇家的纲纪,指唐朝的国运。未宜绝:不应该断绝。

⑭忆昨:回忆过去。狼狈(láng bèi):本来指狼和狈两种动物,引申为艰难、窘迫。这里指唐玄宗仓皇出逃长安,又在马嵬发生兵谏之事。

⑮古先:先前。别:不同。

⑯奸臣:指杨国忠。竟:最后。菹醢(zū hǎi):古时的一种酷刑,把人剁成肉酱,这里指被诛杀。

⑰同恶:指和杨国忠一同作恶的杨氏家族及其党羽。荡析:清除干净。

⑱不闻夏殷(yīn)衰,中自诛褒(bāo)妲(dá):这两句采用互文的手法,意思是,难道没有听过说夏桀、商纣王和周幽王在国家衰败的时候,诛杀他们宠爱的妃子妺喜、妲己和褒姒?这里是赞扬唐玄宗杀死杨贵妃。据史书记载,夏桀宠爱妺喜,商纣王宠爱妲己,周幽王宠爱褒姒,最后都落得亡国的下场。殷,指商朝,因为盘庚将商朝的国都迁到殷,所以后人用殷或殷商指商朝。

⑲周汉:周朝和汉朝。获再兴:再次获得了振兴,即中兴。

⑳宣光:周宣王和东汉光武帝。周宣王是周厉王之子,他在政治上任用贤臣,军事上借助诸侯的力量讨伐周边民族,使得西周的国力得到短暂恢复,被称为"宣王中兴"。西汉末年,绿林、赤眉起义推翻新莽政权后,全国混战,刘秀统一全国,恢复了汉室统治,又施行一系列的政策使东汉初年的社会、经济、人口得以恢复兴盛,被称为"光武中兴"。这里是用周宣王和光武帝来比喻唐肃宗。果:果然。明哲:明智、通达事理。

⑫桓桓(huán):威武的样子。陈将军:指陈玄礼,时任左龙武大将军,率领禁军随唐玄宗西行。在马嵬驿士兵哗变时,陈玄礼提议诛杀杨国忠,又迫使唐玄宗缢死杨贵妃。

⑫仗钺(yuè):手持大斧,表示统帅的权威。仗,拿着兵器。钺,玉石制成的圆刃大斧,用于仪仗和殡葬。奋:施展、发挥。忠烈:忠诚而愿意牺牲生命。

⑫微尔:若没有陈玄礼。尔,你,这里指陈玄礼。人尽非:人们都不存在了,意思是人们都会被胡人统治,化为夷狄。

⑫国犹活:国家仍然存在。

⑫大同殿:宫殿名,在南苑兴庆宫勤政楼的北边,唐玄宗经常在这里召见群臣。

⑫白兽闼(tà):未央宫白虎殿的殿名,在凌烟阁的北边,太极殿的西南方。闼,小门。

⑫都人:住在京城长安的人们。望:盼望。翠华:皇帝仪仗中用翠羽作为装饰的旗帜或车盖,这里指代皇帝。

⑫佳气:中兴的美好气象。金阙:天子所居的宫阙。

⑫园陵:唐朝皇家的陵墓。

⑬洒扫:扫墓,祭奠。数:礼数。

⑬煌煌(huáng):明亮辉煌的样子。太宗业:唐太宗李世民开创的基业。

⑬树立:创建。甚:非常,很。宏达:宏伟昌盛。

【赏析】

这首诗作于唐肃宗至德二载,杜甫从凤翔回羌村探家时,用一百四十句诗记录了他临行前的眷恋,路途所见农村战乱后的凋敝和到家后的感触。全诗内容分为五部分,诗首至“忧虞何时毕”为第一部分，交代回家的时间和缘由；"靡靡逾阡陌"至"残害为异物"为第二部分，写北征途中的见闻和感想；"况我堕胡尘"至"生理焉得说"为第三部分，写与亲人团聚时的百感交集；"至尊尚蒙尘"至"皇纲未宜绝"为第四部分，写当前的政治形势并提出如何向回纥借兵的建议；"忆昨狼狈初"至诗末为第五部分，写朝廷在安史之乱后的变化，并表达了自己对唐肃宗中兴的期望与信心。这首诗像是杜甫以谏臣的身份给皇帝上的奏章，时任左拾遗的他先表明离职不安，次写途中见闻，再写家中情况，最后讨论政事，并以歌颂作结，首尾议论，中间叙事，结构完整，全诗一以贯之的是杜甫忧国忧民的赤子情怀。本诗与《自京赴奉先县咏怀五百字》是杜甫五言古诗的代表，堪称其长篇咏怀诗之双璧。

彭衙[①]行

忆昔避贼[②]初，北走经险艰[③]。
夜深彭衙道[④]，月照白水山[⑤]。
尽室久徒步[⑥]，逢人多厚颜[⑦]。
参差谷鸟吟[⑧]，不见游子还[⑨]。
痴女饥咬我[⑩]，啼畏虎狼闻[⑪]。
怀中掩其口[⑫]，反侧声愈嗔[⑬]。
小儿强解事[⑭]，故索苦李餐[⑮]。
一旬半雷雨[⑯]，泥泞相牵攀[⑰]。
既无御雨备[⑱]，径滑[⑲]衣又寒。

有时经契阔[20]，竟日数里间[21]。
野果充糇粮[22]，卑枝成屋椽[23]。
早行石上水[24]，暮宿天边烟[25]。
少留周家洼[26]，欲出芦子关[27]。
故人[28]有孙宰，高义薄曾云[29]。
延客已曛黑[30]，张灯启重门[31]。
暖汤濯[32]我足，剪纸招我魂[33]。
从此出[34]妻孥，相视涕阑干[35]。
众雏烂漫[36]睡，唤起沾盘飧[37]。
誓将与夫子[38]，永结为弟昆[39]。
遂空所坐堂[40]，安居奉我欢[41]。
谁肯艰难际[42]，豁达露心肝[43]。
别来岁月周[44]，胡羯仍构患[45]。
何当有翅翎[46]，飞去堕尔前[47]？

【注释】

①彭衙(yá)：地名，即今彭衙堡，在陕西省白水县东北六十里。

②避贼：躲避安史的叛军，这里指由白水逃往鄜州。

③北走：向北行走。经险艰：经历危险和艰辛。

④彭衙道：彭衙的道路。

⑤白水山：白水县的山。

⑥尽室：全家。徒步：步行。

⑦逢人：碰到人。厚颜：不知羞耻，这里指惭愧。

⑧参差(cēn cī)：高低不齐的样子，这里指鸟上下翻飞。谷鸟：山谷中的鸟儿。吟：鸣叫。

⑨游子：久居他乡的人。还：回家。

⑩饥咬我：因饥饿而咬我。

⑪畏：害怕。闻：听到。

⑫掩其口：用手掩住她的口。

⑬反侧：反复转动，挣扎。愈：更加。嗔：同“阗”(tián)，充满、填满，指声音更大。

⑭强解事：稍微懂事。

⑮故：于是。索：寻找。苦李：苦涩的李子。餐：吃。

⑯一旬：十天。半雷雨：有一半时间在打雷下雨。

⑰泥泞(nìng)：路上烂泥淤积，难以行走。相：相互。牵攀：牵引着攀爬。

⑱御雨备：防雨的装备。

⑲径(jìng)：小路。滑：湿滑。

⑳经：经历、经过。契阔(qì kuò)：辛苦。

㉑竟日：终日，一整天。数里间：几里路之间，指一天只能走几里路。

㉒充：充当。糇(hóu)粮：干粮。

㉓卑枝：低矮的树枝。屋椽(chuán)：房屋。椽，指放在檩上支撑着屋顶的木条。

㉔早行：早上便出发。石上水：石头上还有积水。

㉕暮宿：傍晚露宿。天边烟：有云烟的天边，指非常荒凉遥远的地方。

㉖少留：短时间停留。周家洼(wā)：即周宰的家。洼，凹陷的地方。

㉗芦子关：关口名，位于今陕西省塞县西北，是从太原通向陕西省、甘肃省的重要关口。

㉘故人：旧交，老朋友。

㉙高义：高尚的节义。薄：迫近。曾云：即层云。

㉚延：邀请。曛(xūn)黑：日暮，天黑。

㉛张灯：挂上灯。启重门：打开重重大门。

㉜暖汤：热水。濯（zhuó）：洗。

㉝剪纸招我魂：古代的风俗习惯，剪纸作旗帜，来招人魂，这里是指安顿杜甫一家人。

㉞从此：接着。出：叫出。

㉟阑（lán）干：纵横交织的样子。

㊱众雏（chú）：各位小孩子。雏，本指幼小的鸟，这里指幼儿。烂漫：形容熟睡的样子。

㊲唤起：叫醒、起床。沾盘飧（sūn）：指吃晚饭。飧，晚饭。

㊳誓：发誓。夫子：对孙宰的敬称。

㊴永结为弟昆：永远结为兄弟。昆，哥哥。

㊵遂（suì）空：于是空出、腾出。所坐堂：当时所坐的堂屋。

㊶安居：安心居住。奉我欢：照顾我们，让我们欢乐。

㊷谁肯：有谁愿意。艰难际：艰难的时候，指“避贼”之时。

㊸豁（huò）达：心胸开阔，性格开朗。露心肝：吐露内心真实的想法。

㊹别来：分别以来。岁月周：时间已经过了一周年。

㊺胡羯（jié）：胡人，指安史之乱的叛军。羯，中国古代北方的民族，匈奴的一个分支。构患：作乱，构成祸患。

㊻何当有：什么时候才会有。翅翎（líng）：翅膀。翎，鸟翅和尾上的长而硬的羽毛。

㊼堕：落下来。尔前：你的身前。

【赏析】

唐玄宗天宝十五载，杜甫携家眷躲避战乱，由白水县北行，经过彭衙县，在周家洼休整时受到旧友孙宰的热情款待，之后继续北上，将家安顿在鄜州。这首诗便是唐肃宗至德二载，诗人回忆起孙宰招待自己的往事，赞美他难中相助而作。此诗用“忆昔”二字统领全篇，分为两个部分，开头至“暮宿天边烟”为第一部分，写逃难路途中的艰辛。具体从深夜彭衙道上的险恶，痴女饿得咬人啼哭、懂事的小儿采摘苦李充饥，天气恶劣、道路泥泞三个方面加以刻画，真实地写出诗人一家人一路上跋涉的情形。“少留周家洼”至诗末为第二部分，写孙宰留客款待的深厚情谊。具体分为三个方面：天已曛黑，重新张灯启门，热水泡脚和剪纸招魂；叫醒已熟睡的孩子们起来吃饭；将堂屋搬空，安排住宿。这正好与上一部分的三个方面一一对应，反映出孙宰的热情周到与无微不至。诗的末尾赞美他在杜甫艰难之际披肝沥胆的周济，兼及对他的思念。本诗采用追忆的形式，以叙事为主，穿插抒怀，用自己一人的遭遇表现整个社会动荡混乱的形势。

曲江二首（其一）

一片花飞减却春①，风飘万点②正愁人。
且看欲尽花经眼③，莫厌伤多酒入唇④。
江上小堂巢翡翠⑤，苑边高冢卧麒麟⑥。
细推物理须行乐⑦，何用浮荣绊此身⑧？

【注释】

①花飞：花瓣飞落。减却春：减褪了春色。

②风飘万点：风中飘落了成千上万片花瓣，形容落花之多。

③且：暂且。欲尽：将要凋谢殆尽。经眼：从眼前经过。

④莫厌伤多酒入唇：正常的语序应该是“伤多莫厌酒入唇”，意思是说，因为内心悲伤太多，所以喝再多的酒都不满足。莫，不要。厌，满足。入唇，入口，指喝酒。

⑤巢翡翠：翡翠鸟筑巢。

⑥苑边：指芙蓉苑旁边。高冢（zhǒng）：高高的坟墓。卧：卧倒，这里指因破败而摔倒。麒麟（qí lín）：古代传说中的一种神兽，性情温和，寓意祥瑞，这里是指墓前用来保护死者亡魂的石兽。

⑦细推：仔细地推究。物理：物事变化盛衰的道理。须行乐：需要及时消遣娱乐。

⑧何用：何必用。浮荣：虚荣、虚名。绊（bàn）：缠绕、羁绊。

【赏析】

《曲江》组诗共二首，作于唐肃宗乾元元年（758），主要写杜甫游赏曲江时所见的春景。当时安史之乱已经平息，唐肃宗和臣僚们已经返回长安。但杜甫任左拾遗受到排挤而志向不得施展，于是借感时伤春来抒发内心的烦闷。这是组诗的第一首。本首诗的前半部分主要写花与诗人，花是“一片飞花”、“风飘万点”和“欲尽”，特别是“一片飞花”和“风飘万点”营造出花瓣漫天飞舞的意境。但面对如此胜景，诗人却是“正愁人”，只管借酒消愁，可谓以美景衬哀情。五、六句写翡翠鸟在建于江上的堂屋里筑起了巢，而苑边高坟前的石兽都倒在一旁，高坟无人祭扫，可见堂屋和高坟都已荒芜许久。安史之乱过后，曲江昔日的繁华一去不复返，面对这样颓败的景象，杜甫只能感叹要及时行乐，不要被浮名束缚、羁绊。这是他无可奈何后的故作放达，反而更加表达出他内心抑郁不得志的苦闷情绪。

曲江二首（其二）

朝回日日典春衣[①]，每日江头尽醉[②]归。
酒债寻常行处有[③]，人生七十古来稀[④]。
穿花蛱蝶深深见[⑤]，点水蜻蜓款款飞[⑥]。
传语风光共流转[⑧]，暂时相赏莫相违[⑦]。

【注释】

①朝回：上朝回来。日日：每天。典春衣：典当春天穿的衣服。

②尽醉：尽情醉酒。

③酒债（zhài）：欠别人的酒钱。寻常：寻和常都是古代长度单位，八尺为一寻，二寻为一常，这里比喻小事。行处有：到处都有。

④古来稀：自古以来都很稀少。

⑤穿花：在花丛中来回穿梭。深深见：在花丛深处，时隐时现。

⑥点水蜻蜓：蜻蜓用脚沾点水面。款款飞：缓慢自在地飞行。

⑦传语风光：给春光传语。共流转：与春光一同流转。流转，逗留、盘桓。

⑧相赏：相互欣赏。莫相违：不要相互违背、错过。

【赏析】

这是组诗的第二首。本首诗主要写诗人典当春衣换酒喝并宿醉和在曲江所见的景致与感想。诗的前四句叙事，诗人每日散朝回来都典当春衣,“日日”表明频率之高,春天典当的不是冬衣而是春衣,可见冬衣已经被典当完,简单几个字写出了他极度贫困。第二句让人震惊,他典卖衣服原来只是为了每日在江头醉酒。这与上一首诗末的“须行乐”相呼应。三、四两句又是前二句的重复与深入,他的酒债到处都有,而他纵情饮酒是因为人生短暂,觉得应当及时行乐。五、六句是写景名句,蛱蝶在花丛中来回穿梭,蜻蜓在水面上徐徐飞行,绘出了一幅自在闲适的明媚春景图。这两句对仗非常工整且刻画得极其细腻,而又不露雕琢的痕迹。最后两句,诗人以情观物而传语春光,想与蛱蝶、蜻蜓一同盘桓,让他可以尽情欣赏,写法奇特,体现了诗人对春景与时光的珍视与眷恋。

洗　兵　马[1]

中兴诸将收山东[2],捷书夜报清昼同[3]。
河广传闻一苇过[4],胡危命在破竹中[5]。
只残邺城不日得[6],独任朔方无限功[7]。
京师皆骑汗血马[8],回纥喂肉葡萄宫[9]。
已喜皇威清海岱[10],常思仙仗过崆峒[11]。
三年笛里《关山月》[12],万国兵前草木风[13]。
成王功大心转小[15],郭相谋深古来少[15]。
司徒清鉴悬明镜[16],尚书气与秋天杳[17]。
二三豪俊为时出[18],整顿乾坤济时了[19]。
东走无复忆鲈鱼[20],南飞觉有安巢鸟[21]。

青春复随冠冕人[22]，紫禁正耐烟花绕[23]。
鹤驾通宵凤辇备[24]，鸡鸣问寝龙楼晓[25]。
攀龙附凤势莫当[26]，天下尽化为侯王[27]。
汝等岂知蒙帝力[28]，时来不得夸身强[29]。
关中既留萧丞相[30]，幕下复用张子房[31]。
张公一生江海客[32]，身长九尺须眉苍[33]。
征起适遇风云会[34]，扶颠始知筹策良[35]。
青袍白马更何有[36]，后汉今周喜再昌[37]。
寸地尺天皆入贡[38]，奇祥异瑞争来送[39]。
不知何国致白环[40]，复道诸山得银瓮[41]。
隐士休歌《紫芝曲》[42]，词人解撰《河清颂》[43]。
田家望望惜雨干[44]，布谷处处催春种[45]。
淇上健儿归莫懒[46]，城南思妇[47]愁多梦。
安得壮士挽天河[48]，净洗甲兵长不用[49]！

【注释】

①洗兵马：洗刷兵器和战马，即希望早日结束战乱，不再使用兵器和战马。语出西晋左思《魏都赋》："洗兵海岛，刷马江洲。"

②诸将：各位将领，指当时的太子成王李俶、郭子仪、李光弼等人。收山东：收复山东。山东，华山以东，指河北一带。这句诗是指唐肃宗至德二载，史思明带着十三个州郡和八万士卒投降。

③捷书：战事胜利的捷报。夜报清昼同：指捷报昼夜不停地传来。清昼，白天。

④河广传闻一苇（wěi）过：黄河虽然宽广，但国家的军队轻易就横渡。语出《诗经·卫风·河广》："谁谓河广，一苇杭之。"河，黄河。传

闻,听别人说。一苇,一片苇叶,这里用来比喻船只。

⑤胡危:安史叛军危在旦夕。命在破竹中:指叛军的败亡近在眼前。破竹,指劈竹子时顺势而下,这里比喻迅速败亡的形势。

⑥残:剩下。邺(yè)城:今河南省安阳,当时安庆绪被围困邺城。不日得:要不了几天便可攻取。

⑦独任:只任用。朔方:指郭子仪的北方军士。无限功:建立无限的功勋。

⑧汗血马:相传汉代西域大宛国的千里马,奔跑时流出的汗水红如鲜血。这里指回纥人骑的马,因为当时唐朝向回纥借兵平叛。

⑨喂肉葡萄宫:指唐肃宗至德二载在宣政殿宴请回纥叶护可汗一事,杜甫用“喂肉”表现他的讽刺之意。葡萄宫,汉代上林苑中的宫殿名,这里代指唐朝的宣政殿。

⑩皇威:皇帝的威力。清:平定。海岱(dài):山东渤海至泰山之间的地区。海,渤海。岱,泰山。

⑪常思:经常回忆。仙仗:皇帝的仪仗。这句的意思是,唐肃宗最初在甘肃灵武即位,后迁凤翔,途中经过崆峒。

⑫三年:从唐玄宗天宝十四载十一月到杜甫写此诗时的唐肃宗乾元二年(759)二月,共计三年零三个月。笛里《关山月》:笛声中有《关山月》的曲调。《关山月》,是汉乐府横吹曲名,大多表达离别的感伤。

⑬万国:全国。兵前草木风:指士卒感到草木皆兵。据《晋书·载记·苻坚》记载,前秦苻坚亲自率领九十万大军去攻打晋国。当苻坚与他的弟弟苻融晚上登城视察时,他们看到晋兵布阵齐整,将士精锐;又北望八公山上,感觉山上的草木都像人。

⑭成王:指唐肃宗的太子李俶,唐肃宗乾元元年(758)被封为成王。

功大：指成王李俶任天下兵马元帅收复长安、洛阳两京。心转小：内心反而变得谨慎、小心。

⑮郭相：指郭子仪，时任中书令，属于宰相的职位。谋深古来少：谋划深远，自古以来少有。

⑯司徒：指李光弼，唐肃宗至德二载，被授予检校司徒。清鉴：明察。悬明镜：像一面明亮的镜子悬挂在面前，比喻目光敏锐，见识高明，能洞察一切。李光弼曾预料史思明是诈降，认为他还会反叛，所以杜甫这样夸他。

⑰尚书：指王思礼，时任兵部尚书。气与秋天杳(yǎo)：气度与秋天一样高远。杳，深广。

⑱二三豪俊：指上述的李俶、郭子仪、李光弼和王思礼等人。为时出：应运而生。

⑲整顿乾坤：整顿混乱局面，使天下恢复应有的秩序。济时：救济时局。了：完成，完毕。

⑳东走无复忆鲈(lú)鱼：据《晋书·张翰传》载："翰因见秋风起，乃思吴中菰菜、莼羹、鲈鱼脍，曰：'人生贵适志，何能羁宦数千里，以邀名爵乎？'遂命驾而归。"杜甫这里反用张翰的典故，意思是说，不再需要像张翰那样东归隐居，可以放心当官了。东走，因为当时张翰在西晋都城洛阳做官，要回老家吴中(今江苏省苏州市，在洛阳东边)，所以称为"东走"。无复，不用再。

㉑南飞觉有安巢鸟：曹操《短歌行》中有"月明星稀，乌鹊南飞，绕树三匝，何枝可依"之句，这里也反用《短歌行》中诗句的典故，意思是说，南飞的乌鹊可以找到鸟巢安居了。

㉒青春复随：重新伴随着美好的春光。冠冕(miǎn)：官员的帽子，指代朝廷百官。入：进入皇宫。

㉓紫禁：皇帝居住的地方。正耐：正适宜、相称。烟花：朝贺时点燃的香烟。绕：萦绕。

㉔鹤驾：太子的车驾。据汉刘向《列仙传·王子乔》记载，周灵王的太子晋（即王子乔），曾经乘白鹤于缑氏山头，后人便将太子的车驾称为鹤驾。通宵：贯通夜间，即一整晚。凤辇（niǎn）：皇帝的车驾。

㉕鸡鸣：鸡叫，指天亮之前。问寝：问候尊长的起居，这里指问候太上皇唐玄宗。龙楼：皇帝的住处，指太上皇唐玄宗的住地。晓：天亮。

㉖攀龙附凤：巴结投靠有权势的人以获取富贵，这里指李辅国等人攀附唐肃宗和张淑妃。势莫当：气焰无法阻挡。

㉗天下尽化为侯王：这句诗指唐肃宗滥用赏赐，以致有些许功劳的人都成为侯王。

㉘汝等：你们这些人，指上述的李辅国和侯王们。岂知：哪里知道。蒙帝力：仰仗了皇帝的力量。

㉙时来：时运来了。不得夸身强：不值得夸耀自己本领强。

㉚关中既留萧丞相：这句诗指刘邦和项羽楚汉相争时，刘邦任萧何为丞相，留守关中。这里用来指代房琯辅佐唐肃宗。关中，指函谷关以西的地区。

㉛幕下复用张子房：这句诗指刘邦任用张良（字子房），刘邦曾说："运筹帷幄之中，决胜千里之外，吾不如子房。"这里是用张良指代张镐。幕下，帐幕之下，指军中。

㉜张公：即张镐。一生江海客：一生都是浪迹江湖的游子。

㉝须眉苍：胡须和眉毛都已变白。

㉞征起：被征召起用。适遇：恰好遇到。风云会：风云际会，指明君与贤臣相遇合。

㉟扶颠：扶持国家于颠危之际。始知：才知道。筹策：本指古人用来

计算的工具，后比喻谋划、谋略。良：好。

㊱青袍白马：指南朝侯景作乱，这里用来指代安史之乱。据《梁书·侯景传》记载，侯景叛乱时，他的部下都骑着白马，穿着青衣。更何有：哪里还会再有，指叛乱被平定。

㊲后汉今周喜再昌：指东汉光武帝和东周宣王中兴，用来比喻唐肃宗。后汉，古人也称西汉为前汉，东汉为后汉。前后汉是根据时间而言，东西汉是根据都城而言。喜再昌，为国家再次昌盛感到高兴。

㊳寸地尺天：指全国各个地方。贡：进贡，向皇帝进献物品。

㊴奇祥异瑞：奇异、预示祥瑞的物品。瑞，征兆。争来送：争先恐后地送来。

㊵何国：哪个国家。致：送来。白环：白色的璧环，据《竹书纪年》载："帝舜九年，西王母献白环、玉玦。"

㊶复道：又说。银瓮：据《孝经援神契》载："神灵滋液有银瓮，不汲自满。"传说君王刑罚得当，银瓮就会出现。瓮，一种盛水或酒等的陶器。

㊷隐士休歌《紫芝曲》：据《高士传》记载，秦朝末年，隐居在商山的"商山四皓"（分别为东园公、绮里季、夏黄公和甪里先生）曾作《紫芝歌》。休歌，不用再歌唱。这句诗的意思是，士人们不必再像"商山四皓"那样唱着《紫芝歌》去隐居。

㊸词人解撰《河清颂》：刘宋文帝元嘉年间，黄河和济水非常澄清，鲍照认为是国家太平的征兆，于是作《河清颂》。解撰，知道去撰写、创作。

㊹田家：种地的人家，指农民。望望：急切盼望的样子。惜雨干：可惜地上的雨水已经蒸发干，指干旱。

㊺布谷：布谷鸟，体形与鸽子相似，但更加细长，羽毛暗灰色，腹部有横斑。在芒种前后啼叫，因叫声像“布谷布谷”，所以称为布谷鸟。春种：农田春天播种。

㊻淇上健儿：指围攻邺城的士兵。淇，淇水，流经邺城附近。归：回家。莫懒：不要偷懒。

㊼思妇：思念丈夫的妇人，泛指将士的妻子。

㊼安得：哪里能够得到。挽天河：引来天河的水。天河，指天上的银河。这里是杜甫的想象和夸张。

㊾长不用：长时间不再使用。

【赏析】

杜甫这首《洗兵马》写于唐肃宗乾元二年，长安和洛阳两京相继收复后，郭子仪、李光弼、王思礼等九节度使将安庆绪叛军包围于邺城尚未溃败之时。当时的战争形势对唐王朝非常有利，中兴在即，于是诗人写下本诗，渴望洗净兵马而不复用，盼望早日结束战争。这首诗根据平仄韵的换用和内容可分为四部分，每部分十二句。第一部分写国家军队收复山东、扫清海岱、捷报频传的大好形势，但“喂肉”二字生动而传神，透露出对皇帝的讽刺和对回纥的担忧。第二部分写“中兴诸将”，诗人将李俶、郭子仪、李光弼、王思礼依次铺排，并反用张翰和曹操《短歌行》的典故，表现当下正值出仕做官、建立功勋的好时机。第三部分开始批评时弊，李辅国等人攀龙附凤，唐肃宗又滥用赏赐，而有才能的房琯和张镐又相继被罢免，但诗人还是不忘用周宣王和光武帝的中兴来勉励皇帝。最后一部分写四方争献祥瑞，但诗人又写农田干旱，怨妇思夫，足以证明在诗人眼中，所谓的祥瑞都是虚假的粉饰。最后，诗人发出“安得壮士挽天河，净洗甲兵长不用”

的感叹和呼声，语气豪放且希望殷切，他的忧国爱民、痛恨战乱、希望稳定的愿望，喷薄而出。

赠卫八处士①

人生不相见②，动如③参与商。
今夕复何夕④，共⑤此灯烛光。
少壮能几时⑥，鬓发各已苍⑦。
访旧半为鬼⑧，惊呼热中肠⑨。
焉知二十载⑩，重上君子堂⑪。
昔别君未婚⑫，儿女忽成行⑬。
怡然敬父执⑭，问我来何方⑮。
问答未及已⑯，驱儿罗酒浆⑰。
夜雨剪春韭⑱，新炊间黄粱⑲。
主称会面⑳难，一举累十觞㉑。
十觞亦不醉㉒，感子故意长㉓。
明日隔山岳㉔，世事两茫茫㉕。

【注释】

①赠：临别写诗相赠。卫八处士：姓卫，家中排行第八的隐士，名字和生平事迹不详。

②不相见：不能够见面。

③动如：动不动就像。

④今夕复何夕:因为相见太高兴,而不知道今晚上是哪一个晚上了。
⑤共:一起分享。
⑥少壮:年轻力壮。能几时:能够存多久。
⑦各已苍:各自都已经变白。
⑧访旧:访问过去的朋友。半为鬼:一半已经去世成了鬼魂。
⑨惊呼:吃惊地叫唤。热中肠:心中火热难受。
⑩焉知:哪里知道、预想。二十载:二十年后。
⑪重上君子堂:重新登上你卫八处士的厅堂。
⑫昔别:过去分别的时候。君未婚:你还没有结婚成家。
⑬成行(háng):指儿女很多。
⑭怡然:喜悦的样子。父执:父亲的挚友,指杜甫。
⑮来何方:来自哪里。
⑯未及已:还没有等到说完。
⑰罗:张罗。酒浆:酒水。
⑱夜雨剪春韭:晚上冒着雨割来韭菜。
⑲新炊(chuī):刚煮好饭。炊,烧火做饭。间黄粱:掺和黄粱米。间,间杂,掺和。黄粱,一种产自北方的粟米。
⑳主称:主人(卫八处士)说。会面:碰面。
㉑一举:举杯饮酒。累:连续,累计。十觞:十杯。
㉒亦不醉:也没有喝醉。
㉓感:感叹。子:古代对男子的敬称,这里指卫八处士。故意长:故人的情意深长。
㉔隔山岳:分离之后,两人之间相隔着高山。岳,高大的山。
㉕世事:社会和个人。两茫茫:两人各不相知。茫茫,模糊不清楚的样子。

【赏析】

唐肃宗乾元元年六月，杜甫被贬为华州司功参军，这一年冬天他赴洛阳，这首诗作于第二年返回华州途中，主要写与故人卫八处士相聚的情景。开头四句，写乱世之中人生就像参星与商星不会相见一样，没想到二十年后却与卫八卫士在同一烛光下共叙情谊，诗人不禁发出“今夕复何夕”的感叹。第五至八句写时光易逝，少壮不再而鬓发已白，访问过去的旧友，得知已经有一半离世，所以他失声惊呼，内心火热难受。“焉知”二句承上启下，“昔别君未婚”以下四句写卫八处士的家庭。当初分别时他还没有成家，如今儿女已经成行，诗人既为友人感到高兴，又伤逝岁月难久。“问答”二句再次过渡，“驱儿罗酒浆”以下七句，写卫八处士对杜甫的热情款待——驱赶着孩子张罗酒水，在雨夜割来韭菜，还有新煮的黄粱米，二人连连举杯。杜甫连饮十杯都没有醉意，感受到了朋友的情谊，二人的深厚友情凸显于字里行间。最后两句，诗人畅想明日之事，他将踏上行程，与主人相隔山岳，从此之后世事两茫茫。杜甫的情感及时收敛，又回到世事无常上，与诗首相呼应，形成一个循环封闭的结构。全诗次序井然，语言朴实而感情真挚。

新安吏①

客行新安道②，喧呼闻点兵③。
借问④新安吏，县小更无丁⑤？
府帖昨夜下⑥，次选中男行⑦。

中男绝[8]短小，何以守王城[9]？
肥男有母送，瘦男独伶俜[10]。
白水暮[11]东流，青山犹哭声[12]。
莫自使眼枯[13]，收汝泪纵横[14]。
眼枯即见骨[15]，天地终[16]无情！
我军取相州[17]，日夕望其平[18]。
岂意贼难料[19]，归军星散营[20]。
就粮近故垒[21]，练卒依旧京[22]。
掘壕不到水[23]，牧马役亦轻[24]。
况乃王师顺[25]，抚养甚分明[26]。
送行勿泣血[27]，仆射如父兄[28]。

【注释】

①新安吏：新安的官吏。新安，地名，在唐代属于河南府，即今河南省新安县。杜甫从洛阳回华州，途经新安。吏，地方上品级较低的官员。

②客：杜甫自称。行新安道：行走在新安县的道路上。

③喧呼：喧哗、呼喊。点兵：按官方名册点名征兵。

④借问：敬辞，请问。

⑤县小更无丁：难道是县城狭小，没有成年男子？更，岂，难道。丁，成年男子。

⑥帖（tiě）：官府文书。因为唐代实行府兵制，所以称为“府帖”。下：下达。

⑦次选：依次选择。中男：未成年的男子。行：入伍。

⑧绝：非常。

⑨何以：怎么能够。守王城：镇守君王的城池。
⑩独：单独一人。伶俜(líng pīng)：孤单的样子。
⑪白水：河水。暮：傍晚。
⑫青山犹哭声：哭声仿佛从山中传来。
⑬莫自使：不要让自己。眼枯：眼泪哭干。
⑭收汝泪：擦干你的泪水。纵横：泪水在脸上交错。
⑮即：就会。见骨：露出骨头，指身体消瘦。
⑯天地：指朝廷。终：最终，还是。
⑰我军：朝廷的军队。取：攻打。相州，即邺城。
⑱日夕望：日夜盼望。其：指相州。平：平定、攻克。
⑲岂意：哪里意料。贼：指安史之乱的叛军。难料：难以预料。
⑳归军：逃亡归来的败兵。星散营：像星星一样散乱地扎营。
㉑就粮：到有粮草的地方取食。就，前往，靠近。故垒(lěi)：过去的营地。垒，堡垒。
㉒练卒：训练士兵。依：靠近。旧京：指东都洛阳。
㉓掘壕(jué háo)：挖掘战壕。不到水：没有达到地下的水位。
㉔牧马：放牧战马。役：从事劳动。轻：轻松。
㉕况乃：何况。王师顺：君王的军队顺应天意。
㉖抚养：军中长官对士兵的体恤和爱护。甚：非常。分明：清楚、明白。
㉗勿泣血：不要哭泣以致流出血来。
㉘仆射(yè)：职官名，这里指郭子仪。他在唐肃宗至德二载被任命为左仆射。如父兄：像父兄一样对待我。

【赏析】

唐肃宗乾元元年，郭子仪、李光弼、王思礼等九节度使包围邺城安庆绪叛军，胜利在望，但唐肃宗不信任郭、李等人，导致诸军没有统帅，粮草又不足，加之史思明的增援，唐军在邺城大败。当时杜甫被贬为华州司功参军，第二年从洛阳回华州，途中看到军队大败造成的兵荒马乱的景象以及官吏到处征兵给人民带来的灾难，写下了著名的“三吏”和“三别”。《新安吏》是这组诗的第一首。开头两句总起全篇，杜甫以“客”自居，下文多用对话的形式，由“喧呼闻点兵”展开。官吏征收的士兵全是未成年的中男，表明壮丁已被征尽，暗指战事的惨烈。“肥男有母送”以下四句写亲人送行的悲痛，河水在暮色中静静地向东流淌，士兵和亲人们的哭声在山中回荡，仿佛青山自己在哭泣，情景交融，表达了人们的不舍与难过。“莫自使眼枯”至诗末，是杜甫对被征入伍士兵的劝勉和安慰。相州战败是因为贼敌难料，在此屯兵，就近取粮，练兵也靠近洛阳；挖掘战壕浅不见水，将帅赏罚也分明，所以诗人劝送行的亲人不要泣血伤心。我们从中可以看出杜甫矛盾的心情，还没有成年的男子就被送上战场，与亲人分别，这是战争的残酷；但同时他又希望他们英勇前行，为国效力。面对国家不能安定兴盛，百姓被战乱戕害，杜甫怀着无比沉重的心情写下这首具有史实性质的诗。

潼关吏

士卒何草草[①]，筑城潼关道[②]。
大城铁不如[③]，小城万丈余[④]。
借问潼关吏，修关还备胡[⑤]？

要[6]我下马行，为我指山隅[7]。
连云列战格[8]，飞鸟不能逾。
胡来但自守[9]，岂复忧西都[10]？
丈人视要处[11]，窄狭容单车[12]。
艰难奋长戟[13]，万古用一夫[14]。
哀哉桃林战[15]，百万化为鱼[16]。
请嘱[17]防关将，慎勿学哥舒[18]！

【注释】

①何：多么。草草：忙碌疲惫的样子。

②筑城潼关道：在潼关修筑城池。

③铁不如：钢铁都不如它坚固。

④万丈余：一万多丈高。丈，古代的长度单位，十尺为一丈，这里是虚指。

⑤修关：修筑潼关。还备胡：还需要防备安史叛军吗？

⑥要：同“邀”，邀请。

⑦山隅：山角。

⑧连云：和云连在一起，形容高。列：排列。战格：即战栅，栅栏形状的防御工事。

⑨胡来：胡人叛军来了。但自守：只需要防守。

⑩岂复忧：哪里还需要再担忧。西都：指长安。

⑪丈人：关吏对杜甫的尊称。视：查看。要处：要害，关键的地方。

⑫容单车：只能容得下一辆兵车通过。

⑬艰难：指战事艰难。奋：施展，挥动。长戟（jǐ）：古代一种合戈、矛为一体的长柄兵器。

⑭万古：自古以来。用一夫：只需一个人把守就可以了。

⑮桃林战：指唐玄宗天宝十五载，安禄山叛军进攻潼关，哥舒翰用二十万大军拒守。而杨国忠却再三逼迫哥舒翰开关迎战，最后全军败亡于灵宝。桃林，即指桃林塞，在今河南省灵宝市以西至潼关一带。

⑯化为鱼：指死于黄河之中。

⑰请：请这位潼关吏。嘱(zhǔ)：托付，告诫。

⑱慎勿：千万不要。学哥舒：学习哥舒翰。

【赏析】

唐肃宗乾元二年，唐军在相州大败，叛军进逼洛阳。潼关是长安的屏障，诗人经过此地时，看到了官军们正在紧张地修筑城墙，积极备战，表达了他们誓死据守潼关的信念。这首诗与其他五首的内容和思想情感不同。开头四句写士兵忙碌筑城，大城如铜墙铁壁，小城高有万余丈，总叙整体形势。接下来通过杜甫与潼关官吏的对话，写出了官吏对潼关防御的信心和杜甫对他们的劝诫。潼关吏邀请杜甫下马，亲自为他指点山隅，山上的战栅连云而列，连鸟儿都无法飞过，胡人若来，只需坐守。那些要害处，仅容得下单车通过，可谓一夫当关，万夫莫开。把守城将士的决心和气魄形象生动地透过他们的言语表达出来，反映了将士们昂扬的斗志和十足的信心。但是听到潼关吏的介绍之后，诗人并没有大松一口气而得意忘形，而是意味深长地嘱咐关防将领，千万要小心谨慎，不要步哥舒翰的后尘，要戒骄戒躁，吸取以前的失败教训。

石壕[1]吏

暮投[2]石壕村，有吏夜捉人。
老翁逾墙走[3]，老妇[4]出门看。
吏呼一何怒[5]！妇啼一何苦[6]！
听妇前致词[7]，三男邺城[8]戍。
一男附书至[9]，二男新[10]战死。
存者且偷生[11]，死者长已矣[12]！
室中更无人[13]，惟有乳下孙[14]。
有孙母未去[15]，出入无完裙[16]。
老妪力虽衰[17]，请从吏夜归[18]。
急应河阳役[19]，犹得备晨炊[20]。
夜久语声绝[21]，如闻泣幽咽[22]。
天明登前途[23]，独与老翁别[24]。

【注释】

①石壕：地名，在今河南省陕县东七十里，位于新安县和潼关之间，是杜甫从洛阳回华州的必经之地。

②投：投宿。

③老翁：对老年男子的尊称。走：逃跑。

④老妇：对老年女子的尊称。

⑤呼：叫喊。一何：多么、何其。怒：愤怒。

⑥苦:凄苦。

⑦前致词:走上前去对官吏说。致,对……说。

⑧邺城:即相州。

⑨附书:寄书信。至:到达。

⑩新:刚刚。

⑪存者:活着的人。且:姑且、暂且。偷生:苟且地活着。

⑫死者:死了的人。长已矣:意思是永远不得相见了。

⑬室中:家中。更无人:再也没有别的男丁了。

⑭惟有:只有。乳下孙:还在吃奶的孙子。

⑮孙母:孙子的母亲,即儿媳。未去:没有离开,指改嫁。

⑯无完裙:没有一件完整的衣裙。

⑰老妪(yù):古代老年妇女的自称。妪,年老的女人。力虽衰:体力虽然衰竭。

⑱请:请求。从:跟从、随从。夜归:趁夜去。

⑲急:马上,赶快。应:响应。河阳:地名,今河南省孟州市,当时郭子仪镇守河阳。役:兵役。

⑳犹得:还能够。备:准备。晨炊:早饭。

㉑夜久:夜深。语声绝:说话的声音断绝、停止。

㉒如闻:好像听到。幽咽:微弱的哭泣声。

㉓天明:天亮。登前途:(杜甫)踏上前行的路途。

㉔独:单独。别:告别。这句话的意思是老妇已经被抓走。

【赏析】

杜甫离开新安县继续西行,来到河南省陕县城东的石壕村,亲见有官吏强抓老妇去服役。首二句开门见山,诗人夜晚投宿石壕村,有官吏抓人，总领全篇。下文都是由“有吏夜捉人”展开，而捉人竟然发生在夜晚，可见百姓白天全部都藏匿起来，说明征兵的频繁。老翁翻墙逃跑，老妇只好出门应付官差。吏呼之怒与妇啼之苦，写出官吏的强悍与百姓的悲痛。“听妇前致词”以下十三句，是老妇向官吏的哭诉，诗人作为第三者，客观记录下了这段对话。这十三句不是老妇一口气说完，而是在“吏呼”的威逼下，一句句诉说家中悲惨的遭遇——三个儿子在邺城征战，已经有两个牺牲了，家中除了尚在吃奶的孙儿，再无男丁，媳妇在家也是衣不蔽体。家中的三个儿子都已经被征上战场，而且有两个已经战死，可是不能说服官吏；于是又说家中只有媳妇和孙子，也未能幸免，最后只能用自己来塞责，年老力衰的妇人，也要去河阳服役，为士兵做饭。老妇三段话介绍的自己家破人亡而灾难仍未休止的惨状，具有普遍性和社会性，这深刻揭露了连年的战乱和没有人性的官吏给人民带来的无穷苦难。最后四句，与首二句照应，写出事件的结局。老妇终究被带走，虽然夜深人寂，但诗人耳边仿佛萦绕着老妇一家幽咽哭泣之声。第二天杜甫要启程，只能与老翁一个人道别。杜甫始终在客观冷静地叙事，没有议论和抒发个人的情感，但我们还是从中能看出诗人对受苦百姓的同情以及对官吏的批判。

新　婚　别[1]

兔丝附蓬麻[2]，引蔓故不长[3]。
嫁女与征夫[4]，不如弃路旁[5]。

结发[⑥]为君妻，席不暖君床[⑦]。
暮婚晨告别[⑧]，无乃[⑨]太匆忙！
君行虽不远，守边[⑩]赴河阳。
妾身未分明[⑪]，何以拜姑嫜[⑫]？
父母养我时，日夜令我藏[⑬]。
生女有所归[⑭]，鸡狗亦得将[⑮]。
君今往死地[⑯]，沉痛迫中肠[⑰]。
誓欲[⑱]随君去，形势反苍黄[⑲]。
勿为新婚念[⑳]，努力事戎行[㉑]。
妇人在军中，兵气恐不扬[㉒]。
自嗟[㉓]贫家女，久致罗襦裳[㉔]。
罗襦不复施[㉕]，对君洗红妆[㉖]。
仰视[㉗]百鸟飞，大小必双翔[㉘]。
人事多错迕[㉙]，与君永相望[㉚]。

【注释】

①新婚别：刚结婚便分别。

②兔丝：即菟丝子，一种蔓生的草，依附在其他植物枝干上生长。附：依附。蓬麻：蓬草与大麻。蓬麻的植株矮小，所以兔丝能攀附其上。

③引蔓（wàn）：牵引茎蔓。蔓，细长能缠绕的茎。故不长：因此不能长太长，比喻新婚不能长久。

④与：给。征夫：出征的士兵。

⑤不如弃路旁：还不如将女儿丢弃在路边。

⑥结发：古代男子二十岁、女子十五岁用簪子绾起头发，表示成年可

以结婚了，这里指结婚。

⑦席不暖君床：夫君床上的睡席都还没有暖热，形容时间短。

⑧暮婚晨告别：前一天晚上成婚，第二天清晨就要告别。

⑨无乃：难道不是。

⑩守边：驻守边疆。

⑪妾：古代女子出嫁后的自称。身：身份。未分明：还没有明确。因为唐代成婚后三日，丈夫带着妻子告祭于祖庙才算礼成。仅宿一夜，婚礼尚未完成，故说身份不明。

⑫何以：用什么身份。拜：拜见。姑嫜（zhāng）：婆婆和公公。

⑬令：命令，让。藏：躲藏，不随便见外人。

⑭归：指女子出嫁。

⑮鸡狗：哪怕嫁给鸡狗。亦得将：也必须相随。

⑯往死地：去送死的地方，指“守边赴河阳”。

⑰迫：压抑、煎熬。中肠：内心。

⑱誓欲：发誓想要。

⑲反：反而，更加。苍黄：同“仓皇”，慌张，指只会更加麻烦。

⑳勿为新婚念：不要以新婚为念，即不要因为新婚别离而难过。

㉑事：从事、效力。戎行：指军旅之事。

㉒兵气：军队的士气。扬：高昂。

㉓自嗟（jiē）：自我叹惜。

㉔久致：很久才制成。罗襦（rú）裳：锦罗做的衣裳。襦，短衣。裳，下衣。

㉕不复施：不再施加于身，即不再穿。

㉖洗红妆：洗去脂粉，即不再打扮。

㉗仰视：抬头向上看。

㉘大小必双翔：鸟儿无论大小，都是成双成对地飞翔。

㉙人事：人世间的事。错迕（wǔ）：错杂，即不如意。迕，违背，相抵触。

㉚永相望：永远盼望重逢。

【赏析】

“三吏”与“三别”是在统一背景下反映相同的时事，但“三别”主要描写被征戍士兵与亲人分别时的不舍与痛苦的心情。杜甫的《新婚别》以新婚妻子的身份，向临行的丈夫哭诉自己悲惨的命运，勉励他在军中奋勇杀敌以及表达自己永远守望夫君的心志。首二句采用比兴的手法，将自己比作依附蓬麻才能生存的兔丝，说父母认为女儿嫁给一个征夫，还不如将她遗弃在路边。刚与他结发为夫妻，席不暇暖，就要分别，妻子的苦难可谓步步推进。“暮婚晨告别”是对全诗内容的高度概括。“君行虽不远，守边赴河阳”是丈夫远行的原因，“君今往死地”是她“沉痛迫中肠”的缘由。想要与君同行，但又怕妇人在军中，士气不高昂，影响战争形势，所以只能规劝他，不要以新婚为念，“努力事戎行”。新妇虽然悲痛欲绝，但她还是强自挣扎，尽力鼓励丈夫，诗歌刻画出了一个深明大义的妻子形象。她出身贫寒，好不容易才置办一身罗襦裳，如今却不能穿上身，并且对着夫君洗尽红妆，不再打扮，读之令人断肠。最后四句，新妇再次运用比兴，将夫妻二人比作大小双飞的鸟，发出与君永相望、守节情不移的誓言。全诗一气呵成，妻子的情感层层深入，起伏而又委婉。

垂　老[①]　别

四郊未宁静[②]，垂老不得安[③]。
子孙阵亡尽[④]，焉用身独完[⑤]？
投杖[⑥]出门去，同行为辛酸[⑦]。
幸有牙齿存，所悲骨髓干[⑧]。
男儿既介胄[⑨]，长揖别上官[⑩]。
老妻卧路啼[⑪]，岁暮[⑫]衣裳单。
孰知是死别[⑬]，且复伤其寒[⑭]。
此去必不归[⑮]，还闻劝加餐[⑯]。
土门壁甚坚[⑰]，杏园度亦难[⑱]。
势异邺城下[⑲]，纵死时犹宽[⑳]。
人生有离合[㉑]，岂择衰盛端[㉒]？
忆昔少壮日[㉓]，迟回竟[㉔]长叹。
万国尽征戍[㉕]，烽火被冈峦[㉖]。
积尸[㉗]草木腥，流血川原丹[㉘]。
何乡为乐土[㉙]？安敢尚盘桓[㉚]！
弃绝蓬室居[㉛]，塌然摧肺肝[㉜]。

【注释】

①垂老：临近老年。

②四郊：东、西、南、北四方的郊外，这里指洛阳周围。未宁静：处于战

乱之中,没有安宁。

③不得安:得不到安宁。

④阵亡:在作战中牺牲。尽:全部。

⑤焉用:哪里还用得着。身独完:独自活下去。完,即活的意思。

⑥投杖:扔掉拐杖。

⑦同行:一起出征的士兵。为辛酸:为他感到伤心。

⑧骨髓(suǐ)干:形容筋骨衰老。

⑨既:既然,已经。介胄(zhòu):铠甲和头盔,这里指穿上铠甲,戴上头盔。

⑩长揖(yī):古代的一种相见礼,这里指军人间的礼节。上官:长官。

⑪卧路啼:躺在路边啼哭。

⑫岁暮:年底。

⑬孰知:即熟知、深知。死别:永别。

⑭且复:再,又。伤其寒:生怕她寒冷。

⑮此去:这次离去。必不归:一定回不来了。

⑯还闻:还听到。劝:规劝。加餐:多进饮食。

⑰土门:即土门口,在今河北省涿鹿县西边,是唐军防守的重要据点。壁甚坚:壁垒很坚固。

⑱杏园:即杏园镇,在今河南省汲县,也是唐军防守的重要据点。度亦难:敌人想要通过也很困难。

⑲势异邺城下:现在与上次围攻邺城时的形势不同了。

⑳纵死:即便是死。时犹宽:时间还很宽裕,指离死还比较遥远。

㉑离合:离散和聚合。

㉒岂择:哪里会选择。衰盛:盛年或老年。这句诗的意思是,只要碰到分别,无论是盛年还是老年都必须分开。

㉓少壮日:年轻强壮的时候。

㉔迟回：徘徊。竟：终，最后。
㉕征戍：远行屯守边疆，这里指战乱。
㉖被：覆盖。冈峦(luán)：山峰。冈，山脊。峦，小而尖的山。
㉗积尸：尸骨堆积。
㉘川原丹：山川和原野都变成红色。丹，红色。
㉙乐土：安乐的地方。
㉚安敢：哪里敢，指不敢。盘桓：徘徊、逗留。
㉛弃绝：抛弃、断绝，这里指离开。蓬室居：蓬草做的屋子。
㉜塌(tā)然：失意落魄的样子。摧肺肝：肺和肝受到摧残，指心情极度悲痛。

【赏析】

《垂老别》写老翁被征招入伍时，与他的老伴路边告别的故事。首二句写当时大的国家形势与个体的命运，二者互为因果，全诗的重点就是"垂老不得安"。"子孙阵亡尽"以下八句，十分悲壮，刻画出一个毅然决然、视死如归的老兵形象。子孙皆已阵亡，他也不再吝惜自己的身躯，扔下拐杖出门，连同行人都为他感到辛酸。老翁他筋骨衰老，却穿上盔甲，与长官辞别，显得慷慨激昂。"老妻卧路啼"以下六句写夫妻二人临别的悲伤，老妇倒在路边啼哭，冬天还穿着单衣。老翁知道这次是死别，但还是担心她受到寒冻；老妇明白他有去无回，但仍劝他努力加餐饭。老两口强忍悲痛而相互关心的场面，令人肝肠寸断。接下来的六句，是老翁对妇人的宽慰，土门的壁垒很坚固，即便是杏园，敌军也很难通过，现在的形势已与邺城溃败时大不相同，即便是战死也还有很长时间，这里明显是老翁故作镇定来劝慰老伴。因为诗人下文马上道出了当时国家的战乱形势：全天下都在处在征战之中，尸横遍野，血流成河——这与老翁的话完全相反。最后四句写老翁终究要与老伴诀别，离开老家，于是“塌然摧肺肝”。全诗叙事脉络清晰，感情错落有致，真实再现了战乱给人民生活带来的无穷灾难。

无家[1]别

寂寞天宝后[2]，园庐但蒿藜[3]。
我里[4]百余家，世乱各东西[5]。
存者无消息[6]，死者为尘泥[7]。
贱子因阵败[8]，归来寻旧蹊[9]。
久行见空巷[10]，日瘦气惨凄[11]，
但对狐与狸[12]，竖毛怒我啼[13]。
四邻何所有[14]？一二老寡妻[15]。
宿鸟恋本枝[16]，安辞且穷栖[17]。
方春独荷[18]锄，日暮还灌畦[19]。
县吏知我至[20]，召令习鼓鞞[21]。
虽从本州役[22]，内顾无所携[23]。
近行止一身[25]，远去终转迷[26]。
家乡既荡尽[27]，远近理亦齐[28]。
永痛长病母[29]，五年委沟溪[30]。
生我不得力[31]，终身两酸嘶[32]。
人生无家别，何以为蒸黎[33]？

【注释】

①无家：无家可归。

②寂寞：冷落，指荒凉的景象。天宝后：天宝是唐玄宗的年号，从天宝初年正月至天宝十五载七月，共十五年。这里指天宝十四载爆发安史之乱之后。

③园庐：田园和房屋。但：只，只有。蒿藜（lí）：蒿草和藜菜，泛指杂草。

④里：乡里。古代五家为一邻，五邻为一里。

⑤各东西：各奔东西。

⑥消息：信息。

⑦为尘泥：埋于地下，化为尘土和泥巴。

⑧贱子：这是无家者的谦称。因：因为。阵败：战败。

⑨归来：回来。寻：寻找。旧蹊（xī）：旧路。蹊，小路。

⑩久行：走了很久。空巷：空旷无人的巷子。

⑪日瘦：指日光暗淡。气惨凄：气象凄惨。

⑫狐与狸：这里指野兽。

⑬竖毛：毛发直竖，形容惊惧的样子。怒我啼：发怒地对我号叫。

⑭四邻：周围的邻居。何所有：还有些什么？

⑮一二：一两个。寡（guǎ）妻：寡妇。

⑯宿鸟：归家的鸟儿。恋：眷恋。本枝：原来的树枝。

⑰安辞：哪里去推辞，指别无选择。且：暂且。穷栖（qī）：穷困的居住下来。栖，居留，停留。

⑱方春：正值春天。独：独自一人。荷锄：扛着锄头。荷，用肩扛。

⑲日暮：太阳落山的时候。还：又。灌：灌溉。畦（qí）：小片菜地。

⑳至：回来。

㉑召令：召去并命令。习：练习、操练。鼓鞞（pí）：战鼓。鞞，同“鼙”，军队中的小鼓。

㉒从：随从、跟着。本州役：在本州当地服役。

㉓内顾：回头看。携：分离。这句诗的意思是回头看看家里，没有可以告别的人。

㉔近行：出行很近。止一身：只有自己一人，没有牵挂。

㉖远去：远行。转迷：指生死难料。

㉗荡尽：毁坏殆尽，指一无所有。

㉘远近理亦齐：既然家乡已经一无所有，那么我在近处还是远处当兵，都是一样的道理了。齐，一样。

㉙永痛：深感悲痛。长病母：长期生病的母亲。

㉚五年：指五年前，即唐玄宗天宝十四载。委：抛弃。沟溪：山沟。

㉛不得力：没有尽到做儿子的责任。

㉜终身：一辈子。两：母子二人。酸嘶（sī）：酸痛剧烈的样子。嘶，声音嘶哑。

㉝何以为：怎么可以成为。蒸黎：黎民百姓。蒸，众人。黎，黑色。因为古代的平民只能佩戴黑色的头巾，所以被称为“蒸黎”。

【赏析】

《无家别》写一个战败逃归的士兵，又被县吏抓去服役，以及他在家乡所见凋敝的景象。前十四句写士兵回家后的见闻，其中“贱子因阵败，归来寻旧蹊”二句穿插其间，交代事件缘由。安史之乱后，田园长满蒿藜，乡里一百多户人家，各奔东西，有的逃亡，有的战死。“久行见空巷”以下六句，是“寻旧蹊”所得的结果。他看到的是空空的巷道与出没的野兽，四周的邻居只剩下一两个老寡妇。日“瘦”而气很

“惨凄”，诗人采用拟人的手法，将“贱子”的哀情映照到景物之上，日色昏暗暗示着乡村一片断井颓垣。“宿鸟恋本枝”以下四句，士兵回到穷困的家中，正值春季，他开始荷锄和灌畦，貌似要开始安定平稳的小民生活。可是情势进一步转折，县吏知道他回来，又召令他去操练战鼓。这新的徭役，虽然是在自己的州郡服役，可是内顾家中无一人可与告别；出行不远，但只有孤身一人，而且终将转至遥远的前线，他的悲伤层层推进。他只好用“家乡既荡尽，远近理亦齐”来安慰自己。尽管他强作豁达，但又想到久病在床的老母已在五年前去世，苦痛之情无法自已。最后用“人生无家别，何以为蒸黎”回归到“无家”的主题。

佳　人[①]

绝代[②]有佳人，幽居在空谷[③]。
自云[④]良家子，零落依草木[⑤]。
关中昔丧乱[⑥]，兄弟遭杀戮[⑦]。
官高何足论[⑧]？不得收骨肉[⑨]。
世情恶衰歇[⑩]，万事随转烛[⑪]。
夫婿轻薄儿[⑫]，新人美如玉[⑬]。
合昏尚知时[⑭]，鸳鸯不独宿[⑮]。
但见新人[⑯]笑，那闻旧人[⑰]哭？
在山泉水清，出山泉水浊[⑱]。
侍婢卖珠回[⑲]，牵萝补[⑳]茅屋。

摘花不插发[21]，采柏动盈掬[22]。

天寒翠袖薄[23]，日暮倚修竹[24]。

【注释】

①佳人：美貌并有才德的女子。

②绝代：当代绝无仅有。

③幽居：隐居，少与外界往来。空谷：深山中的峡谷。

④自云：佳人自己说。

⑤零落：飘零落败。依草木：和山林中的草木为邻。

⑥关中：这里指长安。昔：过去。丧乱：死亡和战乱。这里指唐玄宗天宝十五载安史之乱的叛军攻陷长安。

⑦遭：遭到。杀戮(lù)：杀害。戮，杀。

⑧官高：指佳人的娘家官位高。何足论：哪里值得谈论？即没有什么用。

⑨不得：不能。收骨肉：收拾他们的尸骨，即尸骨无收。

⑩世情：世态人情。恶：丑恶。衰歇：衰落。

⑪万事：所有的事情。转烛：蜡烛的火焰随风转动，比喻世事变化无常。

⑫夫婿：丈夫。轻薄儿：轻佻放荡的人。

⑬新人：指佳人丈夫新娶的妻子。美如玉：像玉石一样温润美丽。

⑭合昏：即夜合花，它的叶子早晨打开，夜晚闭合。知时：知道时间。

⑮鸳鸯(yuān yāng)：一种水鸟，比鸭小。雄鸟羽毛美丽，头有紫黑色羽冠，翅膀的上边呈黄褐色。雌鸟全身苍褐色。常栖息于池沼之上，雌雄常在一起，形影不离。不独宿：不独休息。

⑯但见：只看见。

⑰那闻：哪里听到。旧人：指佳人自己。

⑱在山泉水清，出山泉水浊：泉水在山中时是清澈的，出了山就变混浊。暗指佳人在丈夫家则光荣，如果被抛弃则耻辱。

⑲侍婢(bì)：侍女，女婢。卖珠回：刚卖完珠宝回来。这里指佳人生活贫苦，要靠典卖首饰来维持生计。

⑳牵萝：拾取藤条。萝，通常指那些能爬蔓的植物。补：修补。

㉑摘花不插发：摘来鲜花但不插在头发上，指不用花来妆饰自己，比喻她高洁的志向。

㉒采柏：采摘松柏的树叶。动：往往。盈(yíng)：充满。掬(jū)：双手捧。

㉓翠袖薄：青绿色的衣袖很单薄。

㉔倚：倚靠。修竹：修长的竹子。

【赏析】

杜甫这首诗集中刻画了安史之乱时被遗弃的女子形象。首二句开门见山，点出佳人幽居在空谷之中的现状。用“自云”总起，回顾自己的身世遭遇。她是良家之子，如今却零落山野，和山林中的草木为邻。遭遇安史之乱的祸害，兄弟惨被杀戮，连尸骨都无法收回。“世情恶衰歇，万事随转烛”，是在叙事中插入议论，之后六句继续叙事。她嫁给喜新厌旧的轻薄儿，用合昏花和鸳鸯来比兴，反衬自己孤身一人，被丈夫嫌弃的处境。最后八句，是全诗最精彩的部分，写佳人在空谷隐居的状态。泉水在山中尚且清澈，出山之后就开始变混浊，而佳人隐居山中，则表明她守节不移，不愿流于世俗的品质。“侍婢卖珠回，牵萝补茅屋”，写佳人的贫苦勤俭；“摘花不插发，采柏动盈掬”，写佳人的朴质无华；“天寒翠袖薄，日暮倚修竹”，写佳人外表的憔悴和内心的孤寂、哀怨。本诗营造了一个清幽高雅的意境，同时刻画出了一个高洁而落寞的佳人形象。

梦李白[①]二首（其一）

死别已吞声[②]，生别常恻恻[③]。
江南瘴疠[④]地，逐客[⑤]无消息。
故人入我梦[⑥]，明我长相忆[⑦]。
恐非平生魂[⑧]，路远不可测[⑨]。
魂来枫林青，魂返关塞黑[⑩]。
君今在罗网[⑪]，何以有羽翼[⑫]？
落月满屋梁[⑬]，犹疑照颜色[⑭]。
水深波浪阔，无使蛟龙得[⑮]。

【注释】

①梦李白：梦见李白。

②吞声：指声音哽咽。

③生别：离别。恻恻(cè)：悲痛凄凉的样子。

④江南：长江以南。李白被收捕的浔阳(今江西省九江市)和被流放的夜郎(今贵州省桐梓县)都属于江南地区。瘴疠(zhàng lì)：受到瘴气侵袭而生的一种疾病。因为南方湿热，所以森林里动植物腐烂后容易生成瘴气。

⑤逐客：被放逐的人，指李白。

⑥故人：旧友，指李白。入我梦：进入我的梦境中。

⑦明：明白、知道。长相忆：长久地怀念他。

⑧恐非平生魂：恐怕入梦的已经不是李白的魂灵，即怀疑李白已遭遇不测。

⑨测：推测，判断。

⑩魂来枫林青，魂返关塞黑：李白的魂魄从有很多枫林的江南而来，又由有很多关塞的秦州返回。因为是晚上往返，所以是“枫林青”、“关塞黑”。枫，一种高大乔木，随着树龄增长，树冠逐渐敞开呈圆形，秋天树叶会变成火红色。关塞，边界上险要的地方。

⑪罗网：本指捕鸟的工具，这里指法网。

⑫何以：以何，为什么。羽翼（yì）：翅膀。

⑬屋梁：指房屋。梁，即屋子的横梁，架于房顶上最主要的那根木头，形成屋脊。

⑭犹疑：仍然怀疑、疑虑。照颜色：照射着李白的容貌。这句诗的意思是，杜甫醒来后，似乎还能在月光中看到李白的样子。

⑮无使：不要让。蛟（jiāo）龙：传说中能使江河水泛滥的一种龙。得：得到、抓获。

【赏析】

唐肃宗乾元元年，李白被流放至夜郎，第二年行至巫山被赦免，回到江陵。此时的杜甫远在北方，只听说李白被流放，还不知道他已经被赦还，因担心李白，于是夜有所梦，写下这两首诗。这是组诗的第一首。一、二两句写在杜甫看来，生别比死别更加令人伤痛，因为死别，只需要绝望地一哭了之，而生别却令人悲恸不已。三、四两句叙事，写李白被贬谪至江南瘴疠之地，且长时间没有音讯。杜甫梦见李白，却写成李白进入他的梦境，说明他们二人是相互怀念。但他马上又心生疑虑，李白身系罗网，哪里会有羽翼飞入他的梦中？所以诗人怀疑这不是李白的魂魄，两地相距遥远不可推测，莫非他已经遇害？初见而喜，转而生疑，疑后又怕的变化心理，杜甫刻画得细腻而真实。魂来的时候枫林一片青色，魂返的时候秦州关塞一片漆黑，青、黑的颜色正是诗人心情的写照，给诗染上一种阴沉凄清的色彩。最后四句写杜甫梦醒后，看到月光照满屋梁，仿佛仍然看到月亮照出李白的面孔，于是他希望李白的魂魄能够平安归去，不要在水深浪阔的江河中被蛟龙所吞噬，体现了诗人对李白险恶处境的殷忧。

梦李白二首（其二）

浮云终日行①，游子久不至②。
三夜频③梦君，情亲见君意④。
告归常局促⑤，苦道来不易⑥。
江湖多风波，舟楫恐失坠⑦。
出门搔白首⑧，若负平生志⑨。
冠盖⑩满京华，斯人独憔悴⑪。
孰云网恢恢⑫，将老身反累⑬。
千秋万岁名，寂寞身后事⑭。

【注释】

①终日：整天。行：行走。

②游子：久居他乡的人，这里指李白。久不至：很久都不来。

③三夜：三个晚上。频(pín)：频繁、多次。

④情亲：感情亲近。见君意：足见你的心意。

⑤告归：告辞，告别归去。局促：拘束的样子，形容李白不忍离去。

⑥苦道：苦苦说道。来不易：来到这里不容易。

⑦舟楫(jí)：船和桨，这里指船。失坠：指坠落水中。

⑧搔(sāo)：用手指抓或挠。白首：白头发。

⑨若：好像。负平生志：辜负了平生的志向。

⑩冠盖：指达官贵人。冠，官帽。盖，车上的篷盖。

⑪斯人：此人，指李白。独：独自、单单。憔悴(qiáo cuì)：消瘦的样子。

⑫孰云：谁说。网恢恢：语出《道德经》："天网恢恢，疏而不漏。"天网，指法网。这句诗的意思是，谁说天网宽疏？对你如此严酷。

⑬将老身反累：(李白)快要老去的时候，身体反而受到劳累。

⑭千秋万岁名，寂寞身后事：李白的美名会流传到千秋万岁之后，但那也是他寂寞困顿一生之后的事了。

【赏析】

这是组诗的第二首。本组诗第一首是杜甫第一次梦见李白而作，而这一首是连续三天梦见李白而作。首二句用"浮云"起兴，比喻李白这位游子远行不归。因为"久不至"，诗人思念李白，于是夜有所梦，频繁梦到李白，可见诗人对李白的深情厚谊。"告归常局促"以下六句写李白入梦和魂返的情形，重点刻画魂返时依依不舍的神态。告别的时候经常局促不安，苦苦地诉说来路不易，"江湖多风波，舟楫恐失坠"，与上一首"水深波浪阔，无使蛟龙得"所表达的内容和意义类似，但上一首中是杜甫的临别赠言，这一首中则更像是李白的独白。他搔着白发，好像在惋惜辜负了平生的志愿，写出了李白的动作、外貌和心理。最后六句是李白魂返后，杜甫带着激动的情感发出的强烈感叹：达官贵人挤满了整个京城，只有李白独自憔悴，"冠盖"与"斯人"相对，"满"与"独"相对，凸显出他受到排挤的艰苦处境。谁说天网恢恢善恶有报？反而你身将老去、反受牵累——这是杜甫对社会的控诉以及为李白打抱不平。诗人最后只能再次嗟叹，生前寂寞不被重用，死后获得千秋万岁的名声，那都是身后之事，还有什么用？这组诗通过"梦"来连接，表达了杜甫对李白的思念和担忧以及对李白生平际遇的同情和愤愤不平。

秦州杂诗①二十首（其七）

莽莽万重山②，孤城③山谷间。
无风云出塞④，不夜月临关⑤。
属国归何晚⑥？楼兰斩未还⑦。
烟尘独长望⑧，衰飒正摧颜⑨。

【注释】

①秦州：地名，今甘肃省天水市，当时杜甫由华州辞官客居秦州。杂诗：这组诗一共二十首，因为是诗人随时兴起便写一首的，所以称为"杂诗"。

②莽莽(mǎng)：宽广的样子。万重山：指山脉连绵起伏。

③孤城：只有一座城池，指秦州。

④云出塞：云朵飘出关塞。

⑤不夜：还没到夜晚。临：照临。关：关口，古代在险要地方或国界设立的守卫处所。

⑥属国：职官名，即典属国，汉代的外交官。据《汉书·苏武传》记载，苏武出使匈奴，归来后被授予典属国。这里是用西汉苏武出使匈奴十九年才回来的典故。归何晚：归来得为何如此晚？

⑦楼兰斩未还：据《汉书·傅介子传》载："傅介子持节至楼兰，斩其王，持首还，诏封为义阳侯。"诗人这里是反用傅介子持节斩楼兰王的典故。

⑧烟尘：烽烟和战场上扬起的尘土，这里指战乱。独长望：独自一人远远西望。

⑨衰飒（sà）：指衰落萧索。摧颜：让人愁容满面。

【赏析】

唐肃宗乾元二年，杜甫辞去华州司功参军的官职，从长安来到秦州，先后写了二十首记录当地人物风情的诗，大多感伤时政以及哀痛自己的不幸遭遇，总题为《秦州杂诗》，这是其中的第七首。本首上篇写秦州的地势和景色，"莽莽"和"万重"写山峦的绵延不绝及其雄壮的气势，秦州作为一座孤城点缀在山谷中间，表现它处于咽喉要处的重要位置。风在高空吹动云彩，人在地面感受不到风力，就有"无风云出塞"的错觉；还没有入夜，上弦月就已经照临关口，关塞孤城的云、月，是最容易引起戍边战士思乡情结的意象。三、四两句景物描写中兼及边愁，五、六两句顺势引出边关战事。"属国"即"典属国"，这里指大唐使节出使吐蕃迟迟未回，再反用汉傅介子至楼兰斩其王首而归的典故，暗指吐蕃的威胁尚未解除。最后两句，诗人站在城中，遥望关塞之外，仿佛看到烟尘弥漫天际，写出了杜甫对西北边疆局势的关心和忧虑。最后回归自身，衰飒的边地景象让诗人怅恨不已，诗人年迈、蹉跎的身影，与大的时代环境融为一体，让全诗呈现出一种悲壮的面貌。

月夜忆舍弟①

戍鼓断人行②，秋边一雁声③。
露从今夜白④，月是故乡明。
有弟皆分散，无家⑤问死生。
寄书长不达⑥，况乃未休兵⑦。

【注释】

①忆：回忆，思念。舍弟：对自己弟弟的谦称，杜甫有四个弟弟，分别是杜颖、杜观、杜丰和杜占。

②戍鼓：戍楼上用以报时或告警的鼓声。断人行：指战事仍然激烈，道路为之阻隔。

③秋边：秋天的边境。一雁声：一只孤雁在叫，这里比喻兄弟分散。

④露从今夜白：指已经到了白露这一节气。

⑤无家：指杜甫的河南老家已经没有亲人居住了。

⑥寄书：寄信。长不达：因为路太远，所以一直无法送达。

⑦况乃：更何况是。未休兵：战争没有休止。杜甫写此诗时叛将史思明正在与唐将李光弼激战。

【赏析】

唐肃宗乾元二年，史思明从范阳举兵南犯，攻克汴州，西进洛阳，山东和河南等地都陷入战乱，杜甫的四个弟弟中，除杜占与他相随，杜颖、杜观和杜丰分散在山东和河南，于是他写下这首诗以示怀念。诗题是“月夜”，但杜甫开篇先写戍鼓和秋雁，戍鼓给人以警醒，“断人行”说明战争激烈使道路阻断，而秋天边境的孤雁让诗人联想起四处分散的弟弟们。这两句已经为全诗奠定了悲凉的氛围。三、四两句是写景名句，上句将“白露”节气拆开，点明时令，是客观的记叙；下句却融入了诗人强烈的主观情感，秦州与故乡是同一轮明月，而杜甫却认为“故乡明”，看似违背常理，却符合思念家乡的情义。后四句叙事，写诸位弟弟各自分散，家乡被毁，无处询问他们的生死。平日寄信尚且不能收到，何况战乱没有平息的当下呢？字里行间都透露出杜甫对弟弟们的担心与牵挂。

乾元中寓居同谷县①作歌七首（其七）

男儿生不成名身已老②，三年饥走荒山道③。
长安卿相多少年④，富贵应须致身⑤早。
山中儒生⑥旧相识，但话宿昔伤怀抱⑦。
呜呼！七歌兮悄终曲⑧，仰视皇天白日速⑨！

【注释】

①乾元：唐肃宗的年号，从乾元元年(758)二月至上元元年(760)闰四

月，共计三年。这组诗作于乾元二年。寓居：寄居。同谷县：地名，即成州的同谷县，今甘肃省成县。

②生：活着的时候。身已老：杜甫当时四十八岁。

③三年饥走荒山道：从唐肃宗至德元载到乾元二年三年间，杜甫从长安跋涉至凤翔，又被贬至华州，然后客居秦州，后又迁至同谷。饥走，忍饥挨饿地行走。荒山道，偏远荒山上的小路。

④卿相：指高官。多少年：很多都是年轻人。

⑤致身：献身，这里指出仕做官。

⑥儒生：指读书人。

⑦但话：随意谈论。宿昔：从前，往常。伤怀抱：内心感到悲伤。

⑧呜呼：感叹词，表示悲伤。七歌：指这七首诗。兮(xī)：语气助词，相当于现在的“啊”或“呀”。悄终曲：悄悄地停止歌唱。

⑨皇天：对天的尊称。白日：太阳。速：迅速，指天色已晚。

【赏析】

唐肃宗乾元二年，杜甫在秦州寓居三个月后，又转至同谷，在那里暂住一个月，才狼狈入蜀。期间一家人贫病交加，杜甫要亲自采摘野果充饥，几个儿女被饿死，这是他人生中的低谷期。诗人怀着悲愤的心情写下这组“同谷七歌”，这里选取第七首，也是本组诗中最精彩的篇目。首二句先回顾自己的经历，没有立就功名而身已老去，从上书营救房琯到如今已经走过三年的艰辛历程。杜甫直抒胸臆，表达自己颠沛流离和壮志未酬的生活。三至六句叙事，将长安的卿相与山中儒生对比，长安的卿相年少时就身居高位，令杜甫不禁感叹欲求富贵应该趁早，而自己如今“身已老”却“未成名”，写出了诗人的绝望与哀怨。与同谷山中的旧友聊起宿昔的志向，只能伤心流泪了。最后两句再用抒情作结，作为七篇诗歌的最后一首，总述整组诗只能曲终收笔，仰视皇天，任由时光在眼前飞逝，于悲愤落寞中，又平添几丝凄楚。这首诗长短句间或使用，情感喷薄而出，冲击着人们的心灵。

成都府

翳翳桑榆日[①]，照我征衣裳[②]。
我行山川异[③]，忽在天一方[④]。
但逢[⑤]新人民，未卜[⑥]见故乡。
大江[⑦]东流去，游子去日[⑧]长。
曾城填华屋[⑨]，季冬树木苍[⑩]。
喧然名都会[⑪]，吹箫间笙簧[⑫]。
信美无与适[⑬]，侧身望川梁[⑭]。
鸟雀夜各归，中原杳茫茫[⑮]。
初月[⑯]出不高，众星尚争光[⑰]。
自古有羁旅[⑱]，我何苦[⑲]哀伤。

【注释】

①翳翳（yì）：昏暗的样子。桑榆日：指落日。据《太平御览》引《淮南子》："日西垂，景在树端，谓之桑榆。"因为日落时阳光照在桑树和榆树树梢，所以称为"桑榆日"。

②征衣裳：征人的衣服。征，征人，远行的人。

③山川异：经过不同的山川。

④天一方：天的另一边。因为成都属剑南道，与杜甫的家乡河南和京城长安都相距遥远。

⑤但逢：只逢。

⑥未卜：没有占卜，指难以预料。这里是说不知道什么时候。

⑦大江：指岷江，长江的支流。

⑧游子：指杜甫。去日：已经逝去的岁月。

⑨曾城："曾"同"层"，层城指重城，成都当时有大城、少城和州城，所以称之为"曾城"。填：填满。华屋：华丽的房屋。

⑩季冬：冬季的第三个月，即农历十二月。古人用孟、仲、季分别指代一个季节中的三个月份。苍：深绿色。

⑪喧(xuān)然：热闹，喧哗。名：著名。都会：都市。

⑫间：间杂。笙簧(shēng huáng)：指笙，一种簧管乐器。簧，笙中间的簧片。

⑬信美：确实美。无与适：无所适从。这句诗的意思是，这里虽然十分美好，但还是不知道去哪里。

⑭侧身：侧着身子。川梁：桥梁。

⑮中原：这里指杜甫的故乡洛阳。杳茫茫：渺茫而没有音信。

⑯初月：刚升上天空的月亮。

⑰争光：指星星与月亮比试光辉。

⑱自古有：从古就有。羁(jī)旅：寄居他乡。

⑲何苦：用反问语气，表示不值得，即不用着。

【赏析】

唐肃宗乾元二年十二月，杜甫离开同谷远赴成都，途中写了十二首纪行诗，这首《成都府》是最后一篇，写杜甫初到成都的感受以及对故乡的思念。开头六句写杜甫一路跋涉，终于到达成都。桑榆间落日的余光照在征人的衣服上，点明时间和事件，“山川异”和“新人民”表明诗人来到一个全新而陌生的环境。离开同谷到达成都的杜甫，心情比较轻松欢快。“大江东流去，游子去日长”两句过渡，接下来四句写成都的热闹繁荣：华屋填满城郭，冬天的树木仍然青苍。城中笛箫笙簧喧然杂响，是名副其实的“名都会”。最后八句，诗人的情感开始发生变化，成都确实美好，但他却无所适从，只能侧身东望。傍晚鸟雀归巢，而中原茫茫杳无音讯，思乡之情油然而生。然而看到新月还未升高，众星尚在争辉，杜甫受到感发，努力劝慰自己：羁旅之事自古有之，不需过于哀伤。诗人的情感在诗中几度转变，体现了他刚入蜀地悲喜交加的矛盾心情和对新生活的无限期望。

蜀　　相①

丞相祠堂何处寻②？锦官城外柏森森③。
映阶碧草自春色④，隔叶黄鹂空好音⑤。
三顾频烦天下计⑥，两朝开济⑦老臣心。
出师未捷身先死⑧，长使英雄泪满襟⑨。

【注释】

①蜀相：指诸葛亮，担任三国时蜀汉的丞相。

②丞相祠堂：指诸葛武侯祠，在今成都市武侯区。何处寻：到哪里寻找？

③锦官城：成都的别称。因为汉代成都织锦发达，政府专门设立机构

管理，所以称为“锦官城”。柏森森：柏树繁盛。

④映阶碧草：即碧草映阶，碧绿的青草映衬着台阶。自春色：自成春色。

⑤隔叶：隔着树叶，指被树叶遮盖。空好音：白白地鸣叫出美妙的声音，指没有人欣赏。

⑥三顾：指刘备三顾茅庐。频烦：多次劳烦。天下计：安定天下的计策。诸葛亮在《隆中对》中为刘备提出“东连孙权，北拒曹操，西取刘璋”的方针。

⑦两朝：指刘备、刘禅父子两代朝廷。开济：开创和扶助。

⑧出师未捷身先死：诸葛亮多次出师讨伐魏国，都未能取胜，蜀建兴十二年(234)死于五丈原(今陕西省岐山东南)的军中。出师，出兵。

⑨长使：长久地让。英雄：指有志向的士人。襟：衣服的胸前部分。

【赏析】

《蜀相》是唐肃宗上元元年，杜甫定居成都草堂后的第二年，游览武侯祠时写的一首咏史诗。首联自问自答，将武侯祠的位置与周边“柏森森”的环境交代清楚。柏树高大繁盛，让人未进祠堂，先生庄严的敬意。颔联细写祠堂内部的景色，碧绿的小草铺在台阶上，呈现出一片春天的颜色，树林深处的黄鹂发出甜美的叫声，这些意象色彩鲜明，动静结合，有声有色。而“自”和“空”传达出诗人掩不住的忧伤情绪。颈联用十四个字高度概括诸葛亮的一生：刘备三顾茅庐，诸葛亮隆中出策，为他划分三国鼎立的政治形势，又忠心耿耿地匡扶刘备、刘禅两代君主，诸葛亮鞠躬尽瘁的伟岸形象跃然纸上。尾联是千古名句，叹惜蜀相出师未成功而身先亡故的悲剧，使后世的英雄无不泪流满襟。本诗前四句写景,五、六两句咏史论人,格调高远,最后两句突然变得沉郁,将景物、议论和情感熔于一炉,顿挫豪迈,震撼人心。

狂　　夫①

万里桥②西一草堂,百花潭水即沧浪③。
风含翠篠娟娟净④,雨裛红蕖冉冉⑤香。
厚禄故人书断绝⑥,恒饥稚子色⑦凄凉。
欲填沟壑唯疏放⑧,自笑⑨狂夫老更狂。

【注释】

①狂夫:放荡不羁的人,这里是杜甫自称。

②万里桥:在成都南门外的锦江上,当年诸葛亮送费祎出使东吴的地方。

③百花潭:即浣花溪的一段,杜甫的草堂在它的北边。即:就是。沧浪:青苍的河水。据《孟子·离娄上》载:“沧浪之水清兮,可以濯我缨。沧浪之水浊兮,可以濯我足。”后世多用沧浪指代隐居的地方。这句诗是说杜甫把百花潭当成隐居的地方。

④风含:风中含有,指风吹拂。翠篠(xiǎo):绿竹。篠,同“筱”,细小的竹子。娟娟:美好的样子。净:明净。

⑤雨裛(yì):雨水打湿。裛,同“浥”,沾湿。红蕖(qú):红色的荷花。蕖,芙蕖,荷花的别名。冉冉:柔软下垂的样子。

⑥厚禄故人:指做大官、俸禄丰厚的旧友。书断绝:断了书信往来。

⑦恒(héng)饥:经常挨饿。恒,经常。色:脸色。

⑧欲填沟壑：这里指穷困而死。唯：只能，只好。疏放：疏于礼节，放浪不羁。

⑨自笑：自己嘲笑自己。

【赏析】

这首诗作于唐肃宗上元元年，杜甫在成都草堂时，主要描写草堂周围的美景、生活的困顿和自己洒脱的性格。“万里桥”和“百花潭”虽都是地名，用在诗中却对仗工整，同时使全诗的格局自然开阔。“一”和“即”字写出了杜甫知足的心理，而“沧浪”引用“沧浪之水清兮，可以濯我缨”的典故，为下文的“狂”蓄势。风中的翠竹“娟娟净”，雨里的荷花“冉冉香”，短短的两句话有风有雨，有竹有蕖，更有艳丽的色彩和淡雅的香味，是高度的浓缩与聚合。“含”和“裛”轻柔而富有情趣。以上四句写草堂和浣花溪的美景，但现实中的杜甫是靠故人严武的救济帮助才得以度日。与故人音书断绝，全家人都因此挨饿而气色凄凉，杜甫的贫困处境可想而知。虽然欲填沟壑有夸张的成分存在，但诗人抑郁不得志的心情和困顿贫穷的生活状态是真实现状，而他却以“疏放”二字对待，用倔强而旷达的心胸来面对生活逆境，连诗人自己都嘲笑他这狂夫越来越颠狂。诗中浣花溪的美景与他挨饿的凄惨形成强烈的反差，而诗人却在这种情况下赞美风光，更加突现他的颠狂。

江　　村[①]

清江一曲抱[②]村流，长夏江村事事幽[③]。
自去自来[④]梁上燕，相亲相近[⑤]水中鸥。
老妻画纸为棋局[⑥]，稚子敲针[⑦]作钓钩。
多病所需唯[⑧]药物，微躯此外更何求[⑨]？

【注释】

①江村：江边的村庄。

②清江：清澈的江水，这里指浣花溪。一曲：弯曲。抱：环绕。

③长夏：指夏天，因为白昼时间长，所以称为“长夏”。事事：很多事。幽：清幽。

④自去自来：来去自如，毫无拘束。

⑤相亲相近：相互亲近。

⑥画纸为棋局：在纸上画出棋盘。

⑦敲针：用重物敲打缝衣针，使它弯曲。

⑧唯：只有。

⑨微躯：卑微的身躯，这里是杜甫谦称。此外：除此之外。更何求：还需要什么？

【赏析】

唐肃宗上元元年，杜甫安居在成都郊外的浣花溪畔，依靠亲友的资助盖起草堂，饱经流浪转徙的诗人终于获得暂时的安定，怀着轻松惬意的心情写下这首《江村》。第一句“清江一曲抱村流”，写村落与江水的位置关系，也是“江村”二字的由来。“抱”字形象生动，运用拟人的手法写出清江环绕村庄的形势。第二句中的“事事幽”是全诗的主旨，以下六句便是对这三个字的展开。颔、颈二联，叙事写景，描物状人，各具风味。梁上的燕子自由自在地出入，水中的鸥鸟相亲相近；老妻在纸上画出棋盘，稚子将针敲弯做成鱼钩，将农村闲适而自在的生活呈现出来，是“事事幽”的具体细化。最后两句，写诗人年老多病，还需要药物来调养，上文的欢快添入丝丝感伤，但诗人马上就奋起，认为他这微贱之躯已经别无所求，表现出他的知足常乐与豁达洒脱的心态。

绝句漫兴①九首（其一）

眼见客愁愁不醒②，无赖春色到江亭③。
即遣花开深造次④，便觉莺语太丁宁⑤。

【注释】

①绝句：唐代流行的一种诗歌体裁，又称为截句、断句。每首四句，每句五字者称五绝，七字者称七绝。漫兴：随兴。

②眼见：眼下、当下。客愁：因客居异乡而愁苦。愁不醒：指这种愁绪无法排解。

③无赖：蛮不讲理。江亭：江边的凉亭。

④即：即时、当时。深：指程度深。造次：匆忙、轻率。

⑤便：又。觉：觉得。莺语：黄莺的鸣叫声。丁宁：即叮咛、殷勤，这里是指它们太吵闹。

【赏析】

这组绝句共九首，写于唐肃宗上元二年(761)，杜甫寓居成都草堂的第二年。诗题写作“漫兴”，即兴之所至随手写出之意。这是组诗的第一首，杜甫颇富创造性，以司春女神为主人翁进行叙事。春神眼见诗人因客居异乡陷入深深愁思而无法排解，偏偏还要将无边的春色蔓延到江亭，闯入诗人的眼帘，扰乱他的心绪。春光“眼见”，是拟人的手法，“不醒”写出了诗人迷茫愁苦的状态，“无赖”是诗人将自己的情绪强加于自然景物之上。三、四句进一步写春愁，上一句的主语仍是春神，后一句则是诗人自己。春神匆忙地让花儿竞相开放，“遣”和“造次”二语将春神写得活灵活现。诗人却觉得黄莺的叫声太吵闹。本来花开和莺语都是春天的美景，但诗人却无心欣赏，反而认为它们造次和吵闹，其实是诗人的“客愁”在作祟。本诗的巧妙之处在于，诗人将春天的美景与自己的愁思结合，再通过春神贯穿起来，让人觉得新奇而匠心独运。

绝句漫兴九首（其三）

熟知茅斋绝①低小，江上燕子故来频②。
衔泥点污琴书③内，更接飞虫④打着人。

【注释】

①熟知：深知。茅斋(zhāi)：指草堂。斋，屋舍。绝：非常。

②故：故意。来频：来往频繁。

③点污：弄脏。琴书：古琴和书籍。

④接飞虫：迎接飞虫，指捕食。

【赏析】

这是组诗的第三首，写燕子频繁飞入草堂扰人的情景。明知道诗人的草庐非常低小，可江上的燕子却故意频频造访。燕子本是没有逻辑思维的小动物，诗人却用“熟知”和“故”等语，将燕子放入这种转折关系中，把它们拟人化。三、四句主写燕子在室内的活动情况，不仅为了筑巢，导致嘴衔的泥巴滴落在琴和书上，而且还因为追捕飞虫而碰撞到人。诗人惟妙惟肖、细腻而生动地刻画出了燕子的动态形象。表面上看，这首诗全写燕子，并没有只言片语提及诗人自身，但是诗人的愁绪却通过烦恼燕子隐约透露出来——可从“故来频”、“点污琴书”和“打着人”看出诗人客居他乡的苦闷。

绝句漫兴九首（其七）

糁径杨花铺白毡①，点溪荷叶叠青钱②。
笋根稚子无人见③，沙上凫雏傍母眠④。

【注释】

①糁(sǎn)：散落。铺白毡：好像铺上了一条白毡。

②点溪：点缀在溪水上。叠青钱：像叠起来的铜钱。青钱，青铜钱。
③笋根：竹笋的根。无人见：没有人看得见。
④沙上：沙滩上。凫：一种水鸟，俗称“野鸭”，长得像鸭。雄凫头部绿色，背部黑褐色，雌凫全身黑褐色。常群游湖泊中，能飞行。雏(chú)：幼小的鸟。傍母眠：依偎母凫睡觉。

【赏析】

这是组诗的第七首，写诗人初夏所见的景色。杨花散落在小径上，一片雪白，像是给路铺上了一条白毛毡；荷叶一片片贴在溪面上，远看就像堆叠在一起的青钱。首二句对仗工整，而且都运用比喻的手法，将杨花和荷叶写得生动而贴切，足见诗人异于常人的想象力，而且将“糁径”和“点溪”置于句首，强调动态。后两句景中状物，幼子在笋根间难以被人发现，沙滩上的雏鸭依傍着母鸭而眠，反映出草堂生活的闲适与趣味，在前几首诗中体现出来的客愁情绪一扫而光。四句诗，一句诗即为一种景致、一幅画面，看上去似各自独立，但内部却被诗人擅于观察的眼睛与欣赏的心情联系在一起，充满着浓厚的生活情趣。

南　　邻①

锦里先生乌角巾②，园收芋栗不全贫③。
惯看④宾客儿童喜，得食阶除鸟雀驯⑤。
秋水才深四五尺，野航恰受⑥两三人。
白沙翠竹江村暮，相对柴门月色新⑦。

【注释】

①南邻:杜甫成都草堂南边的邻人,指朱山人。

②锦里先生:即南邻朱山人。锦里,指成都,又称为锦城、锦官城。乌角巾:古代隐士佩戴的四方有角的黑色头巾。

③园收:田园丰收。芋栗:芋头和栗子。不全贫:不是特别贫困。

④惯看:习惯了看见,指熟悉。

⑤得食阶除:在台阶上得到食物。阶除,台阶。驯:顺从。

⑥野航:乡野的小船。恰受:正好容纳。

⑦相对柴门:在门口面对面站立。柴门,用木柴做的门,形容穷困。月色新:月亮刚出来。

【赏析】

这首诗作于唐肃宗上元元年,主要写杜甫从成都浣花溪畔造访南邻朱山人以及朱山人月夜同舟送别的日常生活。诗人先抓住邻人身上最显著的特征"乌角巾",指明他隐士的身份,又与地名"锦里"巧妙地联系在一起。再写他的田园里收获芋头和栗子,"不全贫"写出了朱山人安贫自足的心态。三、四两句写乡村生活的情趣,儿童因诗人的到来而欢喜,鸟雀在台阶上啄米却不惊飞,"惯看"说明诗人是常来之客,"喜"和"驯"可以看出成人、儿童和动物和谐相处的美好。诗的后半部分跳跃地写送别,兼带描绘景色。在白沙、翠竹映衬的暮色下,秋水只有四五尺深,船中仅能容下两三人,主人直至明月东升才于柴门下送客。邻家夜色宁静动人,呈现出祥和安逸的归隐生活。杜甫写做客邻家,只抓住进门和送别两个场面,各自刻画成一幅山庄访隐图和江村送别图,诗中有画,画中有诗,情景交融,表达了杜甫对这种生活的向往。

恨　　别[1]

洛城一别四千里[2]，胡骑长驱五六年[3]。
草木变衰行剑外[4]，兵戈阻绝老江边[5]。
思家步月清宵立[6]，忆弟看云白日眠[7]。
闻道河阳近乘胜[8]，司徒急为破幽燕[9]。

【注释】

①恨别：因分别而怅恨。

②洛城：洛阳。一别四千里：杜甫在唐肃宗乾元二年离开故乡洛阳，返回华州司功参军任所，不久又弃官客居秦州、同谷，来到现在的成都，辗转四千里。

③胡骑：指安史之乱的叛军。长驱：指军队迅速地向前方挺进。五六年：杜甫这首诗写于唐肃宗上元元年，距唐玄宗天宝十四载安史之乱爆发已五六年。

④衰：衰败。剑外：四川省北部有剑门关，剑门关以南的蜀中地区称"剑外"。唐代京城长安在剑门关东北，以长安为中心，所以称剑门关以南的地区为"剑外"，也称作"剑南"。

⑤兵戈：兵器，这里指战乱。戈，古代的一种兵器，横刃，用青铜或铁制成，装有长柄。阻绝：阻隔。老江边：老死在锦江边上。

⑥步月：在月光下漫步。清宵立：即立清宵，站立在清冷的夜中。

⑦忆弟：思念弟弟。白日眠：白天睡觉。

⑧闻道：听说。河阳：唐肃宗上元元年，李光弼在河阳西渚大败史思

明。近：将近，差不多。乘胜：胜利之后继续前进。

⑨司徒：指李光弼，他当时担任检校司徒。急为：急忙去做。幽燕：幽州和燕国，今河北省北部及辽宁省一带，当时是安史叛军的大本营。

【赏析】

这首诗作于唐肃宗上元元年(760)，主要写诗人羁旅成都的感伤，对故乡、亲人的怀念以及希望早日平定叛乱的心愿。诗人从洛阳转徙成都，"四千里"写距离之远，安史之乱的叛军直驱中原，"五六年"写时间之长，紧扣"恨别"的主题。满眼草木衰败，诗人流落于剑门之外，是承接第一句的"洛阳一别"；战事阻绝了归乡之路，使诗人将老死锦江岸边，是承接第二句的"胡骑长驱"。五、六两句直抒胸臆，"思家"与"忆弟"互文。杜甫在月夜无心睡眠，独自踱步自立，白天反而望着云彩而睡去，将诗人愁苦烦闷、无所事事的心情刻画得淋漓尽致。最后两句写战事，听闻唐军在河阳乘胜追敌，而司徒李光弼也正在攻取幽、燕二州，杜甫的情绪由悲伤转为憧憬和希望，反映了他盼望早日收复失地、国家统一安定的爱国之情。

客　　至[1]

舍南舍北[2]皆春水，但见群鸥[3]日日来。
花径不曾缘[4]客扫，蓬门今始为君[5]开。
盘飧市远无兼味[6]，樽酒家贫只旧醅[7]。
肯与邻翁相对饮[8]，隔篱呼取尽余杯[9]。

【注释】

①客至：客人崔明府来访。

②舍南舍北：草庐的南北。

③群鸥：成群的鸥鸟。

④花径：长满花草的小路。不曾：没有。缘：因为。

⑤蓬门：用蓬草编织的门。君：指客人崔明府。

⑥盘飧：盘中的晚饭，这里泛指饭食。市远：远离集市。兼味：两种以上的菜肴。兼，加倍。

⑦樽酒：杯酒。旧醅(pēi)：隔年的酒，陈酒。醅，没滤过的酒。

⑧肯：愿意与否。邻翁：邻家的老翁。

⑨隔篱：隔着篱笆。呼取：招呼过来。尽：喝完。余杯：剩下的酒。

【赏析】

这首诗大约作于唐肃宗上元二年(761)，杜甫旅居成都草堂时。诗题下诗人自注："喜崔明府相过。"可见诗人招待的客人是崔明府。诗的开篇不写客人，而先描绘草堂周围的景物：屋舍的南北两边都被春水环绕，每天看见成群的白鸥飞来。"皆"和"但"写出了周围环境的清幽和少有访客的隐逸生活。三、四句将视角转入院中，花间的小径还未曾为客人打扫过，蓬门如今才为他打开。两句互文，即写出了杜甫闭门谢客、少欲寡居的状态，又写出了对崔明府的重视和热情。这两句是虚写客至，后半部分才转入现实，写主人如何招待客人。因为远离街市，所以饭菜简单；由于家中贫穷，只有家酿的陈酒。这里虽然有主人客套自谦的成分，但也写出了诗人清苦的日常生活，更体现了宾主之间以诚相待的情谊。最后，杜甫隔着篱笆将邻翁招来与客人对饮，将席间宴饮的气氛推向高潮。表明诗人与崔明府二人饮酒至酣处，兴致高涨之际，便想呼朋引伴的有趣情态。

春夜喜雨[1]

好雨知时节[2],当春乃发生[3]。
随风潜[4]入夜,润物细无声[5]。
野径云俱黑[6],江船火独明[7]。
晓看红湿处[8],花重[9]锦官城。

【注释】

①春夜喜雨:春天的夜晚,因为降雨而欢喜。
②好雨:指及时雨。知:明白、知道。时节:季节、时令。
③当春:正值春天。乃:就。发生:指雨落下来。
④随风:跟随着风一起。潜(qián):悄悄地。
⑤润物:滋润万物。细无声:轻轻地而又不发出声音。
⑥野径:田野上的小路。俱黑:一片漆黑。
⑦江船:江上的船只。火:船上的灯火。独明:独自发光。
⑧红湿处:雨水打湿红花的地方。
⑨花重(zhòng):花瓣因为含有雨水而显得沉重。

【赏析】

这首诗大约作于唐肃宗上元二年,主要是歌颂春雨,并描写雨后成都的夜景。诗题"春夜喜雨"即非常凝练,"春夜"点明时间,"雨"点明事件,"喜"字则写明诗人的心情。开头两句围绕"好雨"二字展开,因为它知道应时而至，正当春天播种缺水时落下来。三、四句进一步写春雨的好。它在夜晚悄悄伴随着春风而来，滋润万物而没有声响。“潜入夜”和“细无声”均采用拟人的手法，将无生命的春雨写得博爱无私。这两句是千古名句，被历代传诵。五、六两句写夜中雨后的景象，田野、道路和天上的乌云都是一片漆黑，只有江上船头的渔火在闪亮，说明好雨并没有停歇，而是在连续不停地下。七、八句是诗人想象的情景，经过一整晚雨水的滋润，万物都会滋长，第二天清晨应该会看到红花带雨开放，整个锦官城繁花丛生，一片生机盎然。诗人将常见的春雨刻画得非常真切细微，并写出了好雨惠泽万物的恩德与成都满城的春色，令人叹服。同时，诗中没有一个“喜”字，但处处体现着诗人的喜悦之情。

江　亭①

坦腹江亭暖②，长吟野望时③。
水流心不竞④，云在意俱迟⑤。
寂寂春将晚⑥，欣欣物自私⑦。
故林归未得⑧，排闷强裁诗⑨。

【注释】

①江亭：浣花溪畔的凉亭。

②坦腹：坦露肚子。江亭暖：江亭里面很暖和。

③长吟野望时：在原野眺望的时候长吟。长吟，音调低缓而悠长地吟

咏。野望，眺望原野。

④竞：竞争。

⑤云在：云彩飘浮在空中。意俱迟：心意与云一样都非常迟缓闲适。

⑥寂寂：犹悄悄。春将晚：春天将要逝去。这句诗的意思是春将悄悄归去。

⑦欣欣：草木茂盛的样子。物自私：万物生长各得其所。

⑧故林：故乡。归未得：想回去而不能成行。

⑨排闷：排解心中的苦闷。强：勉强。裁诗：写诗。

【赏析】

这首诗作于唐肃宗上元二年，主要写诗人寓居成都草堂，在江边小亭独坐时的感受。诗人坦腹坐在浣花溪畔的凉亭之下，远望四野而长吟诗篇，一个生性放达、纵情江野的诗人形象呼之欲出。三、四句将诗人自身与周边的流水和云朵联系在一起，江水竞相奔流，而他的内心却异常宁静；云朵在天际迟缓地移动，他的心情与之同样悠闲。通过拟人的手法，水和云都被赋予了感情，再将诗人的形象置于其中，情景交融，展现了诗人与世无争、清闲自在的心境。接下来诗人的情感发生细微的转变，寂寥的春色将要逝去，万物欣然地生长，通过这两句景物描写，我们能隐约看出诗人寂寞无聊的心情。而最后两句的情感则更加显著，他想到江东仍处于战乱之中，虽然自己暂得一席安稳之地，但还是颦眉叹息，为国家和百姓担忧。

水槛遣心[①]二首（其一）

去郭轩楹敞[②]，无村眺望赊[③]。
澄江平少岸[④]，幽树[⑤]晚多花。
细雨鱼儿出，微风燕子斜[⑥]。
城中十万户，此地两三家。

【注释】

①水槛(jiàn)：指水亭边上的栏杆。遣心：即遣兴，抒发情怀，解闷散心。

②去郭：远离城郭。郭，城外围着城的墙。轩楹(xuān yíng)：长廊前的廊柱。轩，有窗的长廊或小屋。楹，堂屋前部的柱子。敞：(房屋、庭院等)没有遮蔽、敞开。

③无村：附近没有村庄。眺(tiào)望：从高处远望。赊(shē)：远。

④澄(chéng)江：澄清的江水。平少岸：江水与江岸齐平，因为涨水，只能看到一点江岸，所以是"少岸"。

⑤幽树：郁郁葱葱的树木。

⑥斜：侧着身子飞。

【赏析】

组诗《水槛遣心二首》作于唐肃宗上元二年，主要写杜甫在草堂水亭的槛边散心时，雨中和雨过天晴后的所见、所闻和所感。这里只选第一首，写傍晚时分微风细雨中的清幽美好景象和诗人闲适宁静的心情。首二句写草堂偏僻的位置，它离城郭遥远且庭院宽敞开阔，周围没有其他村庄，所以能够眺望远方。三、四句写景，澄净的江水浩荡，差不多与江岸齐平，傍晚葱郁的树上开满鲜花，一写远景一写近景，壮阔的气势与温馨的景致并存。五、六两句写景状物，是流传千古的名句——水中的鱼儿在细雨中浮出水面，而燕子在微风中斜飞。微风细雨，将诗中情景刻画得生动活泼，只有细雨，而不是惊涛骇浪，鱼儿才会浮出水面；唯有微风，体轻的燕子才能斜飞。“出”和“斜”二字各自写出了鱼的灵动与燕的敏捷。最后两句与首二句相呼应，将城邑与草堂对比，展示出这里远离尘世喧嚣的宁静。

江畔独步寻花①七绝句（其一）

江上被花恼不彻②，无处告诉只颠狂③。
走觅南邻④爱酒伴，经旬出饮独空床⑤。

【注释】

①江畔：指浣花溪的溪边。独步：独自一人漫步。寻花：赏花。

②被花：花朵覆盖。恼：烦恼。彻：已，尽。

③告诉：倾诉。颠狂：言谈举止违背常情，放荡不羁，这里指杜甫意乱情迷的状态。

④走觅（mì）：跑过去寻找。觅，寻觅、寻找。南邻：杜甫在这句诗下注：“斛斯融，吾酒徒。”由此可知这里的南邻指斛斯融。

⑤经旬出饮：十天前他就出门饮酒去了。独空床：只留下他的空床在家。

【赏析】

唐肃宗乾元三年(760)，杜甫借众亲友之力，在成都浣花溪边盖成一间茅屋作为自己一家人的栖息之所。春暖花开之时，诗人沿着江畔散步，据其见闻写下这组绝句。这里选取其中的第一、二、六首，此为第一首。本诗写诗人心情烦闷，便出门行走以排遣心中的不乐。江面上遍布着春花，应该是美好的景色，“被”字用法精当，写出了花多且铺排繁盛的样子。但是诗人面对江花却不胜烦恼，而且是没有人倾诉，只能进入颠狂的状态。杜甫没有在诗中具体指出烦恼原因，但无非是忧心国事，感慨自己的境遇。第三句紧承“无处告诉”，去南邻寻找平时一起喝酒的酒伴，“走”和“觅”，两个动词并列，写出了诗人边走边找的急切心情。好不容易想到一个去处，可是这个伙伴却也外出饮酒，房里的床都空了十多天了。这首诗风格平易朴实，叙事简单，因为诗人心情烦忧，又无人诉说，所以只能独步去江畔寻花，可以看作是后面六首绝句的序曲。

江畔独步寻花七绝句（其二）

稠花乱蕊裹①江滨，行步欹危实怕春②。
诗酒尚堪驱使在③，未须料理白头人④。

【注释】

①稠(chóu)花乱蕊(ruǐ)：即稠乱的花蕊。稠，浓密。乱，杂乱、散乱。

蕊，花蕊。裹(guǒ)：包裹。

②行步：脚步。欹(qī)危：倾斜、摇摇欲坠的样子，形容杜甫老态龙钟。实：实在、确实。怕春：害怕春天。

③尚堪：尚且能够。驱使：驱使诗酒，即写诗和饮酒。在：语气助词，相当于"得"。

④未须：不需要。料理：安排、照顾。白头人：老人，杜甫自指。

【赏析】

这是组诗的第二首，本首写诗人江边行步时的所见与所感。花是稠花，蕊为乱蕊，一股脑儿地全部"裹"在江中，诗人眼中的春景是杂乱无章的，他的心情仍然与第一首"恼不彻"相同。"行步欹危"写诗人年迈的样子，而怕春，是写诗人对韶光易逝的感慨，也与他步履蹒跚的"欹危"相照应。诗人的伤心恼春情绪与《绝句二首》第二首"今春看又过"中表达的情感一致。三、四两句由上文的自悲转为自慰。杜甫自述："眼下诗和酒还能听任我的驱遣，所以尚且不必担心我这个白头人。"写诗喝酒，是杜甫平日生活的概括，他虽然自称"尚堪驱使"和"未须料理"，表现出了自我安慰和积极自信的态度，但同时我们也能从中体会他感怀人生的落寞与无可奈何的情绪。

江畔独步寻花七绝句（其六）

黄四娘家花满蹊①，千朵万朵压枝低②。
留连戏蝶时时舞③，自在娇莺恰恰④啼。

【注释】

①黄四娘:姓黄,在家排行第四的妇女,应该是杜甫的邻居,名字和生平事迹不详。花满蹊:花铺满小路。

②千朵万朵:千万朵花,形容花多。压枝低:将树枝压弯。

③留连:即留恋,舍不得离开。戏蝶:嬉戏的蝴蝶。时时舞:时不时地起舞。

④自在:自由自在。娇莺:可爱的黄莺。恰恰:象声词,形容鸟叫声。

【赏析】

这是组诗的第六首,写去黄四娘家路上的见闻。首句将人名直接入诗,讲明江畔独步寻花的地点,并概写鲜花铺满整个蹊径。第二句详写花朵的繁盛,有成千上万朵拥簇在一起,将花枝压弯。三、四两句写动态的景物,留恋不舍的蝴蝶时不时起舞,自由自在的黄莺宛转啼鸣。路边的繁花盛开,加之戏蝶时舞和娇莺恰啼,构成了一幅热闹非凡的春景图。四句诗如同口语白话,简单通俗,但却写出了春天的生趣和活力,诗人那种自在轻松的心情也呈现出来了。

送韩十四江东觐省[①]

兵戈不见老莱衣[②],叹息人间万事非[③]。
我已无家[④]寻弟妹,君今何处访庭闱[⑤]?
黄牛峡静滩声转[⑥],白马江[⑦]寒树影稀。
此别应须各努力,故乡犹恐未同归[⑧]。

【注释】

①送：送行。韩十四：姓韩，在家中排行十四，名字和生平事迹不详，是杜甫的同乡。觐（jìn）省：探望双亲。觐，本指诸侯秋季朝见天子，这里指访问父母。省，省亲，指看望父母。

②兵戈：这里指战乱。老莱（lái）衣：据唐徐坚《初学记》引《孝子传》："老莱子至孝，奉二亲。行年七十，著五彩褊襕衣，弄雏鸟于亲侧。"这里引用老莱子孝敬父母的典故，说明战乱之中，很少见到孝子。

③万事非：什么事都不如从前那样好。

④无家：指杜甫的河南老家已经没有亲人居住了。

⑤访：访问，寻找。庭闱（wéi）：内舍，多指父母居住处，这里指代父母。闱，父母的居室。

⑥黄牛峡：峡谷名，位于今湖北省宜昌市，因为这里山岩是黄色而且形状像牛而命名。滩声：江水冲激滩上的石头发出的声音。转：回响。

⑦白马江：江水名，在今四川省崇州市。

⑧犹恐：仍然担心。未同归：不能一同回故乡。

【赏析】

这首诗是唐肃宗上元二年，杜甫在成都附近的蜀州白马江边送韩十四去江东探亲时所作。首二句"兵戈"、"万事非"即从大处着眼，写时代环境的恶劣。"老莱衣"，引用老莱子彩衣娱双亲的典故，紧密结合韩十四"觐省"回老家看望父母的主题。三、四两句，从大背景聚焦到诗人自己，他已经与弟妹离散多年，无家可寻；韩十四还有父母可探望，但江东一带也受到战乱侵扰，想要找到父母也并非易事，令人担忧，这是对上文"万事非"的展开。五、六两句写离别，宜昌西边的黄牛峡是韩十四省亲的必经之地，“滩声转”是想象，表达了对朋友路途的关心。而友人走后，白马江水寒，水中的树影稀疏，则预见分别后诗人孤寂落寞的心情，表达了对朋友的不舍之情。最后两句是临别寄言：分别之后应当各自努力、相互珍重。“故乡犹恐未同归”耐人寻味，“故乡同归”说明二人是同乡，“犹恐未同归”，则写出了战乱不息，人事茫茫，未来不可预测，在离愁之余，又增添一分感伤情绪。

茅屋为秋风所破[1]歌

八月秋高风怒号[2]，
卷我屋上三重茅[3]。
茅飞渡江洒江郊[4]，
高者挂罥[5]长林梢，
下者飘转沉塘坳[6]。
南村群童欺[7]我老无力，
忍能对面为盗贼[8]。
公然抱茅入竹去[9]，
唇焦口燥呼不得[10]，
归来倚杖自叹息[11]。
俄顷风定云墨色[12]，
秋天漠漠向昏黑[13]。
布衾多年冷似铁[14]，
娇儿恶卧踏里裂[15]。

床头屋漏[16]无干处，
雨脚如麻未断绝[17]。
自经丧乱[18]少睡眠，
长夜沾湿何由彻[19]？
安得广厦[20]千万间，
大庇天下寒士俱欢颜[21]，
风雨不动安如山[22]？
呜呼！何时眼前突兀见[23]此屋，
吾庐独破受冻死亦足[24]！

【注释】

①为秋风所破：被秋风吹破、损坏。

②秋高：秋季天高气爽。怒号(háo)：怒吼。号，号叫。

③三重(chóng)：三层。“三”是泛指，表示多。茅：草庐屋顶的茅草。

④渡江：渡过浣花溪。洒：洒落。江郊：江边。

⑤挂罥(juàn)：挂住。罥，悬挂。

⑥飘转：飘动辗转。塘坳(táng ào)：池塘，低洼积水的地方。

⑦欺：欺负。

⑧忍能：忍心这样。对面：当着我的面。为：做。盗贼：这里指群童的恶作剧。

⑨公然：明目张胆，毫无顾忌。抱茅：抱着茅草。入竹去：进到竹林里面去。

⑩唇焦口燥：形容说话过多而口唇干燥。呼不得：呵斥不住。

⑪归来：回来，回家。倚杖：拄着拐杖。自叹息：独自叹气。

⑫俄顷(qǐng)：一会儿，不久。云墨色：云变成黑色。

⑬漠漠:阴暗迷蒙的样子。向:接近。昏黑:天色昏暗。
⑭布衾:布做的被子。似铁:像铁板一块,非常坚硬。
⑮恶卧:睡相不好。踏里裂:蹬破了布被的里子。里,衣物的内层,与“表”相对。
⑯屋漏:房子的西北角。古人在这个位置开天窗,让阳光照射进来,所以称之为“屋漏”。床头和屋漏,泛指整间屋子。
⑰雨脚:随云飘行、长垂及地的雨点。如麻:像天上垂下来的麻线一样密集。未断绝:没有停止。
⑱自经:自从经过。丧乱:指安史之乱。
⑲长夜:漫漫长夜。沾湿:潮湿不干。何由彻:如何才能结束?彻,结束,完结。
⑳安得:如何才能得到。广厦(shà):宽敞的大屋。厦,大屋子。
㉑大庇(bì):全都遮盖、掩护起来。庇,遮蔽、掩护。寒士:出身低微的读书人。欢颜:喜笑颜开。
㉒风雨不动:不为风雨所扰动。安如山:像大山一样安稳。
㉓何时:什么时候。突兀:高耸的样子,这里指广厦。见:同“现”,出现。
㉔吾庐:我的房屋。庐,房屋。独破:独自破败。受:遭受。亦足:也感到值得。足,知足、值得。

【赏析】

唐肃宗乾元三年春天,杜甫借众亲友之力,在成都浣花溪边盖成一间茅屋作为自己一家人的栖息之所。可是到了八月,屋顶茅草被秋风刮飞,大雨又接踵而来,彻夜难眠、思虑万千的诗人写下这首千古名篇。前九句是第一部分,写杜甫屋顶的茅草被狂风卷起,有的挂在树上，有的沉入水中。然后南村的群童又将剩下的茅草公然抢走，可谓雪上加霜。然而诗人的噩运才刚开始，“归来倚杖自叹息”以下七句是第二部分，写屋破又立马遭受雨水，以至“床头屋漏无干处，雨脚如麻未断绝”。又加上布被使用多年，根本不保暖，小孩睡觉又将它踢烂，真正又旧又破。“布衾多年冷似铁，娇儿恶卧踏里裂”两句，是最形象的描写，没有真实的生活体验，无法写得如此细微。诗人艰难困苦的处境，不禁令人潸然泪下。剩余七句是第三部分，写诗人夜中无眠的感想。一晚上饱经风雨和寒冷，一向少睡眠的他，不知何时才能熬到天亮。诗人的伟大之处在于，他能推己及人，由自己的饥寒交迫想到普天下所有的寒士，于是发出“安得广厦千万间，大庇天下寒士俱欢颜”的呼声。只要眼前树立起千万间广厦，自己被冻死也心甘情愿的奉献精神，是秋风秋雨的冰冷环境中散发出的一缕光芒，也标志着杜甫思想所达到的最高境界。

不　见[①]

不见李生[②]久，佯狂真可哀[③]。
世人皆欲杀[④]，吾意独怜才[⑤]。
敏捷诗千首[⑥]，飘零[⑦]酒一杯。
匡山[⑧]读书处，头白好归来[⑨]。

【注释】

①不见：没有见面。杜甫与李白自从唐玄宗天宝四载在山东兖州分

别后，至此已有十六年未见过面。

②李生：指李白。生，古代读书人的称谓。

③佯（yáng）狂：假装颠狂。指李白因对污浊世俗的不满，便经常佯狂纵酒，表现出一副玩世不恭的样子。真可哀：真令人感到哀怜。

④皆欲杀：都想要杀掉（李白）。李白蔑视权贵，所以常被他们嫉恨。又由于永王李璘擅自带兵东巡，攻打多个地方，李白因任永王幕府而获罪在浔阳入狱，后被流放夜郎，所以朝中有人认为他有叛逆之罪，应该诛杀。

⑤吾意：我的意愿。独：独自、偏偏。怜才：爱惜他的才华。

⑥敏捷：指李白才思灵敏迅速。诗千首：写有上千首好诗。

⑦飘零：漂泊流离，指李白被流放夜郎。

⑧匡山：即四川省江油市的大匡山，李白年少时曾经读书于此。

⑨头白：头发花白，指年老。好归来：杜甫此时旅居成都，所以盼望李白年老之后可以回故乡。

【赏析】

这首诗写于唐肃宗上元二年，杜甫客居成都时期。诗题下诗人自注“近无李白消息”，可知他长时间没有李白的音讯，所以写下这首诗以表记挂之情。第二年李白就死于当涂县，这也成为杜甫怀念李白的最后一首诗。自唐玄宗天宝四载在兖州分别，二人至今已有十六年未见面，所以开篇直呼“不见李生久”，感怀直白而强烈。“佯狂真可哀”，是对李白怀才不遇的同情，引出三、四两句。世人都想杀死放荡不羁的李白，只有诗人一人爱惜他的才华，这是对李白才能的肯定和赞叹。杜甫只身一人与世人对立，衬托出他独具慧眼和对李白的知遇之情。五、六两句是对李白一生的概括，刻画出一个才气纵横而又潇洒放任的诗仙形象。最后两句回归到思念的主题，希望李白头白归来大匡山，隐居读书。全诗没有景物描写，直抒胸臆，诗人对李白的深厚情感和思念之情贯穿全篇。

赠花卿[①]

锦城丝管日纷纷[②]，半入江风半入云[③]。
此曲只应天上有，人间能得几回闻[④]？

【注释】

①花卿：指成都尹崔光远的部将花敬定，他曾经平定段子璋的叛乱。卿，古代对人的敬称。

②丝管：弦乐和管乐，这里泛指音乐。纷纷：繁多而杂乱的样子。

③半入江风：音乐随着江上的轻风流转，形容音乐清远悠长。半入云：音乐直达云霄，形容音乐激扬。

④能得几回闻：哪里能听得到几回呢？指很少有机会听到。

【赏析】

唐肃宗上元二年，梓州刺史段子璋反叛，成都尹崔光远率花敬定平息叛乱，杜甫这首《赠花卿》即作于此时。但关于其主旨，历来分为两派。有人认为本诗只是单纯赞美乐曲，没有弦外之音；也有人认为杜甫是在讽刺花敬定恃功而骄，僭用天子的礼乐。这里我们把它当成赞美乐曲的绝句来进行赏析。丝管，统指弦乐和管乐两种乐器。

“日纷纷”写出了奏乐时间长久，从早到晚整日，或者是每日“纷纷”。而“纷纷”本指事物多而杂乱的样子，这里用来形容音乐，听觉和视觉上的通感，化无形为有形。“半入江风半入云”，也是将音乐可视化，一半被江风带走，一半飘入云间，让人感受到乐曲“行云流水”般的美妙。最后两句是诗人发出的感慨，这种音乐，只有天上的神仙才会演奏，人间能有几次机会听到？想象夸张、奇特而又贴切。本诗语言平白如话，结构简单，也未对音乐进行直接描写，但通过侧面渲染和烘托，向我们传达了乐曲的魅力。

遭田父泥饮美严中丞[1]

步屧[2]随春风，村村自花柳[3]。
田翁逼社日[4]，邀我尝春酒[5]。
酒酣夸新尹[6]，畜眼未见有[7]！
回头指大男[8]，渠是弓弩手[9]。
名在飞骑籍[10]，长番岁时久[11]。
前日放营农[12]，辛苦救衰朽[13]。
差科死则已，誓不举家走[14]！
今年大作社[15]，拾遗[16]能往否？
叫妇开大瓶，盆中为吾取[17]。
感此气扬扬[18]，须知风化首[19]。
语多虽杂乱[20]，说尹终[21]在口。
朝来偶然出[22]，自卯将及酉[23]。

久客惜人情[24]，如何拒邻叟[25]？
高声索果栗[26]，欲起时被肘[27]。
指挥过无礼[28]，未觉村野丑[29]。
月出遮我留[30]，仍嗔问升斗[31]。

【注释】

①遭：遇到，指不期而遇。田父：老农。泥（nì）饮：缠着对方饮酒。泥，固执。美：赞美。严中丞：指严武（726—765），字季鹰，华州华阴人，当时担任成都尹兼御史中丞，后因军功被封为郑国公。

②步屧（xiè）：漫步。屧，木底鞋，泛指鞋。

③村村：各个村庄。自花柳：自有花红柳绿的春色。

④田翁：即田父。逼：逼近。社日：古代农民为了祈求丰收而祭祀土地神的节日，有春社和秋社，这里指春社，在春分前后。

⑤邀：邀请。春酒：冬天酿造、春天熟的酒。

⑥酒酣：酒喝得很尽兴，畅快。新尹：新上任的成都尹，指严武。

⑦畜眼：老眼。畜，通“蓄”，蓄积多年见识的眼睛。未见有：还没有见过（这样的好官）。

⑧指大男：指着大儿子。

⑨渠（qú）：他。弓弩（nǔ）手：弓箭手。弩，一种利用机械力量射箭的弓，泛指弓。

⑩名在：名字列在。飞骑：唐代皇帝的侍卫军。籍：登记姓名的册子。

⑪长番：没有更代的长期服役。根据唐代的府兵制度，将一万五千士兵分为六番，依次轮换更替。岁时久：时间长久，没有轮换。

⑫前日：前一段时间。放营农：放士兵回家务农。

⑬救：拯救，指大儿子回来。衰朽：衰老，这里是田父的自称。

⑭差科死则已，誓不举家走：差役和赋税哪怕重得逼死人，发誓也不会将全家搬走。这两句诗表达了田父对严武放他长子回家的感激。差科，差役和赋税。誓，发誓。举家，全家。

⑮大作社：隆重热闹地举办春社。

⑯拾遗：指杜甫，他曾经任左拾遗一职。这是对杜甫过去官职的称呼。

⑰盆中为吾取：帮我从盆子中取酒。

⑱感此：感觉到这里。气扬扬：生气昂扬的样子。

⑲须知：必须要知道。风化首：教化百姓的首要任务。

⑳语多虽杂乱：指田父酒后多话。

㉑说尹：谈论、赞美成都尹严武。终：始终。

㉒朝（zhāo）来：早晨。出：出门。

㉓自卯（mǎo）将及酉（yǒu）：古人将一天二十四个小时按两小时为单位，划分为十二个时辰，分别用子、丑、寅、卯、辰、巳、午、未、申、酉、戌、亥十二地支来指代。子时指半夜十一点至凌晨一点，卯则指上午五点到七点，酉则指下午五点到七点。将及，快要到。

㉔久客：长年客居在外。惜：珍惜。人情：人们对我的情谊。

㉕拒：拒绝、推辞。邻叟（sǒu）：邻家的老叟。叟，年老的男子。

㉖高声：大声，指田父。索：索要。果栗：水果和栗子，泛指下酒的果品。

㉗欲起：指杜甫想要起身告辞。时：经常，屡次。被肘（zhǒu）：被田父按住肘腕，指不让离开。肘，大臂与前臂相接处向外凸起的部分。

㉘指挥：指田父酒后指手画脚。过无礼：过于无礼。

㉙未觉：没有察觉。村野：粗野之人。丑：丑陋、粗俗。

㉚遮：遮挡、阻拦。我留：挽留我，不让离开。

㉛仍：依然，还。升斗：这里指酒。

【赏析】

宝应元年(762),杜甫针对蜀中大旱,写有《说旱》一文,向严武建议减免父母老弱的士兵家里的赋税。本诗中田翁的长子便由长番被放回家务农,田翁感恩严武和杜甫,路遇杜甫所以邀他饮酒。杜甫根据见闻和感触写下这首诗。首四句交代背景,诗人穿着草鞋,迎着春风,行走在花红柳绿的村落中。偶遇田翁,因临近社日请他尝春酒,为全诗定下欢快的基调。中间部分是田翁向杜甫陈述大男前日放归营农的详情,表达自己的喜悦和感激之情。“叫妇开大瓶”至诗尾写田翁热情地款待杜甫,好客具体表现在小瓶喝完开大瓶、从早喝到晚、大声索要果栗下酒、想走不让起身、因他喝少而生气等几个方面。通过大量符合田翁身份的语言和动作描写,细致生动地刻画了一个朴实、大方,满怀感激之情,又不乏村野气息的真实农民形象。诗人通过这首诗一方面向严武传达了田翁对他的赞美和感激之情,另一方面,杜甫也感慨仁政的易行及其巨大的力量。

闻官军收河南河北①

剑外忽传收蓟北②,初闻涕泪满衣裳③。
却看妻子愁何在④?漫卷诗书喜欲狂⑤。
白日放歌须纵酒⑥,青春作伴好还乡⑦。
即从巴峡穿巫峡⑧,便下襄阳向洛阳⑨。

【注释】

①官军:唐朝的国家军队。收:收复。河南河北:唐代宗宝应元年,唐

军收复河南的洛阳、郑州、汴州和河北的一些州郡。

②剑外:四川北部有剑门关,剑门关以南的蜀中地区称“剑外”。蓟(jì)北:泛指唐代幽州、蓟州一带,今河北省北部地区,是安史叛军的大本营。

③满衣裳:沾满衣服。衣裳,古代上衣叫衣,下衣叫裳,后来多用“衣裳”作为衣服的总称。

④却看:回头看。妻子:妻子和孩子。愁何在:哀愁在哪里?即哀愁已经无影无踪。

⑤漫卷:随意、胡乱地卷起。喜欲狂:高兴得想要发狂。

⑥白日:白天。放歌:放声歌唱。须:应当,必须。纵酒:开怀畅饮。

⑦青春:春天美好的景色与时光。作伴:与妻儿一起。好:正好、适合。还乡:返回家乡。

⑧即:立即。巴峡:位于今重庆市东南方的嘉陵江,俗称“小三峡”。穿:穿过。巫峡:长江三峡之一,位于重庆市巫山大宁河口,西连瞿塘峡,东接西陵峡。

⑨襄阳:地名,今属湖北省,杜甫的先辈为襄阳人。洛阳:杜甫籍贯是河南省巩县,三岁时移居到洛阳,便以洛阳为故乡。

【赏析】

唐代宗宝应元年冬季,唐军收复洛阳和郑、汴等州,唐代宗广德元年(763)正月,史思明的儿子史朝义兵败自缢,历经八年的安史之乱终于结束。杜甫在梓州听到这个消息,怀着狂喜的心情写下此诗,成为后代称咏的佳作。蓟北胜利的消息传至千里之外的剑外,中间用一“忽”字衔接,陡然起笔,表明诗人的诧异,“涕泪满衣裳”则是对诧异的直接体现。此时妻子儿女的愁绪也一扫而空,自己“漫卷诗书”收拾行装，达到了“喜欲狂”的地步。诗的后半部分都是诗人的想象，对此捷报，杜甫认为要白日放歌加纵酒，还应该在春光明媚的时节里结伴还乡。可见诗人已经完全按捺不住自己喷薄欲出的喜悦心情。他想立即北归，告别多年来的游荡生活。“即从巴峡穿巫峡，便下襄阳向洛阳”，其实从剑外到洛阳，路途遥远，山河阻隔，但诗人心情太好，对返回故乡又极其向往，所以能把道路写得如此平坦和容易。杜甫漂泊异乡，老景颓唐又壮志未酬，多年积压的情绪终于爆发出来，所以这首诗气势一泻千里，最具感发的力量。

送路六侍御入朝①

童稚情亲②四十年，中间消息两茫然③。
更为后会知何地④？忽漫相逢是别筵⑤！
不分桃花红似锦⑥，生憎柳絮白于棉⑦。
剑南春色还无赖⑧，触忤愁人到酒边⑨。

【注释】

①路六侍御：姓路，在家中排行第六，担任侍御的官职，其他事迹不详，是杜甫童年时的朋友。入朝：这里指去京城长安。

②情亲：情义亲厚。

③两茫然：相互之间茫然没有音讯。

④更为：更加。后会：以后相逢。知何地：不知道会是在哪里？

⑤忽漫：偶然。别筵：饯别的酒筵。这句诗的意思是，二人刚重逢，马

上就要分离。

⑥不分:没有想到。红似锦:红得像丝锦一样。锦,有彩色花纹的丝织品。

⑦生憎(zēng):非常憎恨。生,很,极其。憎,厌恶。柳絮(xù):柳树的种子,上面有白色绒毛,随风飞散如飘絮,因称柳絮。白于棉:比棉花还要洁白。

⑧无赖:无聊。

⑨触忤(wǔ):触动、冒犯。忤,不顺从。愁人:感到哀愁的人。到酒边:指饮酒。

【赏析】

因徐知道在成都叛变,杜甫避乱于梓州,唐代宗广德元年,收复幽、燕二州,史朝义自缢,安史之乱平定,好友路六侍御便由梓州回长安,杜甫写下了这首诗赠别。路六侍御的事迹不详,但通过本诗前半部分的描述可知,他和杜甫年少时便相识,至今已经四十年,但中间分离,不通消息多年。如今好不容易相逢,马上又要离别。四句诗中有四处转折,使得情感跌宕起伏,既写出了人生的悲欢离合和飘忽不定,也表达了诗人因忽漫相逢而喜悦,又因马上分别而悲伤的复杂心情。下半部分写景抒情,桃花开得红似锦缎,柳絮飘洒,白得超过棉花,两个比喻形象生动,将桃花的红和柳絮的白刻画得精妙绝伦。"剑南春色"即是对上两句的概括,"无赖"又与"不分"、"生憎"相对应。面对如此美景,诗人却嫌弃不已,只因为它们"触忤愁人"。诗人对景伤情,表达了对友人的不舍和怀念。

丹青引赠曹将军霸[1]

将军魏武[2]之子孙，于今为庶为清门[3]。
英雄割据虽已矣[4]，文采风流犹尚存[5]。
学书初学卫夫人[6]，但恨无过王右军[7]。
丹青不知老将至[8]，富贵于我如浮云[9]。
开元之中常引见[10]，承恩数上南薰殿[11]。
凌烟功臣少颜色[12]，将军下笔开生面[13]。
良相头上进贤冠[14]，猛将腰间大羽箭[15]。
褒公鄂公毛发动[16]，英姿飒爽来酣战[17]。
先帝御马玉花骢[18]，画工如山貌不同[19]。
是日牵来赤墀[20]下，迥立阊阖生长风[21]。
诏谓将军拂绢素[22]，意匠惨淡经营[23]中。
斯须九重真龙[24]出，一洗万古凡马空[25]。
玉花却在御榻上[26]，榻上庭前屹相向[27]。
至尊含笑催赐金[28]，圉人太仆皆惆怅[29]。
弟子韩幹早入室[30]，亦能画马穷殊相[31]。
幹惟画肉不画骨[32]，忍使骅骝气凋丧[33]。
将军画善盖有神[34]，必逢佳士亦写真[35]。
即今漂泊干戈际[36]，屡貌寻常行路人[37]。
途穷反遭俗眼白[38]，世上未有如公贫[39]。
但看古来盛名下[40]，终日坎壈[41]缠其身。

【注释】

①丹青:古代绘画常用的朱红色和青色两种颜料,代指绘画。引:一种古代的诗歌体裁,篇幅一般较长,音节、格律相对自由,形式有五言、七言、杂言。曹将军霸:即曹霸,三国魏曹髦的后人,是唐代著名的画家,以画人物和马著称,曾得到唐高宗的宠爱,官至左武卫将军,所以称他为曹将军。

②魏武:即魏武帝曹操。东汉献帝建安二十五年(220),魏王曹丕取代汉朝,自立为帝,国号为魏,并追尊他的父亲曹操为武皇帝。

③于今:到了如今。庶(shù):庶民,平民百姓。清门:寒门,清贫的门第。曹霸在唐玄宗末年,因为得罪朝廷,被免去官职。

④英雄割据:指曹操称霸中原,与吴、蜀形成三国鼎立的格局。割据,以武力占据部分地区,在一个国家内形成分裂对抗的局面。虽已矣:虽然已经过去了。

⑤文采风流:指曹操、曹丕和曹植三父子的文学才华和流风遗韵。犹尚存:仍然存在。

⑥卫夫人:即卫铄,字茂猗,晋代著名的女书法家,擅长隶书及正书,王羲之曾经拜她为师学习书法。

⑦恨:遗憾。无过:没有超过。王右军:即王羲之,字逸少,东晋著名书法家,琅琊(今属山东省临沂市)人,后迁至会稽山阴(今浙江省绍兴市)。被后世尊为“书圣”,他与其子王献之合称为“二王”。他的代表作《兰亭序》被誉为“天下第一行书”。

⑧丹青:这里用作动词,指作画。不知老将至:据《论语·述而》:“发愤忘食,乐以忘忧,不知老之将至云尔。”指曹霸潜心于绘画,忘记了时间。

⑨富贵于我如浮云:据《论语·述而》:“不义而富且贵,于我如浮云。”

指曹霸不慕名利。

⑩开元:唐玄宗李隆基的年号,从开元元年(713)十二月至开元二十九年(741)十二月,共二十九年。常引见:经常被皇帝接见。

⑪承恩:承蒙皇帝的恩宠。数上:多次登上。南薰(xūn)殿:唐代的宫殿名。

⑫凌烟功臣:唐太宗为了奖励开国的文武功臣,在贞观十七年(643)命阎立本等画家在凌烟阁画二十四功臣图。少颜色:指功臣图因年代久远而褪色。

⑬将军:指曹霸。下笔:下笔作画。开生面:呈现出新的面貌。

⑭良相:指功臣图中的文官。进贤冠:当时文官所戴的一种官帽。

⑮猛将:指功臣图中的武官。大羽箭:大杆长箭。

⑯褒公:即段志玄,被封为褒国公。鄂公:即尉迟恭,被封为鄂国公。毛发动:画上的毛发都动起来,形容画得栩栩如生。

⑰英姿飒爽:姿态英勇威风、神采飞扬的样子。来酣战:好像要出来与敌人大战。酣战,相持而长时间的激战。

⑱先帝:指唐玄宗,因为他在唐代宗宝应元年(762)已经去世。御马:皇帝御用的马。玉花骢:唐玄宗所骑的一匹青白色骏马。

⑲画工:画画的工匠,指画师。如山:堆积如山,形容画师很多。貌不同:画出的画都各不相同。

⑳是日:这一天,当天。赤墀(chí):也叫丹墀,指宫殿前用红颜色涂饰的台阶。墀,台阶上的空地,也可指台阶。

㉑迥(jiǒng)立:昂首站立。迥,高。长风:远风,大风。

㉒诏:皇帝的诏令。谓:说。绢素:绘画用的白绢。这句诗的意思是,皇帝命令曹霸铺好白绢,准备画马。

㉓意匠:指画家的立意和构思。惨淡:苦费心思。经营:筹划。

㉔九重：九重门，指代皇宫。真龙：指玉花骢。

㉕一洗：一扫。万古：万代。凡马：所有的马。空：指不放在眼里。

㉖玉花却在御榻上：曹霸画的玉花骢反而像真正的马，出现在皇帝的御榻上。玉花，即玉花骢。却在，反而在。

㉗榻上：指画中的马。庭前：指现实中真正的马。屹（yì）：屹立，高高地站立。相向：面对面。

㉘至尊：指唐玄宗。含笑：面露微笑。赐金：赏赐黄金。

㉙圉（yǔ）人：管理御马的官吏。太仆：管理皇帝车马的官吏。惆怅（chóu chàng）：伤感失意的样子，这里指他们内心嫉妒。

㉚韩幹：唐代著名画家，擅长画人物，更擅长画鞍马。他最初拜曹霸为师，后来自成一家。早：很早。入室：比喻学问或技能获得师传，达到了高深的地步。据《论语·先进》："由也，升堂矣。未入于室也。"

㉛亦能：也能。穷殊相：穷尽各种不同的相貌形姿。

㉜幹：指韩幹。惟：只是。画肉不画骨：指画出皮肉面相，而画不出马的精神风骨。

㉝忍使：残忍地让。骅骝（huá liú）：周穆王八骏之一，后来泛指赤红色的骏马。气：神气，风骨。凋丧：凋零、丧失。

㉞画善：画得好。盖有神：大概是有神明帮助。盖，表示推测，相当于"大约"、"大概"。

㉟逢：碰到。佳士：品行或才学优良的人。写真：画肖像。

㊱即今：如今。漂泊：指没有固定的住所和职业。干戈际：战乱之时。

㊲貌：这里用作动词，即为人画像。寻常行路人：指一般人。

㊳途穷：路途穷尽，比喻走投无路的艰难处境。反遭：反而遭受。俗眼白：俗人的白眼，即被普通人轻视。

㊴世上未有如公贫：世上还没有像你这样贫困的人，即贫困到极点。
㊵古来：自古以来。盛名下：指享有非常高名声的人。
㊶坎壈(lǎn)：穷困。

【赏析】

唐代宗广德二年(764)，杜甫在成都与盛唐时春风得意、如今潦倒落泊的画人物和马的大师曹霸相识，因同情他的不幸遭遇，感怀时事，写下这首诗。开头四句统摄全篇，说曹霸是曹操后裔，但如今沦为庶民。虽然曹操称霸中原的历史已经远去，但曹氏的文采风流至今犹存。两处转折，让文势跌宕起伏。接下来的四句写曹霸学习东晋卫夫人的书法，用“但恨无过王右军”，说明他自视甚高。一生痴迷于绘画，不知老之将至，也不倾心于富贵，总写他的艺术精神和道德情操。再以下二十句是全诗的核心部分，大肆着墨于曹霸为唐玄宗重画凌烟阁上的功臣像和御马玉花骢。杜甫将画人略写，画马详写，剪裁得当，旨在说明曹霸画马技能独步当时。诗人从画马的神速、栩栩如生、皇帝称赏、圉人太仆惆怅和弟子不及等五个方面渲染曹霸画艺的精湛。最后八句从追溯昔日盛况回到惨淡现实，曹霸过去遇到佳士才肯写真，现在沦落到为寻常路人作画，从原来的不轻易提笔到现在为生计所迫。画家的“漂泊干戈际”的遭遇与诗人同病相怜，引起了他的共鸣，发出了古往今来负有盛名之人，整日都被穷困缠身的感慨，也表达了他对世事变迁、羁旅无依和郁郁不得志的无限悲伤。

倦　　夜[①]

竹凉侵卧内[②]，野月满庭隅[③]。
重露成涓滴[④]，稀星乍有无[⑤]。
暗飞萤自照[⑥]，水宿鸟相呼[⑦]。
万事干戈[⑧]里，空悲清夜徂[⑨]！

【注释】

①倦夜：疲倦的夜晚。

②竹凉：竹林中传来的凉气。侵：侵入、侵袭。卧内：卧室，室内。

③野月：野外的月亮。庭隅：庭院的角落。

④重露：浓重的露水。涓(juān)滴：水点。涓，细小的流水。

⑤稀星：稀疏的星辰。乍(zhà)有无：若有若无。乍，忽然。

⑥暗飞：黑暗中飞行。萤自照：指萤火虫自己发出光亮。

⑦水宿：在水中休息过夜，这里指栖息于水中。相呼：相互叫唤。

⑧万事：一切事情。干戈：这里指战乱。

⑨空：白白地。清夜：清凉的夜晚。徂：消逝、逝去。

【赏析】

这首诗作于唐代宗广德二年，主要写月夜见闻和感想。前六句写夜景。一、二句写竹间的凉气侵入卧室，乡野的月光洒满庭院的每一个角落。这两句写出秋天夜晚郊野的凄冷，统领全诗的情感基调。

三、四句写浓重的露水凝成水滴，稀疏的星星时隐时现。这两句紧承上文，露珠是凝结在竹叶上，凉气也与露珠呼应；月朗方能星稀。五、六两句又写动态的景致，采用倒装句式，将主语列入两个并列谓语之间，使得句式内部形成波折起伏并达到陌生化的艺术效果。本诗题作“倦夜”，全诗到此处为止，全为景语，诗人退居景语之后，似乎看不到倦意。但从月满庭隅到萤暗飞，说明时间流逝，月已落下，表明诗人整晚都辗转难眠，所以是“倦夜”。最后画龙点睛，交代难以入睡的原因，国家战事频仍，万事纷扰，所以只能空自叹惜整整一夜。“清夜徂”三字也写出了杜甫无眠。全诗通过写杜甫的无心睡眠，刻画出了一个忧国忧民的崇高人物形象。

将赴成都草堂途中有作先寄严郑公[①]五首（其四）

常苦沙崩损药栏[②]，也从江槛落风湍[③]。
新松恨不高千尺[④]，恶竹应须斩万竿[⑤]。
生理只凭黄阁老[⑥]，衰颜欲付紫金丹[⑦]。
三年奔走空皮骨[⑧]，信有人间行路难[⑨]。

【注释】

①途中有作：路途中写有诗。先寄：提前寄给。严郑公：指严武。

②常苦：经常为……感到苦恼。沙崩（bēng）：水岸崩塌。损：损坏。药栏：芍药的栅栏，这里泛指花栏。

③也从：也随同。江槛（kǎn）：临江的栏杆。落：掉进。风湍（tuān）：

风大水急。湍，急流。

④新松：小的松树。恨不高千尺：恨不得它们都长得有一千尺之高。千尺，泛指高。

⑤恶竹：可恶的竹子，这里诗人为它们生长迅速并侵扰其他植物而感到讨厌。应须：应该要。斩(zhǎn)：砍断。万竿：一万根，泛指多。竿，竹子的主干，这里指一根竹子。

⑥生理：生计，生活。只凭：只能凭靠。黄阁老：指严武。唐代中书省和门下省官员称为"阁老"，严武当时以黄门侍郎的身份出任东西川节度使兼成都尹，所以称他为"黄阁老"。

⑦衰颜：衰败的容颜，指年老。欲付：想要托付给。紫金丹：道家烧炼的丹药。

⑧三年奔走：杜甫于唐代宗宝应元年与严武分别，漂泊辗转于梓州、阆州，到唐代宗广德二年才又回到成都草堂，将近三年时间奔走于外。空皮骨：只剩下皮和骨头，形容自己消瘦。

⑨信有：确实相信存在。人间：人世间，现实生活中。行路难：指道路艰难。

【赏析】

徐知道据成都叛乱，所以杜甫离开成都草堂，避难梓州、阆州等地。唐代宗广德二年，严武重还成都镇守，蜀中动乱平定，杜甫也从阆州返回成都，途中写下五首诗。此为第四首。本诗的上半部分是对成都草堂的描述，杜甫常常担心沙岸崩塌压坏药栏，于是曾在江边竖起木栅栏来抵御风对沙岸的摧蚀。当初新栽的松苗，恨不得它已经长成千尺高的参天大树，而那些疯长的竹子即使有一万根也应该被砍掉。诗人喜欢松树，是因为它俊秀挺拔，岁寒而后凋；痛恨竹子，是由于它蔓延丛生，骄横跋扈。对松、竹表现出的强烈好恶，其实是他见善必从、疾恶如仇品质的反映。诗的后半部分回归到“寄严郑公”的题意上：今后一家的生计就全靠严武了，至于这衰老的容颜，就托付给那能让人返老还童的紫金丹了，表达了对严武的仰仗。最后两句从展望未来转到回顾过去的艰辛，三年来奔走于梓、阆二州间，避乱他乡，漂泊无依，瘦得只剩下皮包骨了。诗人情感复杂，既对重回成都草堂有美好的憧憬，又悲痛于过去的逃难生活。归根结底，是因为身处乱世的诗人对个人的生活和国家的命运都怀有深深的忧虑。

登　楼

花近高楼伤客心①，万方多难此登临②。
锦江春色来天地③，玉垒浮云变古今④。
北极朝廷终不改⑤，西山寇盗莫相侵⑥。
可怜后主还祠庙⑦，日暮聊为《梁父吟》⑧。

【注释】

①花近高楼：指繁花生长在高楼的附近。客心：客居他乡人的心，这里指杜甫。

②万方：指四方各地。多难：国家很多祸乱，具体指唐代宗广德元年，安史之乱刚被平定，吐蕃又攻陷长安。此：此时，这个时候。登临：登高临下。

③锦江:即濯锦江,是岷江的支流,流经成都。成都出产的锦都在江中漂洗,所以被命名为“濯锦江”。来天地:指充满天地之间。

④玉垒:山名,位于四川省灌县西边,成都的西北边。浮云变古今:飘浮的白云变幻莫测,就像古今的世事一样。

⑤北极朝廷终不改:这里把唐王朝比作永远指向北方且又受众星拱卫的北极星,表明唐李氏王朝的稳固。

⑥西山:指四川省西部与吐蕃交界地区的雪山。寇(kòu)盗:盗贼,这里指吐蕃。莫相侵:不要前来侵扰。

⑦后主:指刘备的儿子刘禅。陈寿曾经在蜀国作过官,所以他在写《三国志》时,就称刘备为先主,刘禅为后主。还祠庙:尚且还有祠庙。成都锦官门外有蜀先主(刘备)庙,西边有武侯(诸葛亮)祠,东边即为后主祠。这句诗借刘禅虽然昏庸无能做了亡国之君,但他有诸葛亮的辅佐,死后尚有神庙之事,来讽刺唐代宗重用程无振、鱼朝恩这样的宦官。

⑧聊为:指不甘心这样做,但因没有别的办法姑且为之。《梁父吟》:乐府歌名,据《三国志》记载,诸葛亮在南阳隐居时,经常吟诵《梁父吟》。

【赏析】

这首诗写于唐代宗广德二年,杜甫客居成都的第五年。广德元年正月,安史之乱平定。十月,吐蕃又攻陷长安,代宗奔陕州,后郭子仪收复京师。年底吐蕃又连破数州。面对当时复杂的政治形势,诗人登楼远望写下此诗。首联总领全诗,“此登临”的是高楼,万方多难所以才伤客心。颔联写景,锦江的春色铺天盖地而来,玉垒山上的浮云从亘古以来就不断变化。江水和山云、天地和古今,这些意象使本诗气势雄浑、境界开阔,同时"浮云变古今"暗指动荡不安的时局。颈联叙事,用北极星永远指向北方象征朝廷不改,反映出对国家安定繁荣的渴望和信心。"西山寇盗莫相侵"指吐蕃不断侵扰,有信心的同时又露出忧患意识。以上六句,一、三、五句是针对春色、朝廷,二、四、六句指代盗寇侵辱,结构上横向对立,纵向统一,共同形成一个整体。尾联引用诸葛亮和刘禅的典故,既讽刺代宗像后主刘禅一样宠幸宦官,又希望朝廷像重用诸葛亮一样起用诗人自己。全诗即景抒怀,融自然景象、国家灾难、个人情思为一体,语壮境阔,寄慨遥深,体现了诗人沉郁顿挫的艺术风格。

绝句二首(其一)

迟日江山丽①,春风花草香。
泥融②飞燕子,沙③暖睡鸳鸯。

【注释】

①江山丽:山川风景秀丽。

②泥融:泥土湿润。

③沙:沙滩。

【赏析】

这两首绝句是唐代宗广德二年杜甫在成都时所作。此为组诗的第一首。本诗开头从大处着笔,写春天江山的明丽。用"丽"字点染江山，粗笔勾画出江水、山峰给人的整体印象。第二句，草绿花开，春风拂过，带来清幽的芳香。“香”字写出了春天的气息和味道，表现出了春天的温暖和生机。三、四两句由静态的山川花草转向更加灵性的动物。燕子来回穿梭，衔泥筑巢；鸳鸯在沙洲上卧睡，沐浴阳光，一切都是那么的温馨和美好。燕子忙碌地飞驰，鸳鸯闲适地安睡，动静结合，各自成趣。“融”和“暖”用字精炼，冻泥开始融化，沙洲也被晒暖，包含天气转暖、万物复苏、欣欣向荣的意味。全诗语言清新明快，对仗工整又不露雕琢的痕迹。全诗都在写景，诗人欢快愉悦的心情表露在字里行间。

绝句二首（其二）

江碧①鸟逾白，山青花欲然②。
今春看又过③，何日是归年④？

【注释】

①江碧：江山碧绿。
②花欲然：“然”同“燃”。花快要燃烧起来，形容花红似火。
③今春看又过：今年的春天眼看又要过完了。
④何日是归年：哪一年才是回家的日期？

【赏析】

此为组诗的第二首。本诗上半部分继续写春景，但下半部分则抒发诗人羁留他乡、思家心切的情感。“江碧鸟逾白，山青花欲然”，两句之间正对，单句内部又反对——因为江水碧绿，更加映衬出鸟的洁白，山的青翠欲滴又和花的红艳对比。“碧”、“白”、“青”再加上一个“然”，光鲜艳丽。第一句没有一个动词，却通过颜色对比，传达出白鸟在江面上飞驰而过的情态。“然”字将静止的颜色挑动起来，花朵鲜红无比，就像燃烧的烈火。“欲”字将花拟人化，与“然”字组合在一起，仿佛是花自己想要燃烧，愈发显得山花的红鲜灿烂由内而外，绚丽无比。可是面对如此美景，诗人却感慨时光荏苒，春天不是自己流逝的，而是在诗人眼中“看”过的，足见杜甫深感岁月蹉跎。诗人羁旅成都，北归遥遥无期，不禁自问“何日是归年”，传达了他思家心切和归家无望的失落与感伤。

忆昔二首（其一）

忆昔先皇巡①朔方，千乘万骑入咸阳②。
阴山骄子汗血马③，长驱东胡胡走藏④。
邺城反覆⑤不足怪，关中小儿坏纪纲⑥，
张后不乐上为忙⑦。
至今今上犹拨乱⑧，劳身焦思补四方⑨。
我昔近侍叨奉引⑩，出兵整肃不可当⑪。
为留猛士守未央⑫，致使岐雍防西羌⑬。
犬戎直来坐御床⑭，百官跣足随天王⑮。
愿见北地傅介子⑯，老儒不用尚书郎⑰。

【注释】

①先皇：指唐肃宗李亨，至德元载至宝应元年在位。巡朔方：指唐肃宗在灵武即位。巡，巡幸。

②千乘万骑入咸阳：指唐肃宗至德二载九月，收复长安，十月唐肃宗回京。千乘万骑，形容车马之盛。咸阳，秦朝的都城，这里借指长安。

③阴山骄子：指帮助唐朝平定安史之乱的回纥军队。阴山，回纥聚居地，在今内蒙古中部。

④东胡：指安庆绪的叛军。胡走藏：胡人逃走躲藏。这里指唐肃宗借回纥军队收复东西二京，安庆绪逃奔至河北。

⑤邺城反覆：指唐肃宗乾元元年，唐朝郭子仪、李光弼、王思礼等九节度使的军队将安庆绪包围在邺城，但当时已经投降的史思明又反叛，打败九节度使，救走安庆绪，洛阳又沦陷。

⑥关中小儿：指李辅国，据《旧唐书·宦官传》载："李辅国，闲厩马家小儿，少为阉，貌陋，粗知书计，为仆事高力士。"关中，这里指长安。纪纲：即纲纪，国家的法令制度。

⑦张后：即张良娣，原是唐肃宗的妃子，乾元元年立为皇后。据《旧唐书·后妃传》载："皇后宠遇专房，与中官李辅国持权禁中，干预政事。请谒过当，帝颇不悦，无如之何。"不乐：不高兴。上：皇上，指唐肃宗。为忙：为之手忙脚乱。

⑧今上：当今的皇上，指唐代宗李豫，宝应元年至大历十四年(779)在位。犹：仍然。拨乱：平定祸乱。

⑨劳身焦思：身体劳累，内心焦虑。补：补救。四方：指全国各地。

⑩近侍：指杜甫曾经担任唐肃宗的左拾遗一职，因为在皇帝左右，所以称为"近侍"。叨(tāo)：承担，这里是谦辞。奉引：为皇帝前导

引车。

⑪出兵整肃不可当：指唐代宗还是太子时，以广平王拜天下兵马元帅，统帅军队，先后收复两京。不可当，势不可挡。

⑫猛士：指郭子仪。守未央：指唐代宗宝应元年，代宗听信宦官程元振的谗言，夺取郭子仪的兵权，让他闲置在长安。守，留守。未央，汉代的未央宫，这里借指唐代长安的宫殿。

⑬岐雍：岐指岐州，雍是岐州的治所，在今陕西省凤翔的南边。西羌(qiāng)：指吐蕃。

⑭犬戎：也是指吐蕃。坐御床：指唐代宗广德元年十月，吐蕃入侵，唐代宗逃往陕州，长安再一次沦陷。御床，皇帝用的坐卧具。

⑮跣(xiǎn)足：光着脚，形容逃跑时的狼狈。天王：指唐代宗。

⑯愿见北地傅介子：据《汉书·傅介子传》记载，傅介子是西汉时的北地人，曾经斩下楼兰王的头，将其悬挂于北阙之上。杜甫这里是希望有一个像傅介子般的英雄为国雪耻。

⑰老儒：衰老的儒生，杜甫自称。不用尚书郎：意思是只要有傅介子般的英雄，自己不必担任尚书郎。当时杜甫回到成都，严武上疏表奏他为尚书员外郎。《木兰辞》又有“可汗问所欲，木兰不用尚书郎”的诗句。

【赏析】

《忆昔二首》组诗，作于唐代宗广德二年，吐蕃攻陷长安，代宗又复国时。此为组诗的第一首。本诗主要是讽刺唐肃宗宠信宦官李辅国和皇后张良娣，希望唐代宗引以为戒。全诗用“忆昔”二字总领全篇，先写唐肃宗终于回到都城长安，安庆绪也败逃至河北邺城。没想到邺城战事反复，史思明和安庆绪重新打败九节度使，洛阳又陷落。

可是杜甫认为这“不足怪”，接下来的两句便解释，是因为李辅国破坏纲纪，张皇后为所欲为。诗人这里有明显的讽刺和规劝意图。接下来，诗人回忆了唐代宗做太子时，统帅军队势不可挡的气势，以及听信宦官程元振，不重用郭子仪，导致长安被吐蕃攻陷，皇帝和大臣仓皇逃往陕州的悲哀。最后两句，诗人希望能有像傅介子一般的英雄能够力挽狂澜，自己的仕途都可以弃之不顾，足见他心系天下、乐于牺牲小我的奉献精神。全诗将唐肃宗和唐代宗二人的事迹剪裁入诗，并分别用先扬后抑的手法，指出他们的弊病，最后再表达自己的意愿，结构上完整清晰，内容上发人深省。

忆昔二首（其二）

忆昔开元全盛①日，小邑犹藏万家室②。
稻米流脂粟米③白，公私仓廪俱丰实④。
九州道路无豺虎⑤，远行不劳吉日出⑥。
齐纨鲁缟车班班⑦，男耕女桑不相失⑧。
宫中圣人奏《云门》⑨，天下朋友皆胶漆⑩。
百余年间未灾变⑪，叔孙礼乐萧何律⑫。
岂闻一绢直⑬万钱，有田种谷今流血⑭。
洛阳宫殿烧焚尽⑮，宗庙新除狐兔穴⑯。
伤心不忍问耆旧⑰，复恐初从乱离说⑱。
小臣鲁钝⑲无所能，朝廷记识蒙禄秩⑳。
周宣中兴望我皇㉑，洒血江汉身衰疾㉒。

【注释】

①开元全盛：开元盛世是中国历史上有名的治世之一。全盛，非常兴盛。

②小邑犹藏万家室：连小城都有上万户人家，形容开元盛世人丁兴旺。小邑，小城。藏，居住。

③流脂：形容稻米颗粒饱满圆润。粟米：即小米，呈黄白色，以白色为佳。

④仓廪(lǐn)：储存谷的叫仓，储存米的叫廪，这里泛指储藏米谷的仓库。丰实：充实。

⑤九州：上古时代将中国划分为九个州，后来泛指全国。豺虎：豺与虎，这里比喻盗贼。

⑥不劳：不需要。吉日出：好日子出行。古人迷信，出行前要占卜选择吉日，以避免灾祸。这里是指开元盛世天下太平，可以随时出门远行。

⑦齐纨鲁缟：指山东一带生产的精美丝织品。齐和鲁，是春秋时的两个国家名，齐国在泰山之北，鲁国在泰山之南，后用来指代山东一带的地区。班班：络绎不绝的样子。

⑧桑：指养蚕织布。不相失：指各不失时，得其所而安其业。

⑨奏《云门》：演奏《云门》乐曲。《云门》，乐舞名，相传为黄帝所作，用来祭祀天神。

⑩胶漆：胶和漆，是两种最有黏性的东西，用来比喻情投意合，亲密无间。

⑪百余年间：指从唐朝开国(618)到开元二十九年(741)，一百多年的时间。未灾变：没有发生大的灾难和变故。

⑫叔孙礼乐萧何律：西汉初年，高祖命叔孙通制定礼乐，萧何制定律

令。这里杜甫是用西汉的礼仪和法令制度比喻开元时代的政治情况。

⑬岂闻：哪里听说。一绢：一匹绢。绢，一种薄而坚韧的丝织品。直：同“值”。

⑭有田种谷今流血：过去凡是田地都种植了谷物，如今却到处都在打仗流血。

⑮洛阳宫殿烧焚尽：这里用东汉末年董卓烧洛阳宫殿之事喻指唐朝两京遭到严重破坏。

⑯宗庙：皇家的祖庙。新除：刚刚打扫。唐代宗广德元年(763)年十月，吐蕃攻入长安，抢掠十五天后，唐代宗才返回长安。这首诗写于唐代宗回长安后不久，所以称作“新除”。狐兔穴：指被吐蕃占领过的长安。颜之推《古意二首》中有“狐兔穴宗庙，霜露沾朝市”的诗句。

⑰耆(qí)旧：老人，这里指经历过开元盛世的老人。耆，六十岁以上的人。

⑱复恐初从乱离说：恐怕他们又要从最初的安史之乱开始说起。乱离，指天宝末年的安史之乱。

⑲小臣：杜甫自称。鲁钝：愚笨迟钝。

⑳记识(zhì)：记住、记得。蒙禄秩(zhì)：承蒙授予俸禄和官阶，这里指杜甫被召补任京兆功曹，但他没有赴任。

㉑我皇：我们的皇上，指唐代宗。

㉒洒血：抛洒热血。江汉：泛指巴蜀地区。衰疾：衰老和疾病。指杜甫愿意为国家中兴出一己之力，哪怕身体衰老而又疾病缠身。

【赏析】

此为组诗的第二首。与第一首旨在讽刺唐肃宗不同，这首诗主要是通过回忆，对比唐朝安史之乱前后截然不同的社会生活，表达诗人悲痛乱离而渴盼兴复的心情。开篇仍然用“忆昔”二字领起，并且“开元全盛日”可以作为以下十一句的纲要。“全盛”体现在人丁兴旺、粮食丰实、社会安宁、农商业繁荣、朋友亲善等各个方面。朝廷之中也是奏舞《云门》，一百多年没有大的灾害，一片太平盛世的景象。这首诗的前四句，经常被后人用来形容和描绘大唐“开元盛世”兴盛繁荣的面貌。本诗的前十四句为上半部分，回忆开元盛日；从十五句开始，便回到残酷现实。安史之乱后，田地荒芜，物价飞涨，一匹绢竟值万钱。两京被抢掠一空，皇家的宫殿和宗庙都被焚毁。“伤心不忍问耆旧，复恐初从乱离说”，是从侧面反映安史叛乱给国家和人民带来的灾难和沉痛的记忆。最后四句，诗人回到自身，写他鲁钝无能，虽被朝廷授予官职，但自己处境艰难，不能赴任。诗人始终不忘国家，希望唐代宗能早日中兴，哪怕自己身体衰老、疾病缠身。

宿　府[①]

清秋幕府井梧[②]寒，独宿江城蜡炬残[③]。
永夜角声悲自语[④]，中天月色好谁看[⑤]？
风尘荏苒音书绝[⑥]，关塞萧条行路难[⑦]。
已忍伶俜十年事[⑧]，强移栖息一枝安[⑨]。

【注释】

①府：幕府。幕府，后世用来指代地方掌握军政大权官吏的府地，这

里指节度使严武的衙门。

②清秋:明净爽朗的秋天。井梧:井边的梧桐树。

③江城:指成都,因为有锦江穿过,所以称为“江城”。蜡炬:蜡烛。残:指蜡烛快要烧完。

④永夜:整夜。角声:军营的号角声。悲自语:指角声悲惨,像人在自言自语。

⑤中天:半空之中。好谁看:美好的月色有谁欣赏?

⑥风尘荏苒(rěn rǎn):指战乱已久。荏苒,指时间推移。音书绝:音讯和书信断绝。

⑦萧条:凋零破败的样子。行路难:路途艰难。

⑧已忍:已经忍受。十年事:从唐玄宗天宝十四载安史之乱爆发到唐代宗广德二年杜甫写这首诗之时,正好是十年。

⑨强移:勉强移居。栖(qī)息:暂停、寄居。一枝安:语出《庄子·逍遥游》:“鹪鹩巢于深林,不过一枝。”安,安稳、安定。

【赏析】

唐代宗广德二年,杜甫任成都尹兼剑南节度使严武的幕府参谋,因每天要进谒参见,处理俗务,便长期住在府内。这首诗便是写诗人独宿府内时的所见与所感。诗的前半部分写景,时值秋季,幕府中井边的梧桐透着一丝寒意,诗人独自一人无心睡眠,眼看着蜡烛烧尽,营造出清寒悲凉的氛围。夜不能寐的诗人,又听到悲凄的号角声传来,增添了他的愁绪;中天的月色再美也无心欣赏,徒增思乡之情。三、四两句的句法也别具一格,七言一般是四、三的节奏,而这一联却是四、一、二的句式,每句中有三个停顿,强调角声的“悲”和月色的“好”。诗的后半部分直接抒怀,时光荏苒,没有故乡的音信,何况关塞阻隔，路途艰难，重回长安的希望渺茫。这种羁旅生活已经延续十年，“已忍”说明还没有尽头，如今在幕府任参谋的生活就像胸无大志的鷦鹩一样，只是勉强暂借一个树枝栖息。诗中抒发的感情还是伤时感事，表达了诗人对国家动乱的忧虑和他漂泊流离的愁闷。

绝句四首（其三）

两个黄鹂鸣翠柳①，一行白鹭上青天②。
窗含西岭千秋雪③，门泊东吴万里船④。

【注释】

①鸣：鸣叫。翠柳：翠绿的柳树。

②白鹭(lù)：即鹭鸶，羽毛纯白，能飞得很高。青天：蔚蓝色的天空。

③窗含：指透过窗户看窗外的景物。西岭：指成都西南边的岷山。千秋雪：山顶上常年不化的积雪。

④门泊(bó)：门口停泊。东吴万里船：从万里之外的东吴驶来的船只。东吴，指长江下游的江苏一带。

【赏析】

唐代宗广德二年，成都尹严武入朝后重新还归成都镇守，蜀中动乱平定，于是杜甫从梓州重返成都草堂。诗人衣食有了保障，心情愉悦，即兴写下了这组绝句。此为组诗的第三首，是历来为人称道的写景名篇。前两句对仗，黄鹂、翠柳、白鹭和青天，四种亮丽的颜色，让人感受到初夏的清亮明丽。两只黄鹂点缀在翠柳间，青天上白鹭排成行，构图有背景、有重点，组成一幅有声有色、主次分明的夏景图。后两句从门窗中取景的手法，令人拍案叫绝。坐在屋内远眺，西岭的积雪像是“含”在窗上，停泊在江边的船只犹“泊”在门框里，诗人以近观远，借助窗户和门框，将外面的实景描绘成两幅画。小小的窗户和门框，再与“千秋雪”和“万里船”相对，尺幅千里，层次分明而又意境开阔。全诗一句一景，看似独立，但它们是以诗人视线的游移为线索，统一于整个草堂的夏景和诗人陶然自得的心情。

禹　　庙①

禹庙空山②里，秋风落日斜。
荒庭垂橘柚③，古屋画龙蛇④。
云气生虚壁⑤，江声走白沙⑥。
早知乘四载⑦，疏凿控三巴⑧。

【注释】

①禹庙：建在忠州临江县（今重庆市忠县）临江山崖上的大禹庙。禹，上古传说中，因为禹治理黄河泛滥的洪水有功，受舜的禅让而继承帝位，建立夏朝。

②空山：寂静少人烟的山林。

③垂：悬挂在树上。橘柚：水果名，这里是诗人化用《尚书·禹贡》中“厥包桔柚，锡贡”的典故。

④古屋画龙蛇：这里指古屋的墙壁上画着大禹驱龙蛇的故事。据《淮南子·精神训》载："禹南省方，济于江，黄龙负舟，舟中之人五色无主，禹乃熙笑而称曰：'我受命于天，竭力而劳万民，生寄也，死归也，何足以滑和？'视龙犹蝘蜓，颜色不变，龙乃弭耳掉尾而逃。"

⑤虚壁：陡峭的岩壁。

⑥江声：江水流动的声音。走白沙：指江水卷走白色的泥沙。

⑦早知乘四载（zài）：大禹治水乘四载的事，我早就从书上知道。四载，传说中大禹治水时所使用的四种交通工具。据《史记·夏本纪》载："陆行乘车，水行乘船，泥行乘橇，山行乘檋。"

⑧疏凿：凿开疏通。控：控制、降服。三巴：东汉末年刘璋分蜀地为巴东郡、巴郡和巴西郡。

【赏析】

唐代宗永泰元年（765），杜甫带着家眷离开成都草堂，泛舟东下，途经忠州，参谒了建在临江山崖上的禹庙，写成此篇。全诗层次分明地描写了禹庙内外的景致和大禹当年治水的功绩。首二句开门见山，写秋天傍晚来到禹庙的景象，空山荒凉，加上秋风飒飒，烘托出古庙周围森严的环境氛围。三、四句写禹庙内部，先用"荒"和"古"概述外庭和内屋古朴荒凉的整体特点，然后分别在这两个空间里选取橘柚树和龙蛇画进行刻画，橘柚橙黄的色彩和龙蛇飞舞的灵动，给荒古的禹庙带来了生机和活力。诗人精心又巧妙的布局，消除了诗的呆板与凝滞。五、六两句写庙外江崖上的景色，"虚"字写出了石壁的陡峭和宽大，加上云气附着，可以想象岩壁上雾气笼罩的胜境；浩荡的江水急流而下，像在白沙上奔跑，想象逼真而又生动。最后两句回顾大禹治水，陆乘车、水乘舟、泥乘橇、山乘檋是杜甫早就在书上看过的方法，而他凿石开山、疏通三巴的史实就在眼前，虚实、古今结合，表达了对大禹治水的辛劳和功绩的极力赞叹。

旅夜书怀①

细草微风岸②，危樯独夜舟③。
星垂平野阔④，月涌⑤大江流。
名岂文章著⑥？官应老病休⑦。
飘飘何所似⑧？天地一沙鸥⑨。

【注释】

①旅夜：旅居他乡的一个夜晚。书怀：写诗抒发自己的情怀。

②细草微风岸：微风吹动江岸边的细草。

③危樯：高高的船桅杆。独夜舟：夜晚独自一个人泊船江边。

④星垂：星空低垂。平野阔：原野广阔。

⑤月涌：指月光的倒影随着大江涌动。

⑥名岂文章著：我的名声哪里是因为擅长写文章而显著？杜甫确实是因为文章而著名，可他这里却偏说不是，为了表明他还有别的抱负。岂，难道。著，显现、显扬。

⑦官应老病休：我的官位倒是因为年老多病而被罢退的。应，应该。休，停止。

⑧飘飘：漂泊不定的样子。何所似：像什么？

⑨沙鸥：栖息在沙洲上的鸥鸟。

【赏析】

唐代宗永泰元年，杜甫带着家眷离开成都草堂，泛舟东下，这首诗便是他途经渝州、忠州一带时所写。诗的上半部分写“旅夜”的情景，一、二两句是近景，微风吹拂着岸上的细草，桅杆直立的小船在江面上停泊，一写岸上，一写水中；三、四两句是远景，星辰低垂，原野广阔；月光照临，江水奔流，也是一写岸上，一写水中。诗人只是简单勾勒了各自的动态和相互间的关系，便展现出了雄浑阔大的境界。同时这些景物还暗含深意，广阔的原野和永恒的星星、月亮、流水，反衬自身的渺小和速老。所以诗的下半部分，诗人回顾往事，“名岂文章著？官应老病休”，这两句是正话反说，来表现他内心的愤愤不平。诗人有着远大的政治理想和抱负，他渴望通过立功以不朽，可是他的名声却偏偏是因文章而显扬。虽然确实年迈多病，但这并非他休官的真正原因，而是不受重用、受到排挤。最后两句借景抒情，把自己比喻为一只天地间的沙鸥，转徙江湖，表明自己无可奈何的感伤情绪，真是一字一泪，感人至深。

漫成①一绝

江月去人只数尺②，风灯照夜欲三更③。
沙头宿鹭联拳④静，船尾跳鱼拨剌⑤鸣。

【注释】

①漫成：随意、信手写成。

②江月：江水中月亮的倒影。去人只数尺：离人的距离只有几尺远。

③风灯：船桅杆上面挂着的照夜灯，因为有纸罩住避风，所以称之为“风灯”。欲三更：快到三更。三更，古人把一整天分为十二个时辰，其中全部属于晚上的五个时辰称为五更。晚上七到九点是一更，十一点至凌晨一点是三更，即半夜。

④沙头：沙洲边。宿鹭：栖息、夜宿的白鹭。联拳：蜷缩的样子。

⑤拨剌（bō là）：鱼在水里跳跃所发出的声音。

【赏析】

这首七绝是杜甫从云安赴夔州途中所作，主要记录舟中所见的夜景。诗人不写天上的月亮，而着眼于江月，烘托出水天一色、宁静唯美的环境氛围。风灯是用纸将灯罩住以避风雨，但根据诗人的景物描写，当时江面平静，应该没有起风，所以风灯只是具体的事物。半夜的江上，一盏孤灯映照夜空，反而显得更加寂静。江面的月影和船桅的风灯，两团光亮互相辉映，衬托出祥和无边的沉沉夜色。透过灯光，诗人从船上远望岸上的鹭鸶安静地蜷在一起，船尾不时传来鱼跳出水面的声响。由船边的江月再到船上的风灯，诗人的目光由远及近；然后再写到岸上的鹭鸶，又是由近及远；最后再到船尾的鱼声，又是由远及近，表现出了诗人清晰连贯的思维。加之明、暗与动、静各自参差结合，将江中月夜写得层次丰富而又意境圆融。

秋兴[1]八首（其一）

玉露凋伤[2]枫树林，巫山巫峡气萧森[3]。
江间波浪兼天涌[4]，塞上风云接地阴[5]。
丛菊两开他日[6]泪，孤舟一系故园[7]心。
寒衣处处催刀尺[8]，白帝城高急暮砧[9]。

【注释】

①秋兴：因为秋天而感发的兴致。

②玉露：白如玉的露水。凋伤：草木零落枯萎。

③巫山巫峡：巫山在今重庆市巫山县东边。气萧森：气象萧瑟阴森。

④兼天涌：指波浪滔天。兼天，连天。

⑤塞上：指夔州一带的山峰，因为地势险峻而被称为"塞上"。风云接地阴：指风云盖地，使得气色阴暗。

⑥丛菊两开：菊花开过两次。杜甫前一年秋天在云安，这一年秋天在夔州，他离开成都已经两年。他日：异日、往日，指多年来的艰难岁月。

⑦系：既指孤舟被系在岸边，又指杜甫心系家乡。故园：故乡。

⑧寒衣：冬天穿的棉衣。刀尺：做衣服用的剪刀和尺子，这里指裁衣。

⑨白帝城：地名，位于重庆市奉节县瞿塘峡口的长江北岸，奉节东边的白帝山上。急暮砧：黄昏时分急促的捣衣声。砧，捣衣石，古代洗衣服时，垫在下面以供捶砸的石头。

【赏析】

《秋兴》八首,是杜甫于唐代宗大历元年旅居夔州时所作。虽然当时安史之乱已结束,但吐蕃、回纥相继乘虚而入,加之藩镇割据,国难边愁频仍。严武去世,杜甫在成都失去依靠,于是顺江东下,滞留在夔州。这组诗便是以悲秋怀旧为主题,抒发诗人晚年多病、壮志难酬的落寞心境。这是组诗的第一首。本诗是整组诗的序曲,描写巫山巫峡的秋色、秋声,表达诗人羁旅无依的悲情。江间的波浪向天涌,塞上的云气几乎压迫地面,云浪将天地连成一片,混沌阴沉,是诗人抑郁心情的写照。"丛菊两开",说明杜甫离开成都已两年,"孤舟一系",写出了他孤苦清贫,而这两句诗又落脚在"故园心",可见诗人时刻心系故乡。最后两句,处处催寒衣,诗人却无寒衣御冬;捣砧急促,是别人都在置办新衣。诗人听闻,只能愈发悲苦。

秋兴八首(其二)

夔府孤城落日斜①,每依北斗②望京华。
听猿实下三声泪③,奉使虚随八月槎④。
画省香炉违伏枕⑤,山楼粉堞隐悲笳⑥。
请看石上藤萝月⑦,已映洲前芦荻⑧花。

【注释】

①夔(kuí)府:唐太宗贞观十四年(640)在夔州设立都督府,所以称这里为"夔府",治所在奉节。斜:西斜。

②每依:经常依靠。北斗:北斗七星。

③听猿:听到猿猴的叫声。实下:真的流下。三声泪:语出郦道元《水经注·江水》:“巴东三峡巫峡长,猿鸣三声泪沾裳。”

④奉使:奉命出使。虚随:这里指严武曾经奏表杜甫为检校工部员外郎,进入严武成都节度使的幕府任参谋,本来是希望和他一起返回朝廷。可是后来严武病逝于成都,杜甫想要跟随他回京的愿望落空,所以是“虚随”。八月槎(chá):据晋张华《博物志》载:“旧说云天河与海通。近世有人居海渚者,年年八月有浮槎去来,不失期。”杜甫用这个典故表达想返回长安的愿望。槎,木筏。

⑤画省:指尚书省,汉代尚书省以胡粉涂壁,以紫素色的线条为界,在墙壁上画古代烈士像,所以又称为“画省”。香炉:官员进入尚书省值班供职的时候,会有两名宫中女官手捧香炉跟随。当时杜甫任检校工部员外郎,隶属于尚书省。违伏枕:指因病而未能去供职。违,指与自己的心愿相违背。伏枕,伏在枕头上,指生病。

⑥山楼:指白帝城上的城楼。粉堞(dié):粉刷过的城墙。堞,城上如齿状的矮墙。隐:隐隐传来。悲笳:悲凉的胡笳声。

⑦石上藤萝月:月光照射石头上的藤萝。藤萝:植物名,枝条自然弯曲,大多攀附在花架、山石上面。

⑧已映:已经照射。芦荻(dí):芦苇和荻花。荻,多年生的草本植物,生长在水边,叶子呈长形,像芦苇。秋天开紫色的花,茎可以编凉席。

【赏析】

这是组诗的第二首。本诗写诗人由傍晚直至深夜,无心睡眠时的所见、所闻和所感。孤城日落,辰星当空,诗人循着北斗星的方向遥望北方的京城，思念故土之情集中体现在“每”这一字上。“猿鸣三声泪沾裳”本是民谣，可诗人在夜间听到猿啼，果真洒下泪水，他的真挚情感印证了民谣所言不虚。“虚随”和“违”，写自己虽然被授予检校工部员外郎，但却不能回京供职，他将这一事融入乘槎上天的典故中，浑然无迹。尚书省的香炉只能在脑中想一想，他当时的心情必定是愤懑的，别无他事，只好伏枕睡觉，可偏偏又听到悲凉的胡笳声隐隐从城墙上传来，这更加令人无法入睡。诗人索性起身踱步，看到原来投射在藤萝上的月光，现在已经照亮沙洲前的芦苇和荻花。诗人巧妙地通过月亮的移动来寓示夜已过半，良宵又已虚度，表明诗人对长安的深切怀念以及他心怀家国的烦闷心情。

秋兴八首（其三）

千家山郭静朝晖①，日日江楼坐翠微②。
信宿渔人还泛泛③，清秋燕子故飞飞④。
匡衡抗疏功名薄⑤，刘向传经心事违⑥。
同学少年多不贱⑦，五陵衣马自轻肥⑧。

【注释】

①山郭：山城，这里指夔州。朝晖（huī）：早晨的阳光。晖，阳光。

②江楼：江边的楼。坐翠微：面对着青翠的山峰而坐。翠微，青翠的山。

③信宿：即再宿。住宿两晚叫“信”。还泛泛：依然在泛舟。

④故：本来、仍旧。飞飞：指飞来飞去。

⑤匡衡：字稚圭，西汉人，曾经因“凿壁偷光”苦读的事迹闻名当世。匡衡先后担任光禄大夫等官职，多次上疏汉元帝议论时政。抗疏：向皇帝上书直言进谏。功名薄：杜甫虽然像匡衡一样进谏，却没能像他一样显达。这里指杜甫担任左拾遗时上疏救宰相房琯而受到贬斥一事。功名，功绩和名位，这里指官位。薄，少。

⑥刘向：字子政，是西汉著名的经学家。曾在石渠阁为汉宣帝讲论“五经”，汉成帝时又受命整理校点皇家内府的书籍。传经：指刘向传授经书。心事违：这里指杜甫和刘向一样饱读诗书，却无法像他一样为皇帝讲学。

⑦同学少年：指年少时的同学。多不贱：大多都不再贫贱，即已经地位显赫。

⑧五陵：指长陵、安陵、阳陵、茂陵和平陵这五个汉代皇帝的陵墓，因为当时富家豪族和外戚都居住在五陵附近，所以后世多用“五陵”指代京城的富豪子弟。衣马自轻肥：衣轻马肥，即穿轻裘，乘肥马，比喻富贵的生活。

【赏析】

这是组诗的第三首。本诗写诗人清晨坐在夔州楼头所见的风景。夔州有千家万户仅用一“静”字托出，刻画出朝晖沐浴下的城郭静谧的景象。高山环绕在楼前，“坐翠微”三字既写出了诗人与山对坐的方位，又写出了山的颜色，极为精炼。渔人泛泛、燕子飞飞，则由静景转入动景。渔人连着两晚都在江上泛舟，早该离去的燕子仍然飞来绕去，于单纯的语境中读出诗人烦恼不安的心情。诗的后半部分议论抒怀，五、六句反用匡衡和刘向的典故，杜甫虽像匡衡那样抗颜直谏，却“功名薄”，虽也像刘向一样熟读儒家经典，但却没能实现“至君尧舜上”的理想。再想想旧日的同学少年现在都肥马轻裘，相比之下，自己愈发悲哀。但“自轻肥”中的“自”字有任由他们的意思，诗人并不那么在乎他们的荣华富贵。所以最后看似不经意的一笔，却巧妙、隐蔽地传达出诗人的志向。

秋兴八首（其四）

闻道长安似弈棋①，百年世事不胜悲②。
王侯第宅皆新主③，文武衣冠异昔时④。
直北关山金鼓振⑤，征西车马羽书驰⑥。
鱼龙寂寞⑦秋江冷，故国平居有所思⑧。

【注释】

①似弈(yì)棋：长安政局像下棋一样变化反复。弈，下棋。

②百年：指从唐太宗贞观之治以来的一百多年时间。世事：指唐王朝由盛转衰。不胜悲：悲不自胜。胜，能承担。

③第宅：府第、住宅。皆新主：全都换了新主人。

④文武：朝廷的文武大臣。衣冠：衣服和礼帽。异昔时：与过去不同。

⑤直北：即正北，长安北边，指与北边回纥之间的战事。关山：山名，位于今甘肃省天水市。金鼓：指金钲和战鼓，古代打仗用金鼓传达信号，命令军队进攻就打鼓，即鸣鼓而攻；命令军队收后或后退就击钲，即鸣金收兵。这里用“金鼓”指战争。振：振动。

⑥征西：指与西边吐蕃之间的战事。征，讨伐。羽书：即羽檄，插着羽毛的军用紧急公文。驰：飞驰，形容紧急。

⑦鱼龙寂寞：指江水中的鱼和龙潜藏起来，不再游动。

⑧故国：指长安。平居：平日的居处，指平时。有所思：有所思念。

【赏析】

这是组诗的第四首。本诗写诗人身处夔州，根据传闻、自己往昔的记忆，再添加自己的联想，勾画长安政治军事形势，抒发他对长安的思念之情。前四句感伤长安朝局的变迁，将政治易主比喻为“弈棋”，互有胜负，生动贴切，是对长安一破于安禄山，再陷于吐蕃的高度概括。自己国家的命运好似弈棋，难免不对建国百年来的唐王朝怀有不尽的悲伤。而这种悲伤具体而微，包括王侯的府邸都换了主人，朝中的文武百官也不同于往昔。下半部分写边境的隐忧，长安正北方的金鼓声振，讨伐回纥，而向西征讨吐蕃的紧急文书日夜飞驰，通过回忆广德、永泰年间的战事，表达了杜甫对国事的关心和担忧。最后两句，用写景抒情作结，秋天江水冰冷，水中的鱼龙也寂寞不已，这其实是诗人用鱼龙自喻。独自一人，无所事事，因为曾经在长安居住长达十年的时间，所以回忆起了往昔的岁月。“有所思”不仅总结本诗，还引出之后四首诗。

秋兴八首（其五）

蓬莱宫阙对南山[1]，承露金茎霄汉间[2]。
西望瑶池降王母[3]，东来紫气满函关[4]。
云移雉尾开宫扇[5]，日绕龙鳞识圣颜[6]。
一卧沧江惊岁晚[7]，几回青琐点朝班[8]？

【注释】

①蓬莱宫阙：指大明宫。蓬莱，本是汉代的宫殿名，唐高宗龙朔二年(662)重修大明宫后，改名为蓬莱宫。宫阙，古代帝王所居住的宫殿，因宫门外有双阙，故称宫阙。

②承露：汉武帝在建章宫西边神明台上修建仙人承露盘，用来承接露水，再拌玉屑饮用，以求长生不老。金茎：承露盘下的铜柱。唐代没有承露盘，这里是以汉喻唐。霄汉间：高高耸立于云霄之间，形容承露金茎非常高。霄汉，云霄和天河，指天空。

③降王母：王母降临。

④东来紫气满函关：据《列仙传》载："老子西游，关令尹喜望见有紫气浮关，而老子果乘青牛而过也。"后来用"紫气东来"表示祥瑞。函关，指函谷关，位于今河南省灵宝市西南的关口，东起崤山，西至潼津，地形极为险要。因是战国时秦国所建，所以又被称作"秦关"。

⑤云移：指雉尾扇像云彩一般移动。雉(zhì)尾：即雉尾扇，是帝王所用一种的仪仗，皇帝登殿时两边的扇羽合起来，坐定后再打开。

雉，俗称野鸡，雄雉羽毛很美，长尾巴；雌雉羽毛淡黄褐色，尾巴较短。其羽毛可做装饰品。开宫扇：雉尾扇打开。

⑥日绕：日光萦绕。龙鳞：皇帝衮袍上所绣的龙纹。识：认识、见识。圣颜：皇帝的容貌。

⑦一：自从。卧：病卧。沧江：指长江，因为江水呈现青苍色，所以称为"沧江"。惊：惊呼。岁晚：既指快到年末，又指自己年老。

⑧几回：能有几次？青琐：汉未央宫的门名，门上用青色涂抹，并镂刻有连环花纹，这里借指唐朝的皇宫门。点朝班：指群臣上朝时，殿上依班次点名传呼百官朝见天子。

【赏析】

这是组诗的第五首。本诗描写长安蓬莱宫的壮丽，同时回忆自己入朝见圣时的场景。首二句写蓬莱宫与南山相对的地理位置，承露金茎本来是汉武帝所做的承露铜柱，唐代没有承露盘的记载，杜甫是借汉代的事物来写唐代宫阙的富丽堂皇，达到虚实相生的效果。三、四两句，蓬莱宫西望瑶池，王母来降，紫气东来充满函谷关，是借助神话传说映衬宫殿的仙气萦绕，也反映当时尊崇神仙、渴望长生的社会风气。前对南山，西眺瑶池，东瞰函关，上达霄汉，诗歌写出了蓬莱宫的气势恢宏和巍峨姿态。诗的下半部分追溯诗人入朝觐君之事，第五句写天子早朝场面的肃穆庄严。"日绕龙鳞"，日光照耀在龙袍上，光彩夺目，真如龙鳞一般，又与前面雉尾如云一起，表现了天子的皇权和威严。最后两句，诗人从追忆回到病卧沧江的现实，他虽曾几度入宫，列座就班，但现在岁暮年老，只剩下无奈和悲痛。

秋兴八首（其六）

瞿塘峡口曲江头[①]，万里风烟接素秋[②]。
花萼夹城通御气[③]，芙蓉小苑入边愁[④]。
珠帘绣柱围黄鹄[⑤]，锦缆牙樯起[⑥]白鸥。
回首可怜歌舞地[⑦]，秦中自古帝王州[⑧]。

【注释】

①瞿塘峡：长江三峡之一，在夔州东边。头：岸边。

②万里：指夔州与长安相距万里。风烟：风尘、烟雾。接：连接。素秋：秋季。古代按五行的说法，秋属金，其色白，所以称为素秋。

③花萼(è)：即花萼相辉楼，在长安南内兴庆宫西南角。夹城：据《长安志》记载，唐玄宗开元二十年，从大明宫依城修建复道，经过通化门，一直到兴庆宫，最后到曲江芙蓉园。夹城就是指复道。通御气：指皇帝往来于夹城。

④芙蓉小苑：即芙蓉园，也称为南苑，在曲江西南。入边愁：传来边地战乱的消息，指安史之乱。

⑤珠帘：珍珠串成的帘子。绣柱：锦绣包裹的柱子。黄鹄：即天鹅。据《汉书·昭帝纪》载："始元元年春，黄鹄下建章宫太液池中。"

⑥锦缆：彩丝做的船索。牙樯：象牙装饰的桅杆。起：惊起。

⑦歌舞地：指曲江苑。

⑧秦中：指今陕西省中部平原地区，因春秋战国时期属于秦国，所以称作"秦中"。自古帝王州：自古以来都是帝王建都之地。

【赏析】

这是组诗的第六首。本诗回忆唐玄宗昔日在曲江游幸的景象。诗人身处夔州，曲江是长安东南的游览胜地，所以用风烟和素秋将相距万里的瞿塘峡和曲江联系在一起，笔下咫尺，地上千里，诗的开篇便气势不凡。三、四句是对史实的诗意描述，据史书记载，唐玄宗派人扩充花萼楼，然后修筑夹城，直通曲江芙蓉苑。当安禄山反叛的消息传来后，玄宗在花萼楼置酒，四顾凄怆。五、六句继续回忆曲江宫室美轮美奂，游船鳞次栉比。黄鹄围绕着珠帘绣柱翩然起舞，白鸥也从船上的锦缆和帆樯上高飞。杜甫匠心独运，将呆板的珠帘绣柱和锦缆牙樯，加入了黄鹄和白鸥，整首诗马上灵动起来，充满仙气。只可惜这些都是昙花一现，随着动乱付之一炬。这些当时繁华的歌舞升平之地，只能令诗人可怜回首。但最后一句“秦中自古帝王州”，诗人在悲伤和无限惋惜之余，仍存一丝希望，秦中自古以来就是帝王建都之地，今日的动乱，或可转为来日之盛世。

秋兴八首（其七）

昆明池水汉时功①，武帝旌旗在眼中②。
织女机丝虚夜月③，石鲸鳞甲动秋风④。
波漂菰米沉云黑⑤，露冷莲房坠粉红⑥。
关塞极天唯鸟道⑦，江湖满地一渔翁⑧。

【注释】

①昆明池水:即昆明池,方圆四十里,遗址在今西安市西南斗门镇一带。汉时功:汉代所建。据《汉书·武帝纪》记载,元狩三年(前 120)在长安仿照昆明滇池而凿建昆明池,用来练习水战。

②武帝:汉武帝。在眼中:似乎还在眼前。唐玄宗为了攻打南诏,也曾经在昆明池演习水兵。

③织女:在昆明池的岸边有织女的石像。机丝:织布机上的丝线。虚夜月:白白地在月夜下伫立。

④石鲸:在昆明池岸边的石刻鲸鱼。鳞甲:动物用以保护躯体的甲壳。动秋风:在秋风中闪动。

⑤波漂:漂浮在水面上。菰(gū)米:菰的种子。菰,即茭白,一种草本植物,生长在浅水中,叶子像芦苇,根茎可食。种子呈黑褐色,形状像米,可以食用。沉云黑:像黑沉沉的乌云。

⑥露冷莲房:露水使莲房变冷。莲房,即莲蓬。坠粉红:因莲蓬成熟,所以粉红的花瓣坠落水中。

⑦关塞:这里指夔州山川。极天:高耸入天。唯鸟道:只有鸟的通道,形容道路高峻险要,只有飞鸟可通过。

⑧江湖满地:指江湖虽然广大,但苦无归宿。渔翁:杜甫自比。

【赏析】

这是组诗的第七首。本诗回忆长安的昆明池。首二句写昆明池早在汉代就已经开凿,汉武帝的旌旗仿佛还飘扬在他的眼前。回顾过去,让昆明池有了历史的厚重和沧桑。接下来的四句,诗人分别写了昆明池的四种景物:岸边的织女石像在月夜下停止了织布,去欣赏美景;玉石做的鲸鱼的鳞片在秋风中闪动;菰米黑压压的,像一片云随波漂浮在水面上;荷花沾带着冷露坠落,给池水敷上了一层粉红。昆明池是如此的美好清丽,令诗人魂牵梦绕。可是现实中,诗人身居南地,昆明池坐落北方,南北相隔,中间山川连绵、高耸入天,只有鸟才能飞过。诗人想回到长安,却无法实现,只好在这江湖上做一个渔翁,独自漂泊。诗人不甘心做一介渔翁,但他年迈倾颓,还京无期,也无法再睹昆明池的盛景,更无法再见昔日安宁和富饶的国家,诗人心中的遗憾和失落不言而喻。

秋兴八首(其八)

昆吾御宿自逶迤①,紫阁峰阴②入渼陂。
香稻啄余鹦鹉粒③,碧梧栖老凤凰枝④。
佳人拾翠春相问⑤,仙侣同舟晚更移⑥。
彩笔昔曾干气象⑦,白头吟望苦低垂⑧。

【注释】

①昆吾:汉武帝上林苑中的地名,在今陕西省蓝田县西边。御宿:御宿川,又称樊川,在今陕西省西安市长安区杜曲至韦曲一带。昆吾和御宿是从长安去渼陂的必经之地。自:自然。逶迤:道路蜿蜒曲折的样子。

②紫阁峰:终南山中的一处山峰名,在今陕西省户县东南。阴:山的北边和水的南边,因为很少有阳光照射,所以称为“阴”。

③香稻啄余鹦鹉粒:即“鹦鹉啄余香稻粒”,即使是剩下的香稻粒,也

是鹦鹉吃剩下的，形容渼陂物产之丰。余，剩余、剩下。鹦鹉，鸟名，羽毛鲜艳，能模仿人说话。

④碧梧栖老凤凰枝：即"凤凰栖老碧梧枝"，即使梧桐枝老，也是凤凰栖息过的，形容渼陂风物之美。栖，鸟禽歇息。

⑤拾翠：拾取翠鸟的羽毛。语出曹植《洛神赋》："或采明珠，或拾翠羽。"相问：相互赠送礼物，示以问候。

⑥仙侣：美好的伴侣。据《后汉书·郭泰传》载："林宗与李膺同舟而济，众宾望之，以为神仙焉。"晚更移：天晚还要划船夜游。

⑦彩笔：五色之笔，比喻华美的文笔。语出《南史·江淹传》："梦一丈夫自称郭璞，谓淹曰：'吾有笔在卿处多年，可以见还。'淹乃探怀中，得五色笔一，以授之。尔后为诗绝无美句，时人谓之才尽。"昔曾：过去曾经。干气象：指杜甫曾经在唐玄宗天宝十载献《三大礼赋》，得唐玄宗赞赏。干，干涉，干预。气象，指朝政。

⑧白头：年老。吟望：遥望长安而吟诗。吟，唱。苦低垂：痛苦地低垂下头。

【赏析】

这是组诗的最后一首。本诗回忆自己和友人们一起游览渼陂的情形。第一句写出行路线，取道昆吾、御居，一路逶迤而行才到达渼陂。"紫阁峰阴入渼陂"，将山水结合在一起，有如画境。同时交代了渼陂在紫阁峰的北面和陂水的清澈。三、四两句的倒装手法，历来为人称道。正常的顺序应该是"鹦鹉啄残香稻粒，凤凰栖老碧梧枝"，突出了渼陂物产之丰和风物之美。香稻和碧梧是诗人想重点突出的真实意象，所以将主宾倒置，同时起到了陌生化的效果，令人印象深刻。五、六两句，写郊游拾翠、同舟的细节。佳人拾翠融入曹植《洛神赋》

中“或采明珠，或拾翠羽”的典故，仙侣同舟融入林宗与李膺同舟的典故，虚实相映，给游人添上一层神仙色彩，将渼陂营造成一个仙境，体现了游玩的乐趣和诗人的眷恋。最后两句，诗人从美好的追忆回到残酷的现实，以当年才华横溢反衬今日才思枯竭，总结全诗，言外有无穷苦闷与叹息。

江　　汉①

江汉思归客②，乾坤一腐儒③。
片云天共远④，永夜月同孤⑤。
落日心犹壮⑥，秋风病欲苏⑦。
古来存老马，不必取长途⑧。

【注释】

①江汉：这首诗写于湖北省江陵、公安一带，正好处于长江和汉水之间，所以称作“江汉”。

②思归客：想要返回故乡的旅客。

③腐儒：迂腐而不知变通的读书人，这里是杜甫自称，有自我嘲讽的意味。

④片云天共远：自己和那片云彩一样，都远在天的另外一边。

⑤永夜月同孤：自己同这孤单的明月一起度过长夜。

⑥落日：指杜甫晚年。心犹壮：内心仍然存有壮志。

⑦病欲苏：病快要好了。苏，复苏、好转。

⑧古来存老马，不必取长途：这里引用《韩非子·说林上》中“老马识途”的典故，齐桓公讨伐孤竹后，在返回途中迷路，他采用管仲的“老马之智可用”的建议，让老马在前面带路，从而找到了正确的路。这里杜甫将自己比作老马，虽然气力衰竭，但还可以为朝廷贡献自己的心智。存，留存。不必取长途，不一定是取用它能跑很远路程的能力。

【赏析】

唐代宗大历三年(768)，杜甫从夔州出峡，寓居于湖北江陵、公安等地，这首诗便写他在江汉的漂泊。一、二句中写无垠的江汉中独立着一个思归的旅客，广阔的天地间徘徊着一个腐儒。江汉和天地的宽广，衬托出诗人身躯的渺小和微弱。“乾坤”与“腐儒”是尖锐的对立，乾坤不仅指现实中的天地，更指代诗人经天纬地的志向，而腐儒则表明他的抱负未得施展。简单的五个字中内含的张力，表达的是诗人的失落和无奈，使诗的内容更加丰富深刻。三、四两句写景，片云天远，象征游子离家万里；永夜月孤，喻指思家怀人。诗的后半部分由悲情转为积极高涨的情绪。“落日”并非实景，而是指代诗人暮年，他年老但壮志犹存，面对秋风飒飒，反而觉得病体有康复的迹象，生动地表现了他老当益壮、积极乐观的精神。最后两句是对这种进取精神的延续，说明自己虽然年老气竭，但还有用武之地。杜甫这首诗一反晚年落泊、伤感的情绪，充分表现了他雄心未泯、壮心不已的精神，令人感动。

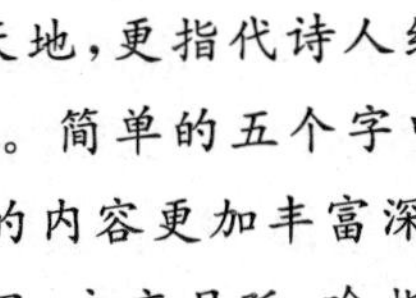

壮　　游[①]

往昔十四五[②]，出游翰墨场[③]。
斯文崔魏徒[④]，以我似班扬[⑤]。
七龄思即壮[⑥]，开口咏凤凰[⑦]。
九龄书大字[⑧]，有作成一囊[⑨]。
性豪业嗜酒[⑩]，嫉恶怀刚肠[⑪]。
脱略小时辈[⑫]，结交皆老苍[⑬]。
饮酣视八极[⑭]，俗物多茫茫[⑮]。
东下姑苏台[⑯]，已具浮海航[⑰]。
到今有遗恨，不得穷扶桑[⑱]。
王谢风流远[⑲]，阖庐丘墓[⑳]荒。
剑池石壁仄[㉑]，长洲荷芰[㉒]香。
嵯峨阊门[㉓]北，清庙映回塘[㉔]。
每趋吴太伯[㉕]，抚事泪浪浪[㉖]。
枕戈忆勾践[㉗]，渡浙想秦皇[㉘]。
蒸鱼闻匕首[㉙]，除道哂要章[㉚]。
越女天下白[㉛]，鉴湖[㉜]五月凉。
剡溪蕴秀异[㉝]，欲罢[㉞]不能忘。
归帆拂天姥[㉟]，中岁贡旧乡[㊱]。
气劘屈贾垒[㊲]，目短曹刘墙[㊳]。
忤下考功第[㊴]，独辞京尹堂[㊵]。

放荡齐赵[41]间，裘马颇清狂[42]。
春歌丛台[43]上，冬猎青丘[44]旁。
呼鹰皂枥林，逐兽云雪冈[45]。
射飞曾纵鞚[46]，引臂落鹙鸧[47]。
苏侯据鞍喜[48]，忽如携葛强[49]。
快意[50]八九年，西归到咸阳[51]。
许与必词伯[52]，赏游实贤王[53]。
曳裾置醴[54]地，奏赋入明光[55]。
天子废食召[56]，群公会轩裳[57]。
脱身无所爱[58]，痛饮信行藏[59]。
黑貂不免敝[60]，斑鬓兀称觞[61]。
杜曲换耆旧[62]，四郊多白杨[63]。
坐深乡党[64]敬，日觉死生忙[65]。
朱门务倾夺[66]，赤族迭罹殃[67]。
国马竭[68]粟豆，官鸡输稻粱[69]。
举隅见烦费[70]，引古惜兴亡[71]。
河朔风尘起[72]，岷山行幸长[73]。
两宫各警跸[74]，万里遥相望[75]。
崆峒杀气黑[76]，少海旌旗黄[77]。
禹功亦命子[78]，涿鹿亲戎行[79]。
翠华拥吴岳[80]，螭虎啖豺狼[81]。
爪牙一不中[82]，胡兵更陆梁[83]。
大军载草草[84]，凋瘵满膏肓[85]。
备员窃补衮[86]，忧愤心飞扬[87]。
上感九庙焚[88]，下悯万民疮[89]。

斯时伏青蒲[90]，廷诤守御床[91]。
君辱敢爱死[92]？赫怒幸无伤[93]。
圣哲体仁恕[94]，宇县复小康[95]。
哭庙灰烬[96]中，鼻酸朝[97]未央。
小臣议论绝[98]，老病客殊方[99]。
郁郁苦不展[100]，羽翮困低昂[101]。
秋风动[102]哀壑，碧蕙捐微芳[103]。
之推避赏从[104]，渔父濯沧浪[105]。
荣华敌勋业[106]，岁暮有严霜[107]。
吾观鸱夷子[108]，才格出寻常[109]。
群凶逆未定[110]，侧伫英俊翔[111]。

【注释】

①壮游：心怀壮志而出游。

②往昔：过去。十四五：指杜甫十四五岁的时候。杜甫生于唐玄宗先天元年(712)，他十四五岁时是唐玄宗开元十三、十四年(725、726)。

③出游：指出入。翰(hàn)墨场：指文坛。翰，本指长而坚硬的羽毛，这里指代毛笔。

④斯文：指儒士、文人。崔魏徒：这句诗下杜甫自注："崔郑州尚，魏豫州启心。"那么崔、魏指崔尚和魏启心二人。徒：同一类的人。

⑤以我似：认为我像。班扬：指汉代的班固和扬雄。班固(32—92)，字孟坚，扶风安陵(今陕西省咸阳东北)人，东汉著名史学家、文学家。撰有《两都赋》，是"汉赋四大家"之一，也是《汉书》的作者。

⑥思即壮：思维便敏捷。

⑦开口咏凤凰：一开口便能以“凤凰”为对象，歌咏一首诗出来。

⑧书大字：书写毛笔字。

⑨有作：拥有的诗歌作品。成一囊：可以装一口袋。

⑩性豪：性情豪放。业：既，又。嗜酒：喜欢喝酒。

⑪嫉恶：憎恨坏人坏事。怀：怀有。刚肠：刚直的内心。

⑫脱略：放荡不羁。小：小看，轻视。时辈：同时之辈，指同龄人。

⑬结交：交际往来。老苍：鬓发灰白的老人。

⑭饮酣：喝酒喝得很畅快。视：看。八极：指东、西、南、北、东南、西南、西北、东北八个方向中极其遥远的地方。

⑮俗物：庸人俗世。多茫茫：看不见，指不放在眼里。

⑯东下：向东行走。因为东边地势低，所以称为“东下”。姑苏台：在苏州城外西南隅的姑苏山上，传说是吴王阖庐建造。

⑰已具：已经做好准备。浮海航：在海上航行，指出海。

⑱到今有遗恨，不得穷扶桑：直到今天还有遗憾，因为没有远到扶桑。穷，到达极点，这里指到达目的地。扶桑，古国家名，它的位置和方向，大约相当于现在的日本。

⑲王谢：六朝望族琅琊王氏与陈郡谢氏的合称。风流远：他们的风采已经远去。

⑳阖庐：即吴王阖庐，又写作“阖闾”，公元前515年，吴王阖庐派专诸刺杀吴王僚，夺取吴国王位。然后任用伍子胥为相，孙武为将军，使吴国日益强大。丘墓：坟墓。据《越绝书》记载，阖庐的坟墓在苏州市阊门外。阖庐下葬三天后，有白虎卧在上面，因此称为“虎丘”。

㉑剑池：位于虎丘，长约六十步，深约二丈，终年不干，池水清澈见底，可以饮用。仄(zè)：倾斜。

㉒长洲:长洲苑,在今江苏省苏州市西南、太湖北。吴王阖庐曾在这里游猎。荷芰(jì):荷叶与菱叶。

㉓嵯峨(cuó é):形容山势险峻。阊门:苏州古城之西门,通往虎丘方向。

㉔清庙:即太庙,这里指吴太伯的宗庙。映:倒映。回塘:环曲的水池。

㉕每:每次。趋(qū):快速地走,这里指前往。吴太伯:即周古公亶父的长子,仲雍、季历之兄。古公亶父想将王位传给季历,再由季历传给他的儿子周文王,于是太伯与仲雍避让出逃。吴太伯后来成为吴国第一代君主。

㉖泪浪浪:泪流不止的样子。

㉗枕戈:枕着武器睡觉。勾践:即越王勾践,他曾被吴王夫差打败,被困于会稽,随从只剩五千人。向夫差求和后,勾践回国任用范蠡、文种,卧薪尝胆二十年后,又重新打败夫差,灭掉吴国,成为春秋时期最后一位霸主。

㉘渡浙:坐船渡过浙江。秦皇:即秦始皇嬴政,他灭掉六国,统一全国,建立中国历史上的第一个中央集权国家。秦始皇曾巡游浙江会稽。

㉙蒸鱼闻匕首:据《史记·刺客列传》记载,吴国的公子光置办酒席宴请吴王僚,想在酒宴上刺杀他。于是派专诸将匕首藏在鱼肚之中,进献给吴王僚,然后将其杀死。吴王僚死后,公子光自立为王,即后来的吴王阖庐。

㉚除道哂(shěn)要章:据《汉书·朱买臣传》记载,会稽人朱买臣在贫贱时被人鄙视,妻子也嫌贫爱富而改嫁。后来他官至会稽太守,便故意穿着原来的旧衣服回乡,但官员发现他腰间挂着太守印章后,

非常震惊,马上便派人除道欢迎。他又看到前妻与她的丈夫在修路,于是将他们带回官舍,前妻羞愧地自杀了。除道,开辟、修治道路。哂,嘲笑。要章,即“腰章”,指挂在腰间的印章。杜甫认为朱买臣这种行为非常庸俗可笑,所以是“哂要章”。

㉛越女:越国的女子。天下白:皮肤白皙天下第一。

㉜鉴湖:也叫镜湖,位于会稽山阴县,今属浙江省绍兴市。

㉝剡(shàn)溪:浙江省绍兴市嵊州境内主要河流,由南来的澄潭江和西来的长乐江汇流而成。蕴(yùn):积聚、蓄藏。秀异:秀丽奇异的风景。

㉞欲罢:想要停止(游览)。

㉟归帆:返回船只的桅帆。天姥(mǔ):即天姥山,在浙江省新昌县东边五十里,东连天台山的华顶峰,西接沃洲山。这句诗的意思是,回程的船只从天姥山旁边经过。

㊱中岁贡旧乡:指杜甫在唐玄宗开元二十三年由原籍推荐,在洛阳参加进士考试。中岁,中年,当时二十四岁,所以自称“中岁”。贡,贡举,旧时指地方官府向帝王荐举人才。旧乡,指杜甫老家河南省巩县。

㊲气:文章的气势。劘(mó):迫近,逼近。屈贾:屈原和贾谊,二人分别为战国和西汉著名辞赋家。垒:壁垒。

㊳目短曹刘墙:目视觉得曹刘的门墙很短。曹刘,即曹植和刘桢。刘桢(186—217),字公干,东平宁阳(今山东省宁阳县)人,建安七子之一。当时负有盛名,后人将他与曹植并举,合称为“曹刘”。

㊴忤下考功第:即落第,没有考中。考功,唐玄宗开元二十三年以前,进士考试都由吏部考功员外郎主持,所以称“考功”。第,科举考试及格的等次。

㊵辞：辞别，离开。京尹：京城的长官，指考功员外郎。洛阳是唐朝的东都，所以称为“京尹”。尹，一个地区的长官。堂：厅堂，这里指官署。

㊶放荡：指任意游览。齐赵：指古代的齐国和赵国所统治的区域，相当于今山东省和河北省中部、北部一带。

㊷裘马：轻裘肥马。清狂：清高狂放。

㊸春歌：春天歌唱。丛台：战国时期赵国所建筑的高台，遗址在今河北省邯郸市，因为几个高台连接在一起，所以叫作“丛台”。

㊹冬猎：冬天狩猎。青丘：大约位于今山东省青州市一带，春秋时期的齐景公曾在这里打猎。

㊺呼鹰皂枥林，逐兽云雪冈：唤出老鹰来追逐野兽。皂枥林、云雪冈都是春秋时期齐国的地名。

㊻射飞：用箭射飞鸟。纵鞚：放纵缰绳，指骑马飞驰。纵，放任。

㊼引臂：伸长手臂，指用手拉弓弦射箭。鹙鸧（qiū cāng）：即秃鹙，一种水鸟，头和脖子上没有羽毛，形状像鹤但比鹤大。羽毛呈灰白色，喜欢吃蛇。

㊽苏侯：即苏源明，善诗文，闻名于天宝年间，与杜甫、郑虔友善。据：倚靠。鞍：马鞍。喜：高兴。

㊾忽如：忽然像。携（xié）：携带。葛强：人名，东晋山简的爱将，山简曾经同葛强游猎。据《晋书·山简传》载：“举鞭问葛强，何如并州儿？”这里杜甫与苏源明同游，将他二人比作山简和葛强。

㊿快意：心情舒畅。

51 西归到咸阳：指杜甫从洛阳西去长安。咸阳：这里借指长安。

52 许与：结交并引为知己。必：一定是。词伯：擅长文、词的大家，如同“词宗”，指王维、岑参、郑虔等文人。

㊸赏游：赏玩游览。实：即，就是。贤王：指汝阳王李琎。

㊹曳裾(yè jū)：拖着衣襟。裾，衣服的大襟。置醴(lǐ)：设下甜酒，形容对文人的礼遇与尊敬。醴，甜酒。据《汉书·楚元王传》记载，楚元王与鲁穆生、白生和申公一同向浮丘伯学习《诗经》，“元王敬礼申公等，穆生不嗜酒，元王每置酒，常为穆生设醴”。

㊺奏赋：指杜甫唐玄宗天宝十载在长安进献《三大礼赋》。明光：即汉代的明光宫，这里指代唐朝的宫殿。

㊻天子：指唐玄宗。废食召：不吃饭赶忙来召见，表明对杜甫的重视。这一句是指唐玄宗命杜甫在集贤院等待诏命。

㊼群公：一群人。会：相会。轩裳：形容车服之盛。

㊽脱身无所爱：指杜甫在唐玄宗天宝十四载，被授予河西尉的小官，但他不愿赴任。

㊾痛饮：畅快地喝酒。信：信自，听从自然。行藏：指出仕或隐居。

㊿黑貂不免敝：据《战国策·秦策》记载，苏秦“说秦王书十上而说不行，黑貂之裘敝，黄金百斤尽，资用乏绝，去秦而归”。这里是用苏秦的经历感慨自己事业无成。黑貂，这里指黑貂皮做的衣服。敝，破旧。

(61)斑鬓：斑白的鬓发，指年老。兀：兀自，仍然。称(chēng)觞：举起酒杯，指饮酒。

(62)换耆旧：指老人们又换了新面孔，即先前的老人已经死亡。

(63)四郊多白杨：周边郊野又多了很多白杨树，指坟墓增多。白杨，古人经常在坟墓间种植白杨树。

(64)坐深：古代年长者坐上位，从外向内看，上位就是堂上的深处，这里指杜甫年老。乡党：古代五百家为一党，一万二千五百家为一乡，这里指乡里和家族的人。

⑥日觉：一天天觉得。死生忙：贺生吊死的事越来越多。

⑥朱门：这里指富贵人家。务倾夺：以倾夺百姓为务。

⑥赤族：被灭族。语出西汉扬雄的《解嘲》："客欲朱丹其毂，不知一跌赤吾之族。"这里指李林甫、杨国忠等人陷害忠良。迭（dié）：多次。罹（lí）：遭受苦难或不幸。殃（yāng）：祸害。

⑥国马：指唐玄宗所养的舞马，它能随着音乐起舞。竭：穷尽，用尽。

⑥官鸡：官家所养的斗鸡。输：输送、供给。稻粱：稻和粱，谷物的总称。

⑦举隅：举一端为例，其他便可知晓。烦费：大量耗费。

⑦引古：征引古代的史实，即引古以证今。惜：叹惜、忧虑。兴亡：国家的兴盛和败亡。

⑦河朔风尘起：这里指唐玄宗天宝十四载，安禄山在范阳起兵叛乱，南下攻陷河北多个郡县。河朔，古代泛指黄河以北的地区。

⑦岷（mín）山行幸长：这里指唐玄宗在天宝十五载从长安逃入蜀地避难。岷山，山名，位于四川省松潘县北，绵延于四川、甘肃两省边境，是长江、黄河两大水系的分水岭。行幸，指皇帝出行。古人认为皇帝出行哪个地方，便是当地人的幸事，所以称之为"行幸"。

⑦两宫：指唐玄宗和唐肃宗。唐玄宗在天宝十五载七月十二日逃离长安后，太子李亨第二天就在灵武登基，即唐肃宗，尊奉唐玄宗为太上皇。各：各自。警跸（bì）：皇帝出入时，道路两边用侍卫警戒，清除闲杂人等。

⑦万里遥相望：指唐玄宗在成都，而唐肃宗在灵武，相距万里。

⑦杀气黑：军队厮杀的气势。古代认为打仗有凶杀之气，颜色主黑。

⑦少海：比喻太子。据《东宫故事》载："太子比少海。"旌旗黄：黄色的旗帜，古代只有皇帝才能使用黄色的旗帜，这里指唐肃宗在灵武

即位。

⑱禹功亦命子：指夏禹受舜的禅让即位，后又传位给自己的儿子启。这里暗指肃宗受玄宗传位，然后任命他的儿子广平王李俶为天下兵马大元帅。

⑲涿(zhuō)鹿：地名，在今河北省涿鹿县东南。传说黄帝与蚩尤曾在涿鹿之野大战。亲：亲自。戎行：这里指唐肃宗亲自谋划战事。

⑳拥：聚集到一起。吴岳：即吴山，在陕西省凤翔附近，这里指唐肃宗到达凤翔。

㉁螭(chī)虎：螭和虎，比喻唐朝的强兵。螭，传说中一种没有角的龙。啖(dàn)：吃。豺狼：比喻安史之乱的叛军。

㉂爪(zhǎo)牙：动物的尖爪和利牙，此处比喻勇敢得力的助手。一不中：一击不中，指唐肃宗至德元载房琯在陈斜战败。

㉃胡兵：安史之乱的叛军。陆梁：跳跃的样子，形容叛军猖狂。

㉄大军：指唐朝的军队。载(zài)：再，又。草草：草率。这句诗是指唐肃宗至德二载，唐军大败于清渠。

㉅凋瘵(zhài)：凋敝衰败。膏肓(gāo huāng)：古代医学以心尖上的脂肪为膏，心脏与膈膜之间为肓。这里是说人们已经病入膏肓，无可救药了。

㉆备员：凑足人员的数，充数。这是杜甫的自谦之辞，指他从长安奔赴凤翔，然后被授予左拾遗一职。窃：用来表示自己的谦辞。补衮：指规谏君王的过失。语出《诗经·大雅·烝民》："衮职有阙，维仲人甫补之。"杜甫担任左拾遗，这一职务属于监察系统，要对皇帝不正确的言行进行规谏。衮，古代天子所穿的绣有龙的衣服。

㉇忧愤：忧虑气愤。心飞扬：指心情激荡。

㉈感：感叹。九庙：古时帝王立庙祭祀祖先，有太祖庙及三昭庙、三穆庙，共七庙。后来王莽增为祖庙五、亲庙四，共九庙。后来泛指帝王的宗庙。焚(fén)：烧毁。

⑧⑨悯(mǐn)：怜悯。疮：皮肤上发生溃烂的疾病，这里指百姓疾苦。

⑨⓪斯时：这个时候。伏青蒲：皇帝的内庭用青色的蒲席铺地。据《汉书·史丹传》载："丹直入卧内，伏青蒲上泣谏。"后来就用"伏青蒲"比喻直谏。这里指宰相房琯被罢免，杜甫上疏求情反而触怒唐肃宗一事。伏，趴。青蒲，即蒲草。

⑨①廷诤：在朝廷上诤谏。诤谏，照直说出人的过错，叫人改正。这句与上句一样，同指营救房琯一事。

⑨②君辱敢爱死：在君王受辱时，我哪里敢爱惜自己的生死？典出《史记·越世家》："主忧臣劳，主辱臣死。"

⑨③赫(hè)怒：盛怒。语出《诗经·大雅·皇矣》："王赫斯怒，爰整其旅。"幸无伤：幸好没有受到伤害。据《杜诗镜铨·年谱》载："公疏救房琯，上怒，诏三司推问，宰相张镐救之获免。"

⑨④圣哲：具有超凡品德、才智的人，这里是对唐肃宗的美称。体：指亲身履行。仁恕：仁爱宽容。

⑨⑤宇县：天下。复小康：重新恢复安康。指到了唐肃宗至德二载，长安和洛阳相继收复。

⑨⑥庙：即上文的"九庙"。灰烬(jìn)：物体燃烧后剩下的东西。

⑨⑦鼻酸：指感到酸楚。朝：朝觐，这里指返回。

⑨⑧小臣议论绝：杜甫担任的左拾遗是个从八品上的小官，所以他自称为"小臣"，但左拾遗仍然可以议论朝政。后来因为上疏营救房琯，被贬为华州司功参军，无法再进言，所以是"议论绝"。

⑨⑨客：客居。殊方：遥远的地方。

①⓪⓪郁郁：忧伤苦闷的样子。苦不展：愁苦而无法舒展。

⑩羽翮：指翅膀。困低昂：被困而时高时低的飞翔，指不能奋飞。

⑫动：吹动。

⑬碧蕙(huì)：碧绿的香草。蕙，多年生草本植物，叶丛生，狭长而尖，初夏开淡黄绿色花，有香气，可供观赏。捐：抛弃，丧失。微芳：淡淡的芳香。

⑭之推避赏从：春秋时期晋国人介子推，曾随同晋文公出亡十九年，曾经将自己大腿上的肉割下来煮汤供晋文公充饥。等到晋文公返国，他却没有提出奖赏的要求，反而与母亲一起归隐于绵山。避，逃避。赏从，奖赏随从的人。

⑮渔父濯沧浪：据屈原《楚辞·渔父》载："渔父莞尔而笑，鼓枻而去。歌曰：'沧浪之水清兮，可以濯吾缨。沧浪之水浊兮，可以濯吾足。'遂去，不复与言。"杜甫这里是用渔父之事借指自己浪迹南方。

⑯荣华：本义指开花，后多用来指人显贵。敌：胜，超过。勋(xūn)业：功业。

⑰岁暮：岁末。严霜：寒冷的霜。

⑱鸱夷(chī yí)子：越国大夫范蠡在辅佐越王勾践灭掉吴国后，知道勾践只可共患难，不能同富贵，便功成身退，改名鸱夷子皮，遨游于山水。

⑲才格：才能和品格。出寻常：超乎寻常，指不非同一般。

⑳群凶逆：指各地军镇割据，朝廷无力控制的局面。未定：没有平定。

㉑侧伫：侧身站在一旁。英俊翔：才智出众的人翱翔，指盼望他们建功立业。

【赏析】

《壮游》写于唐代宗大历元年春天，杜甫移居夔州时。这首诗共五百六十字，少于《北征》的七百字，多于《咏怀》的五百字，但这三首诗都可视为杜甫五言长篇古诗的杰出代表。本诗以“壮游”为题，回忆和总结了他出蜀前的人生，可以看作杜甫的个人自传体诗。全诗可以分为六个部分。前十四句写他少年启蒙时的读书、创作与交流，他七岁开始咏诗，九岁练字，十四五岁便已经来往于文坛。杜甫少时便以班固、扬雄自居，并与有身份的老年人结交，那种看不起同龄人，睥睨一世的自负与豪情，展现出他自视甚高的心态。接下来的二十句写诗人二十岁到二十四岁期间游历于吴越的经历，主要是凭吊古迹，感怀历史人物，包括王谢家族、吴太伯、吴王阖庐、越王勾践、秦始皇等与吴越地区有关系的人。接下来的十八句写诗人从吴越返回洛阳参加进士考试，落第后又游赏于齐赵，从二十五岁到三十五岁，他用“快意八九年”加以概括。与吴越的访旧不同，他是“放荡”于齐赵大地，春歌冬猎，呼鹰逐兽。下面的二十句写杜甫困居长安以及在杜曲的生活状态。其间有“天子废食召”的自豪，有“痛饮信行藏”的抑郁，有“斑鬓兀称觞”的感伤，还有对“举隅见烦费”的批判。接下来二十六句，写安史之乱爆发，唐玄宗从长安出逃，唐肃宗在灵武继位，唐军节节败退，致使两京沦陷，万民陷入疮痍。中间还穿插诗人自己远赴凤翔，后因直谏被免官职一事。最后十四句，写杜甫旅居夔州，引用渔父、介之推和鸱夷子皮的典故，表达自己甘心隐居的心愿，透露出一丝无奈与落寞。整首诗将杜甫的个人经历与国家政事紧密地联系起来，叙事与议论有机结合，通过“游”字串接，可以看出杜甫晚年熟练的笔法。

遣　怀[①]

昔我游宋中[②]，惟梁孝王都[③]。
名今陈留亚[④]，剧则贝魏[⑤]俱。
邑中九万家[⑥]，高栋照通衢[⑦]。
舟车半天下[⑧]，主客多欢娱[⑨]。
白刃讐不义[⑩]，黄金倾有无[⑪]。
杀人红尘[⑫]里，报答[⑬]在斯须。
忆与高李辈[⑭]，论交入酒垆[⑮]。
两公壮藻思[⑯]，得我色敷腴[⑰]。
气酣登吹台[⑱]，怀古视平芜[⑲]。
芒砀云一去[⑳]，雁鹜空相呼[㉑]。
先帝正好武[㉒]，寰海未凋枯[㉓]。
猛将收西域[㉔]，长戟破林胡[㉕]。
百万[㉖]攻一城，献捷不云输[㉗]。
组练弃如泥[㉗]，尺土负百夫[㉙]。
拓境功未已[㉚]，元和辞大炉[㉛]。
乱离朋友尽[㉜]，合沓岁月徂[㉝]。
吾衰将焉托[㉞]？存殁再呜呼[㉟]。
萧条益堪愧[㊱]，独在天一隅[㊲]。
乘黄[㊳]已去矣，凡马徒区区[㊴]。

不复见颜鲍[41]，系舟卧荆巫[41]。

临餐吐更食[42]，常恐违抚孤[43]。

【注释】

①遣怀：排遣心中的郁闷。

②宋中：指春秋时宋国地区，唐代为宋州，今河南省商丘一带。

③惟：是。梁孝王都：宋中在汉初时是梁孝王的国都。梁孝王，即刘武，汉景帝之同母弟。七国之乱时，梁孝王曾率兵抵御吴王刘濞。后欲依仗窦太后和梁国强大的实力而继承汉景帝的王位，没有成功。

④名今陈留亚：如今宋中的名声仅次于陈留。陈留，唐代属于河南道汴州，即今河南省开封市。亚，次一等，第二。

⑤剧：复杂，难以治理。贝魏：指贝州和魏州，贝州在今河北省清河县，魏州在今河北省大名县。

⑥邑中九万家：宋中城中有九万多户人家，指人口众多。

⑦高栋：高大的屋梁，指高大的房屋。照：照亮。通衢：四通八达的道路。

⑧舟车：船只和车马。半天下：数量占据天下的一半。

⑨主客：主人和宾客，这里指当地人和外来人。欢娱(yú)：欢欣娱乐。

⑩白刃(rèn)：锋利的刀。刃，刀的锋利部分。雠(chóu)：同"讎"，"讎"又同"仇"，指仇视、仇杀。不义：不合乎道义的人。

⑪黄金倾有无：黄金可以倾其所有。倾，用尽。有无，这里是偏义复词，偏在"有"。

⑫杀人红尘：指在闹市杀人。红尘，闹市的飞尘。

⑬报答：报恩。

⑭高李辈：指高适和李白。辈，等、类。

⑮论交：结交。酒垆（lú）：卖酒处放置酒坛的土台，借指酒店。

⑯两公：指高适和李白。壮：旺盛。藻思：写文章的才思。藻，华丽的文辞。

⑰得我：看到我。色：面色。敷腴（fū yú）：喜悦的样子。

⑱气：意气。酣：浓烈、旺盛。吹台：位于今河南省开封市东南的禹王台公园内，相传是春秋时期师旷吹乐的楼台。西汉梁孝王又加以扩建，取名“明台”，因为经常在台上吹乐，所以又叫“吹台”。

⑲怀古：思念古代的人和事。平芜：草木丛生的平旷原野。

⑳芒砀（dàng）：指芒山和砀山，在今安徽省砀山县东南，与河南省永城市接临。据《汉书·高祖纪》记载，汉高祖刘邦曾隐身于芒砀的山泽中间，上面经常有云气萦绕。云一去：指汉高祖已经远去。

㉑雁鹜（wù）：大雁和野鸭。据东晋葛洪《西京杂记》记载，梁孝王的兔园中有雁池，池中有鹤洲和凫渚。空相呼：指只留下它们在这里相互呼叫。

㉒先帝：指唐玄宗。好武：崇尚武力，喜欢用兵打仗。

㉓寰（huán）海：海内，指全国。未凋枯：还没有凋谢枯萎。这句诗是指国家尚未衰落。

㉔猛将收西域：指唐玄宗天宝年间，王忠嗣、高仙芝、哥舒翰等人先后率兵攻打吐蕃、吐谷浑、小勃律等地方。

㉕长戟破林胡：指唐玄宗开元年间，张守珪、安禄山先后率兵攻打契丹。林胡，古代北方少数民族名，这里指契丹族所生活的地区。

㉖百万：军队士兵有上百万，形容人多。

㉗献捷：古代打胜仗后，进献所获的俘虏及战利品。不云输：从来不说战败之事，指隐瞒失败。

㉘组练：指组甲和被练，是士兵的盔甲和服装，后用来比喻军队。语出《左传·襄公三年》："使邓廖帅组甲三百，被练三千以侵吴。"弃如泥：把士兵的生命当作泥土一样抛弃。

㉙尺土负百夫：为了争取一尺土地，而牺牲上百人的性命。负，失去。夫，古代对成年男子的称呼，这里指士兵。

㉚拓(tuò)境：开拓边境。功未已：事情还没有停止。功，事情，工作。

㉛元和：太平和乐的气象。大炉：指天地间。语出《庄子·大宗师》："今一以天地为大炉，以造化为大冶。"

㉜乱离：战乱流离。尽：死亡。当时李白、高适已经先后离世。

㉝合沓(tà)：重叠，持续到来。徂：逝去。

㉞衰：衰老。将焉托：将托身于哪里？

㉟存殁(mò)：生存和死亡。再：再次，第二次。呜呼：对不幸的事表示叹息、悲痛。这里指李白死于唐代宗宝应元年，高适又死于唐代宗永泰元年(765)，杜甫经历了两次朋友的死亡。

㊱益：更加。堪愧：足以感到惭愧。

㊲天一隅：天边。

㊳乘黄：传说中的神马，喻指高适和李白。

㊴凡马：平凡的马匹，指杜甫自己。徒区区：徒然、白白地辛劳奔走。

㊵不复见：无法再次见到。颜鲍：指颜延之和鲍照，他们是南北朝著名的诗人，这里用来喻指高适和李白。

㊶系舟：泊舟。荆巫：荆州的巫峡，指杜甫当时所在的夔州。

㊷临餐：吃饭的时候。吐更食：吐出来又强行咽下去，即"努力加餐饭"之意。

㊸违抚孤：不能照顾高适和李白的子女。

【赏析】

这首《遣怀》诗，写于唐代宗大历元年，杜甫困居夔州时。全诗思路清晰、层次分明，可以分为四个部分。前十二句为第一部分，回忆战乱前，杜甫游历宋中，所见城市的繁荣和宋中健儿的豪放与义气。宋中与陈留、贝州、魏州齐名，城中人丁兴旺、高楼临衢、舟车络绎、宾主欢娱，完全可以与《忆昔二首》（其二）中的“开元全盛日”媲美。这里的人们，手刃不义、黄金散尽、红尘杀人、斯须报恩，那种快意恩仇，读来令人荡气回肠。十三至二十句为第二部分，写杜甫与高适、李白二人结交遨游。他们结交入肆、气酣登台，可以想象他们三人意气相投。二十一句至三十句是第三部分，写国家政事，唐玄宗好武开边，将士们矜功隐败，而士卒们被弃如泥土，最终导致开元盛世一去不复返。诗中不仅包含杜甫的惋惜，还流露出他的讽刺和劝谏之意。最后十二句是第四部分，伴随着国家战乱，李白和高适也相继去世，杜甫对他们的离去深感痛心与怀念。诗人将他们比作乘黄、颜延之和鲍照，而自己当时的处境却是萧条于天一隅，徒自辛劳，卧舟于夔州。诗人落泊无依、卧病终老的可叹形象，实在催人泪下。最后两句，杜甫勉励自己努力饮食，抚恤高、李的子嗣，可以看出他在困境之中，仍没有放弃希望。

登　　高[①]

风急天高猿啸哀[②]，渚清沙白鸟飞回[③]。
无边落木萧萧[④]下，不尽长江滚滚[⑤]来。
万里悲秋常作客[⑥]，百年多病独登台[⑦]。
艰难苦恨繁霜鬓[⑧]，潦倒新停浊酒杯[⑨]。

【注释】

①登高：农历九月九日是重阳节，古人有登高远眺、遍插茱萸和饮菊花酒的习俗。

②猿啸哀：猿猴叫声哀伤。北朝魏郦道元《水经注·江水》中有“巴东三峡巫峡长，猿鸣三声泪沾裳”之句。啸，动物拉长声叫。

③鸟飞回：鸟在空中盘旋。回，回旋。

④无边：无边无际。落木：落叶。萧萧：风吹落叶所发出的声音。

⑤不尽：无穷无尽。滚滚：大水急速翻腾向前。

⑥万里：指远离家乡。悲秋：秋天让人感到悲伤。常作客：长期流浪在外。

⑦百年：人生不满百年，指人生短暂。多病：指杜甫身体衰弱。独登台：独自一人登上高台。

⑧艰难：指国运和自身都艰难。苦恨：极恨。繁霜鬓：白发繁多。霜，指头发白如霜雪。

⑨潦(liáo)倒：困顿失意的样子。新停：刚刚停止。浊酒：未滤的酒，

用糯米、黄米等酿制的酒，较混浊，与“清酒”相对。

【赏析】

这首诗写于唐代宗大历二年(767)，写杜甫在夔州长江畔抱病登高时所见的秋景，抒发了他长年漂泊、潦倒孤愁的复杂情感。此诗被誉为“杜集七言律诗第一”。前半部分写登高见闻，首二句抓住夔州的环境特征写风急和猿啸，夔州峡口以风大闻名，不是秋高气爽，而是猎猎多风。一、二两句对仗工整，而且句中还有自对，“风急”与“天高”相对，“渚清”与“沙白”相对，思维缜密。十四个字，包含六种意象，排列密集紧凑，无一字虚设，让人强烈地感受到风的凄急、猿的哀啸和鸟的回旋。三、四句景中寓情，“无边”写落叶多，“萧萧”写下落急；“不尽”写江水无边，“滚滚”写江水声势浩荡。叶落水流，万物新陈代谢，无形中传达出时光易逝、人生渐老的感伤。后半部分写诗人悲惨的境遇。离家万里，人至晚年，疾病缠身，作客他乡，独自登临，将人生各种凄惨之事集合于一身，悲秋与悲己便直泄而出。最后两句由回顾毕生转至当下艰难，又两鬓霜白，穷困潦倒，连一杯消愁的浊酒都不能得。杜甫贫病交困、壮志难酬的动人形象在全诗中表现得淋漓尽致。

可　叹[①]

天上浮云如白衣[②]，斯须变幻如苍狗[③]。
古往今来共一时[④]，人生万事无不有[⑤]。

近者抉眼去其夫[6]，河东[7]女儿身姓柳。
丈夫正色动引经[8]，酆城客子王季友[9]。
群书万卷常暗诵[10]，《孝经》一通看在手[11]。
贫穷老瘦家卖屐[12]，好事就之为携酒[13]。
豫章太守高帝孙[14]，引为宾客敬颇久[15]。
闻道三年未曾语[16]，小心恐惧闭其口。
太守得之更不疑[17]，人生反覆看亦丑[18]。
明月无瑕[19]岂容易？紫气郁郁犹冲斗[20]。
时危可仗真豪俊[21]，二人得置君侧否[22]？
太守顷者领山南[23]，邦人思之比父母[24]。
王生早曾拜颜色[25]，高山之外皆培塿[26]。
用为羲和天为成，用平水土地为厚[27]。
王也论道阻江湖[28]，李也丞疑旷前后[29]。
死为星辰终不灭[30]，致君尧舜焉肯朽[31]？
吾辈碌碌饱饭行[32]，风后力牧长回首[33]。

【注释】

①可叹：令人叹惜。

②白衣：白色的衣服。

③苍狗：灰白色的狗。

④古往今来：从古至今。共一时：都处在同一个时间段内。

⑤无不有：无所不有，即什么都会经历。

⑥近者：最近。抉(jué)眼：挖出眼珠子，这里指反目为仇。去其夫：离开她的丈夫，指王季友的妻子河东柳氏。

⑦河东：本指山西省境内黄河以东的地区，这里指河东郡，治所在今

山西永济市西边，是柳氏的郡望。

⑧丈夫：指王季友。正色：态度严肃、正直。动引经：动不动就引经据典。

⑨酆(fēng)城：即丰城，唐代属于洪州，今属江西省。王季友：即王徽(714—794)，字季友，号云峰居士，洪州南昌人。王季友幼年家道败落，与兄长一起迁至丰城云岭定居。他用功读书，二十二岁时考中状元，担任御史治书。但因为厌倦时政，不想与李林甫等为伍，便返回丰城，在株山脚下的龙泽智度寺讲学，隐居二十多年。

⑩群书：各类书籍。暗诵：默诵。

⑪《孝经》：儒家十三经之一，共十八章。相传是孔子所作，但其实成书于秦汉之际。主要是以"孝"为中心，集中阐述儒家的伦理思想。一通：一本。看在手：放在手中看。

⑫家卖屐(jī)：家中以卖鞋为生。屐，有齿的木鞋，泛指鞋。据《后汉书》记载，东汉刘勤家中贫困，以做鞋为生。他曾做一双鞋，因已折断便搁置在家，可是他的妻子偷偷拿去换米。刘勤知道后，责备了妻子，并不吃换来的米。

⑬好事：好事之人，这里指敬仰王季友的好学之人。就之：靠近他，指与王季友来往。为携酒：为他带来酒。据《汉书·扬雄传》记载，扬雄家贫但又嗜酒，"时有好事者载酒肴从游学"。

⑭豫章太守高帝孙：指李勉(717—788)，字玄卿，在唐代宗广德二年(764)任洪州刺史。因洪州曾改名为豫章郡，所以称他为"豫章太守"。因李勉是郑王李元懿的曾孙，唐高祖李渊的玄孙，所以称他为"高帝孙"。

⑮引为宾客敬颇久：指王季友入李勉幕中。引，招来。颇久，很久。

⑯三年未曾语：三年都没有说过自己被柳氏抛弃之事。

⑰得之:得到他,指任用他。更不疑:更加不怀疑,指信任他。

⑱人生反覆看亦丑:那些喜欢反复无常的人,看起来多么丑陋。反覆,即反复,翻来覆去。亦,表示加强语气。

⑲瑕(xiá):玉上面的斑点,比喻缺点或过失。

⑳紫气郁郁犹冲斗:据《晋书·张华传》记载,西晋初年,二十八宿的斗、牛之间常有紫气照射,雷焕以为是宝剑的精气上达于天所致,张华便问宝剑何在,雷焕说在豫章丰城,张华立即推荐雷焕为丰城县令。雷焕到丰城后,在监狱屋基挖到龙泉、太阿两把宝剑,一把送给张华,一把自己留下。郁郁,浓盛的样子。犹冲斗,好像要直冲牛斗(牵牛星和北斗星)。

㉑时危:时局危急。可仗真豪俊:可以仰仗和依靠的只有真正豪俊之士。豪俊,豪杰。

㉒二人:指王季友和李勉。得置君侧否:能够得以位列君王的身边吗?指受到重用。

㉓顷者:马上,不久。领山南:指李勉于宝应初年担任梁州刺史、山南道观察使。领,治理,管辖。

㉔邦人:当地的百姓。思之比父母:思念李勉,把他比作自己的父母。

㉕王生:指王季友。早曾:曾经很早。拜颜色:拜见过他的容颜,指相识。

㉖培塿(lǒu):小土丘。

㉗用为羲和天为成,用平水土地为厚:如果任用王季友和李勉,像上古的舜重用羲和一样,那么他们也可以观察天象;如果让他们像大禹一样去治水,也会令土地肥厚。羲和,指羲仲、羲叔、和仲、和叔四人,他们是上古时期舜的大臣,掌管天地四时。

㉘王也:指王季友。也,用在前半句末尾,来表示停顿,以舒缓语气,

无意义。论道:议论政事。阻江湖:被阻隔而流落于江湖。

㉙李也:指李勉。丞疑:丞和疑,上古的两种官职,指辅佐君王。语出《尚书大传》:“古者天子必有四邻,前曰疑,后曰丞,左曰辅,右曰弼。”旷前后:空前绝后。旷,长时间空缺。这是指李勉在唐代宗大历二年入朝,被授予京兆尹御史大夫一职。

㉚星辰:星星的总称。终不灭:永远都不会熄灭。

㉛致君尧舜:辅佐皇上,使他的政绩像尧、舜一样。焉肯朽:哪里能够衰老、腐朽?

㉜吾辈:我这一代人,我们。这里是杜甫自称。碌(lù)碌:平庸无能的样子。饱饭行:吃饱饭就知足而行。

㉝风后力牧:风后和力牧,相传是黄帝时期的两位贤臣,据《帝王世纪》载:“黄帝得风后于海隅,进以为相;得力牧于大泽,用以为将。”长回首:长久地回头仰望。这里把李勉和王季友比作风后、力牧,表达对他们二人的景仰。

【赏析】

杜甫这首《可叹》作于唐代宗大历二年李勉入朝之后。客居于江西丰城的王季友,因家境贫寒而被妻子抛弃,被时人所耻笑。杜甫这篇《可叹》便打破俗人之见,为王季友正名,同时赞美赏识王季友的李勉。开头四句便感叹古往今来,世事变幻无常,引出下文王季友的妻子河东柳氏抉眼去夫。七至十二句,集中刻画王季友勤于读书但生活困窘。“卖屐”与“携酒”二句,都包含典故,却又浑然无迹,使得诗的含义更加丰富和深刻。虽然王季友被俗人看不起,但李勉却“引为宾客敬颇久”。从“时危可仗真豪俊”开始,杜甫便将王、李二人合起来论述,认为他们都是在时局危急时可以仰仗的真豪杰,把他们比作羲和、风后和力牧等上古时代的功臣，说明诗人对他们二人才华和能力的肯定与赞扬。但王季友“论道阻江湖”，表明杜甫对他怀才不遇的感叹。

观公孙大娘弟子舞剑器行并序①

大历二年②十月十九日，夔府别驾元持宅③，见临颍④李十二娘舞剑器，壮其蔚跂⑤，问其所师⑥，曰：“余公孙大娘弟子也。”开元五载⑦，余尚童稚⑧，记于郾城观公孙氏⑨，舞剑器浑脱⑩，浏漓顿挫⑪，独出冠时⑫，自高头宜春梨园二伎坊内人⑬，洎外供奉⑭，晓是舞者⑮，圣文神武皇帝初⑯，公孙一人而已⑰。玉貌锦衣⑱，况余白首⑲，今兹⑳弟子，亦非盛颜㉑。既辨其由来㉒，知波澜莫二㉓，抚事慷慨㉔，聊为㉕《剑器行》。昔者㉖吴人张旭，善草书书帖㉗，数常于邺县见公孙大娘舞西河剑器㉘，自此㉙草书长进，豪荡感激㉚，即公孙可知矣㉛。

昔有佳人㉜公孙氏，一舞剑器动四方㉝。
观者如山色沮丧㉞，天地为之久低昂㉟。
㸌如羿射九日落㊱，矫如群帝骖龙翔㊲。
来如雷霆收震怒㊳，罢如江海凝清光㊴。
绛唇珠袖两寂寞㊵，晚有弟子传芬芳㊶。
临颍美人在白帝㊷，妙舞此曲神扬扬㊸。
与余问答既有以㊹，感时抚事增惋伤㊺。

先帝侍女[46]八千人，公孙剑器初第一[47]。

五十年间似反掌[48]，风尘澒动昏王室[49]。

梨园弟子散如烟[50]，女乐余姿映寒日[51]。

金粟堆南木已拱[52]，瞿唐石城草萧瑟[53]。

玳筵急管曲复终[54]，乐极[55]哀来月东出。

老夫不知其所往[56]，足茧荒山转愁疾[57]。

【注释】

①观：看。公孙大娘：唐玄宗时的舞蹈家。弟子：指李十二娘。剑器：舞蹈名，唐代流行的武舞之一，舞者手拿短剑起舞。并序：同时附上序文。

②大历二年：唐代宗李豫大历二年，即公元767年。

③别驾：职官名，是刺史的佐官。元持：人名，生平事迹不详。宅：住宅。

④临颍(yǐng)：即河南省临颍县。

⑤壮：感觉壮观。蔚跂(qí)：雄浑多姿。

⑥问其所师：问她从哪里学来的。

⑦开元五载：唐玄宗开元五年，即公元717年。

⑧余尚童稚：我还是儿童。当时杜甫才六岁。

⑨记：记得。于：在。郾(yǎn)城：河南省郾城县。公孙氏：指公孙大娘。

⑩浑脱：舞曲名。据《明皇杂录》载："公孙大娘能为邻里曲，及裴将军、满堂势、西河、剑器、浑脱舞，研妙皆冠绝于时。"

⑪浏漓(liú lí)：流利飘逸的样子。顿挫：指节奏变换明显。

⑫独出：突出，特出。冠时：是当时的冠军。

⑬高头宜春：据史书记载，唐玄宗时设置宜春院，选伎女于其中。在宜春院中的称之内人，也称作前头人，即"高头"。梨园：唐玄宗曾经选乐工数百人，亲自在梨园之中教授她们曲法，称她们为"皇帝

梨园弟子”。二伎坊内人：指宜春院和梨园两个伎坊之中的人。

⑭洎(jì)：到，及。外供奉：指外面供养的其他官伎。

⑮晓是舞者：通晓这种舞蹈的人。

⑯圣文神武皇帝：指唐玄宗，“圣文神武”是开元二十七年(739)群臣给他所上的尊号。初：初年。

⑰公孙一人而已：只有公孙大娘一个人而已。

⑱玉貌：如玉的容貌。锦衣：华丽的衣服。这里指公孙大娘。

⑲况：何况。余：我。白首：白头，指杜甫已经年老。

⑳今：如今。兹：这个。

㉑亦非：也不再是。盛颜：年轻时的容颜。

㉒既：既然已经。辨：分辨，弄清楚。其由来：她的来历。

㉓波澜(lán)莫二：意思是说她们二人的舞蹈是同一个来源。波澜，指舞姿的变化起伏。

㉔慷慨：指情绪激昂。

㉕聊：姑且，勉强。为：写，创作。

㉖昔者：过去。

㉗书帖(tiě)：字帖，墨迹。

㉘数常：多次，经常。邺县：唐代属于相州邺郡，今在河北省临漳县。西河剑器：西河和剑器，两种舞蹈名。

㉙自此：从此以后。

㉚豪荡感激：豪放跌宕，激动人心。

㉛即：则，那么。公孙可知：公孙大娘高超的舞艺就可想而知了。

㉜佳人：美貌有才的女子。

㉝动四方：轰动四方。

㉞观者如山：观众人山人海。色沮丧：指公孙大娘的舞蹈惊心动魄，

令人脸色全变。

㉟久：长久。低昂：时高时低，指天旋地转。

㊱㸌(huò)：光芒四射的样子。羿(yì)射九日落：传说在上古唐尧时代，天上有十个太阳，草木都被晒焦，人民无法生存，后羿便射下九个太阳。这里是形容她舞剑时的光璀璨夺目。

㊲矫：矫健。群帝：各位天神。骖(cān)龙翔：驾着龙飞翔。骖，一辆车驾三四马。

㊳雷霆(tíng)：极大的声响，这里是形容鼓声。收震怒：指舞者在鼓声急停时出声。

㊴罢：结束。凝：凝结。清光：这里比喻剑气。

㊵绛(jiàng)唇：红色的嘴唇。绛，火红色。珠袖：用珍珠装饰的舞袖，这里指舞蹈。两寂寞：指公孙大娘人与其舞都已经消亡。

㊶晚：晚年。传：继承并传播。芬芳：香气，这里指舞艺。

㊷临颍美人：指李十二娘。白帝：即白帝城。

㊸妙舞此曲：和着曲调曼妙起舞。神扬扬：神采飞扬。

㊹既有以：已经有了缘由。

㊺感时：感叹时光。惋伤：惋惜和感伤。

㊻先帝：指唐玄宗，死于唐代宗宝应元年。侍女：古代宫中侍奉君王、后妃的女子。

㊼初第一：刚开始就是第一。

㊽五十年：从唐玄宗开元五年至唐代宗大历二年，正好五十年。反掌：翻转掌心，比喻时间过得快。

㊾风尘澒动：风烟和尘土弥漫无边的样子，比喻安史之乱。昏王室：使朝廷昏暗。

㊿梨园弟子：指歌伎。散如烟：像烟一样飘散。

㊿女乐：歌伎。余姿：衰老的容姿。映寒日：被寒冷的日光所映照。

52金粟堆：即金粟山，位于今陕西省蒲城县东北，唐玄宗的坟墓泰陵在金粟山。木已拱：树木已经两手合抱那么粗，指时间已经过去多年。拱，两只手臂合抱。

53瞿唐石城：指白帝城，依山石建城，下临瞿塘峡。萧瑟：草木被秋风吹袭的声音。

54玳筵(dài yán)：用玳瑁装饰坐具的宴席，比喻豪华、珍贵的宴席。玳，玳瑁，海中的一种动物，它的壳可以做珍贵的装饰品。急管：急促的管乐声。曲复终：宴会还是结束。

55乐极：高兴到极点。

56不知其所往：不知道去哪里。

57足茧(jiǎn)荒山：因为经常行走于荒山，所以脚掌上生了茧。足茧，脚掌上的厚皮。转愁疾：本来有足茧会行走得缓慢，但诗人反而担心走得太快，表明他不忍离开的心情。

【赏析】

这首诗的序，交代写作背景：杜甫于唐代宗大历二年，在夔州看到公孙大娘的弟子表演剑器舞，勾起他儿时在郾城亲见公孙大娘舞蹈的回忆，有感成篇。序以诗为文，主语和虚词大多省略，富有诗意，同样是一篇不可多得的佳篇。全诗分为四个部分，前八句为第一部分，刻画公孙大娘的舞蹈，前四句概括她超群出众的舞技，后用四个“四如句”，把她舞蹈过程中的㸌、矫、来、罢用形象的事物表达出来，想象丰富。后六句为第二部分，写公孙大娘死后，弟子李十二娘传其衣钵。与李十二娘的问答，引起诗人感时抚事的悲伤。再后六句为第三部分，倒叙五十年前，唐玄宗女乐八千人的繁荣气象，但旋即“风尘澒动昏王室”，国家由盛转衰，梨园弟子散尽。最后六句是第四部分，回归到杜甫自身。唐玄宗陵墓四周木已成拱，而诗人自己也流落到草木萧瑟的石头城。元持宅里曲终人散，诗人乐极哀来，又年老不知去处，双足长满老茧，在荒山中踽踽独行。杜甫老景颓唐，感叹世事沧桑的悲惨形象跃然纸上。全诗以剑器舞为线索，写出了五十年来国家的兴衰治乱，体现了诗人对国家命运的深切关注。

大历三年春白帝城放船出瞿塘峡久居夔府将适江陵漂泊有诗凡四十韵[1]

老向巴人里[2]，今辞楚塞[3]隅。
入舟翻[4]不乐，解缆独长吁[5]。
窄转深啼狖[6]，虚随乱浴凫[7]。
石苔凌几杖[8]，空翠[9]扑肌肤。
叠壁排霜剑[10]，奔泉[11]溅水珠。
杳冥[12]藤上下，浓澹[13]树荣枯。
神女峰娟妙[14]，昭君宅有无[15]。
曲留明怨惜[16]，梦尽失欢娱[17]。
摆阖盘涡沸[18]，欹斜激浪输[19]。
风雷缠地脉[20]，冰雪耀天衢[21]。
鹿角真走险[22]，狼头如跋胡[23]。
恶滩宁变色[24]？高卧负微躯[25]。
书史全倾挠[26]，装囊半压[27]濡。
生涯临臬兀[28]，死地脱[29]斯须。

不有平川决[30]，焉知众壑趋[31]？
乾坤霾涨海[32]，雨露洗春芜[33]。
鸥鸟牵丝飏[34]，骊龙濯锦纡[35]。
落霞沉绿绮[36]，残月坏金枢[37]。
泥笋苞初荻[38]，沙茸出小蒲[39]。
雁儿争水马[40]，燕子逐樯乌[41]。
绝岛容[42]烟雾，环洲纳晓晡[43]。
前闻辨陶牧[44]，转眄拂宜都[45]。
县郭南畿[46]好，津亭北望孤[47]。
劳心依憩息[48]，朗咏划昭苏[49]。
意遣乐还笑[50]，衰迷[51]贤与愚。
飘萧将素发[52]，汩没听洪炉[53]。
丘壑曾[54]忘返，文章敢自诬[55]？
此生遭圣代[56]，谁分哭穷途[57]？
卧疾淹为客[58]，蒙恩早厕儒[59]。
廷争酬造化[60]，朴直乞江湖[61]。
滟滪险相迫[62]，沧浪深可逾[63]。
浮名寻已已[64]，懒计却区区[65]。
喜近天皇寺[66]，先披[67]古画图。
应经帝子渚[68]，同泣舜苍梧[69]。
朝士兼戎服[70]，君王按湛卢[71]。
旄头初俶扰[72]，鹑首丽泥涂[73]。
甲卒身虽贵[74]，书生道固殊[75]。
出尘皆野鹤[76]，历块匪辕驹[77]。
伊吕终难降[78]，韩彭不易呼[79]。

五云高太甲[80]，六月旷抟扶[81]。
回首黎元[82]病，争权将帅诛[83]。
山林托疲苶[84]，未必免崎岖[85]。

【注释】

①大历三年：唐代宗李豫大历三年，即公元768年。瞿唐峡：即瞿塘峡。久居：长时间居住。适：去，往。江陵：指江陵府，治所在今湖北省江陵。凡：总计，一共。四十韵：这首诗一共四十二韵，杜甫这里是取其整数。

②老：年老。向：去。巴人里：巴人居住的地方，这里指夔州。里：先秦时期以二十五家为一里，这里指乡里。

③辞：告辞，离开。楚塞：楚国的边塞，也是指夔州，因为夔州所在地区在战国时期属于楚国。

④入舟：上船。翻：反而。

⑤解缆：解开船缆。独：独自一人。长吁(xū)：长叹。

⑥窄转：在河流的狭窄处转弯。深啼狖(yòu)：猿猴在树林深处啼叫。狖，一种尾巴很长、毛色黑黄的猿猴，这里泛指猿猴。

⑦虚随：跟随。因为船在水上飞快行驶，给人一种凌空蹈虚的感觉，所以称为"虚随"。乱浴凫：惊动了在水中沐浴的凫鸟。

⑧石苔：石头上的青苔。凌：侵犯、压迫。几(jī)杖：坐几和手杖，这里指代年老的杜甫。

⑨空翠：青色而潮湿的雾气。

⑩叠壁：重重叠叠的崖壁。排霜剑：指崖壁像排开的长剑。霜剑，白亮锐利的剑。

⑪奔泉：奔腾的泉水。

⑫杳冥：幽暗。

⑬浓澹：同“浓淡”。

⑭神女峰：巫山当中的十二座山峰之一，位于巫山北岸，相传巫山神女居住于此。娟妙：秀美。

⑮昭君宅：汉王昭君的故居，在今湖北省兴山县昭君村。有无：因为杜甫没有亲自前往，所以称作“有无”，表示怀疑。

⑯曲留明怨惜：流传下来的《昭君怨》曲，传达了她的悲怨惋惜。

⑰梦尽失欢娱：梦中与神女相会，梦醒后没有了梦中的欢娱。战国时宋玉写有《神女赋》，写楚襄王梦中与巫山神女相遇之事。

⑱摆阖：形容船在水面上颠簸的样子。盘涡沸：盘旋在如同沸腾的旋涡上。

⑲欹斜：歪斜。激浪输：激涌的浪花不断输送、漂打过来。

⑳风雷：指波涛像风雷一样吼叫。缠：纠缠。地脉：大地的经脉，指河流。

㉑冰雪：指浪花白若冰雪。耀：照耀。天衢：天空。

㉒鹿角：险滩名。走险：冒险。

㉓狼头：险滩名。跋胡：据《诗经・豳风・狼跋》载：“狼跋其胡，载疐其尾。”意思是说，狼前行踩到他脖子上的肉，后退又绊到尾巴而跌倒。此处比喻进退两难。跋，踩。胡，脖子上下垂的肉。

㉔恶滩：险恶的沙滩，指鹿角和狼头二滩。宁(nìng)：岂，难道。变色：改变脸色，指害怕。

㉕高卧：高枕而卧。负：自负。微躯：微贱的身躯，杜甫自谦之辞。

㉖书史：书籍。倾挠(náo)：倾覆、混乱。

㉗装囊：行囊。压：挤压。

㉘生涯：生命。临：面临。臬(niè)兀：动摇不安的样子。

㉙死地：死亡之地。脱：逃脱。

㉚不有：没有。平川：平稳的河流。决：堤岸被水冲开。

㉛焉知：哪里知道。众壑：各种沟壑，指长江上游汇集到三峡的河流。趋：指河水奔流。

㉜霾(mái)：指烟雾弥漫。涨海：古代指南海，这里是说，江面如海一样宽阔。

㉝春芜：春天的草。芜，杂乱的丛草。

㉞牵丝：像被细线牵引着。飏(yáng)：同“扬”，飞扬。

㉟骊(lí)龙：黑龙。纡(yū)：弯曲。这句诗的意思是，江中如有骊龙一般，像漂洗过的锦缎一样，在水面萦绕弯曲。

㊱落霞：晚霞。沉：下沉，沉入。绿绮(qǐ)：绿色的绮罗，指江水。绮，有纹彩的丝织品。

㊲残月：残缺不圆的弯月。坏金枢：是指月亮西沉，使得远景模糊。金枢，传说中月亮没入的地方。

㊳泥笋：从泥出长出来的荻芽，形状像竹笋，所以称为“泥笋”。苞：芽苞。初荻：刚长出来的荻花。

㊴沙茸(róng)：沙中的小草。茸，本指草初生纤细柔软的样子，这里指初生的小草。出：长出。小蒲：幼小的蒲草。

㊵争：争抢。水马：一种水中浮游的昆虫。

㊶逐：追逐。樯乌：桅杆上乌鸦形状的风向仪。

㊷绝岛：孤岛。容：包容、笼罩。

㊸环洲：圆形的沙洲。纳：容纳。晓晡：朝与夕。晓，天刚亮。晡，指申时，下午三到五点。

㊹前闻：刚才听说。辨：辨别，指看清。陶：乡里名，是陶朱公的家乡，在江陵西边。牧：靠近城郭的郊外。

㊺转眄(miǎn):转眼。眄,斜着眼看。拂:这里指经过。宜都:地名,唐代属于峡州,今属湖北省。

㊻县郭南畿好:这句诗下,杜甫自注"路入松滋县"。县郭,县城。畿(jī),古代指靠近国都的地方。因为松滋在江陵西南,所以称为"南畿"。

㊼津亭:渡口的驿亭。北望孤:北望长安而感到孤单。

㊽劳心:忧心。依:依偎。憩(qì)息:休息。

㊾朗咏:朗声吟咏(诗句)。划:忽然。昭苏:光明和苏醒,使获得生机。

㊿意遣:心意得到了排遣。乐还笑:快乐又欢笑。

51衰迷:因衰老而不能分辨。

52飘萧:鬓发稀疏的样子。素发:白发。

53汩(gǔ)没:埋没。听:听任,任由。洪炉:大火炉,比喻天地造化。

54丘壑:山陵和溪谷,比喻隐居在外。曾:何曾。

55敢:岂敢。自诬:自欺。

56遭:遭逢,碰到。圣代:圣明的时代,这是对当代的美称。

57谁分:谁料到。哭穷途:因车无路可行而哭泣,比喻处于困境而心生绝望。典出《晋书·阮籍传》:"时率意独驾,不由径路,车迹所穷,辄恸哭而反。"

58卧疾:因疾病而卧倒。淹为客:长久客居在外。淹,滞留,久留。

59蒙恩:承蒙皇帝的恩惠。厕儒:置身于儒官之列。

60廷争:在朝廷上向皇上谏诤。酬:报答。造化:指自然,这里指杜甫上疏营救宰相房琯一事。

61朴直:朴实直率。乞江湖:乞求退隐江湖。

62滟滪(yàn yù):指滟滪堆,位于白帝城下瞿塘峡口的大石堆。险相迫:危险逼近。

63沧浪深可逾:意思是青苍的河水虽深但还可越过。

⑭浮名：虚名。寻：马上。已已：停止。

⑮懒计：懒于生计，即懒得为生计谋划。区区：自得的样子。

⑯天皇寺：寺庙名，在今湖北省江陵。

⑰披：打开，指阅读。

⑱应经：应该经过。帝子渚：地名，在江陵的南边。帝子，指上古尧帝的两个女儿娥皇和女英。屈原《九歌》中有"帝子降兮北渚"的诗句。

⑲同泣：指与娥皇和女英一同哭泣。苍梧：地名，也在江陵的南边，相传舜死后葬于苍梧。

⑳朝士：朝廷的官员。戎服：军服、战衣。

㉑按：用手指压着，这里指握着。湛卢(zhàn lú)：宝剑名，是春秋时期铸剑名匠欧冶子所铸宝剑之一。这两句诗是说朝廷正面临战乱。

㉒旄(máo)头：星宿名，它的分野为胡人居住的地区，这里指代吐蕃。俶(chù)扰：开始动乱。俶，开始。

㉓鹑首：星宿名，指朱鸟七宿当中的井、鬼二宿，它们的分野为秦地，这里指代长安。丽：附着。泥涂：污泥，指战乱。

㉔甲卒：穿戴铠甲的士兵。身虽贵：虽然受到重视。

㉕道：道路、志向。固殊：本来就不同。

㉖出尘：超脱于尘世之外。野鹤：居于林野的仙鹤，比喻隐士。语出南朝宋刘义庆《世说新语·容止》："嵇延祖卓卓如野鹤之在鸡群。"

㉗历块：指骏马飞驰，比喻有才能的人。语出《汉书·王褒传》："过都越国，蹶如历块。"唐颜师古注："如经历一块，言其疾之甚。"匪(fěi)：不是。辕驹：车辕下的幼马，比喻没有见过大世面的人。

㉘伊吕：指商代的伊尹和周代的吕尚(即姜子牙)，他们分别辅佐商汤和周武王战胜前朝。终难降：最终难以降生、出现。

⑲韩彭:指西汉的大将韩信和彭越,他们与英布并称汉初三大名将,但二人都因谋反的罪名被杀。不易呼:不容易呼叫、驾驭。

⑳五云高太甲:语出王勃《益州夫子庙碑》:"帝车南指,遁七曜于中阶;华盖西临,藏五云于太甲。"五云,五彩云朵。太甲,星宿名。本句诗的意思是五色云彩围绕着太甲星,其实是想表达对帝都和君王的关心。

㉑六月旷抟(tuán)扶:典出《庄子·逍遥游》:"鹏之徙于南冥也,水击三千里,抟扶摇而上者九万里,去以六月息者也。"旷,空阔。抟,凭借。扶,扶摇,盘旋而上。鹏鸟凭借六月的气息盘旋而上九万里,杜甫此处用此典故表达六月天空寥廓,可以凭借它盘旋而上之意,喻指他将离开夔州。"五云高太甲,六月旷抟扶"是想表达杜甫由夔州去江陵,但仍关心君主和国家的忧虑心情。

㉒回首:回头远望。黎元:指巴蜀的老百姓。

㉓争权:争夺权位。将帅诛:将领们在相互诛杀。

㉔托:寄托。疲苶(nié):疲惫。

㉕免:避免,免于。崎岖:山路不平,比喻人生坎坷不平。

【赏析】

杜甫久居夔州,非常想离开川蜀之地,这首五言排律便是他从白帝城乘舟出瞿塘峡,于唐代宗大历三年到达宜都后所作。本诗主要记录他沿途的见闻和感想。前四句写诗人入舟解缆,终于要离开夔州了,但他却是长吁不乐。五到十六句主要写在船上看到的美丽景色,船只在狭窄的江面上千回百转,惊动浴凫,岸边的猿猴悲啼,潮湿的空气扑面而来。而神女峰和王昭君故居又引发诗人的联想,将瞿塘峡周围的景致描写得细致入微。十七到二十八句写行船的凶险,波浪滔天，又有鹿角和狼头两个险滩，将诗人的行李打湿，船只仿佛在生涯和死地间穿梭。二十九到四十六句，写出峡后所见各种景物，美不胜收。而从四十七句开始，由描写自然转入议论，先感叹自己作为“淹客”而“穷途”的处境，再写国家到处战乱、缺少贤臣良将的现状，是对诗首“独长吁”的回应，表达了杜甫担忧国家、感怀自身的悲苦心情。